최병준의 여행공감

책과 여행과 고양이

2011년 12월 1일 초판 인쇄 ○ 2011년 12월 7일 초판 발행 ○ **글·사진** 최병준 ○ **펴낸이** 김옥철 ○ **편집** 박현주, 김준영
디자인 이정민 ○ **마케팅** 김헌준, 이지은, 강소현 ○ **출력** 스크린출력센터 ○ **인쇄** 한영문화사
펴낸곳 (주)안그라픽스 ○ **등록번호** 제2-236(1975.7.7)

●

편집·디자인 110-521 서울시 종로구 명륜동 1가 33-90 화수회관 302호 ○ 전화 02.745.0631 | 팩스 02.745.0633
이메일 agedit@ag.co.kr
마케팅 413-756 경기도 파주시 교하읍 파주출판도시 회동길 532-1 ○ 전화 031.955.7755 | 팩스 031.955.7744
이메일 agbook@ag.co.kr

컬처그라퍼는 우리 시대의 문화를 기록하고 새롭게 짓는 (주)안그라픽스의 출판 브랜드입니다.

ISBN 978.89.7059.610.5 (03810)

최병준의 여행공감

책과 여행과 고양이

컬처그라퍼

차 례

공항

"보통 좋은 여행이라고 하면 그 핵심에는 시간이 정확하게 맞아

들어간다는 점이 자리하기 마련이지만, 나는 내 비행기가 늦어지기를

갈망한 적이 한두 번이 아니다. 그래야 어쩔 수 없는 척하며 조금이라도

공항에서 뭉그적거릴 수 있으니까."

알랭 드 보통, 『공항에서 일주일을』

그냥, 인천공항에 가본 적이 두어 번 있다. 비행기를 타기 위해서도 아니고, 친구를 마중하거나 송별하기 위해서도 아니었다. 그저 비행기가 뜨고 내리는 모습이 보고 싶어서였다. 거대한 동체가 이륙하는 모습은 늘 경이롭다. 항공기는 때로는 인천 앞바다의 새우깡 갈매기보다 날씬하고 아름답게 생겼다.

공항은 여행의 출발점이다. 목적지에 발을 딛는 순간, 면세점 쇼핑 할 때가 여행의 출발점이 아니라 공항 대합실이 여행이 시작되는 장소다. 대개 비행기가 뜨고 지는 공항은 앞으로 펼쳐질 세계에 대한 기대감으로 충만하다. 공항은 거대한 고무풍선에 열풍을 불어넣어 부풀어 오르기 시작한 열기구를 기다리는 초원과 비슷하다. 소설가이자 건축가이

고 여행가이기도 한 프랑스의 알랭 드 보통은 공항을 사랑한다. 그는 마치 만난 지 3개월쯤 된 여인을 사랑하는 것처럼 공항을 사랑하는 것 같다. 공항을 마치 은모래 빛나는 해변이나 숲 깊은 별장으로 보는 것 같다. 보통에게는 공항이 정류장이 아니라 여행의 목적지이기도 하다. *그는 비행기를 타러 공항에 가는 게 아니라 발레 구경하듯이 공항에 간다. 공항에서 그는 떠남, 이별, 희망, 향수, 기다림 등 여행 하면 떠오르는 원소들을 모두 찾아냈다. 공항은 일과 휴가, 생활과 일탈이 나뉘는 경계라는 것을 간파한 것이다.

알랭 드 보통, 『동물원에 가기』

국제공항은 법적으로도 내 나라 안의 다른 나라다. 체크인 수속을 하고 나서 출국게이트를 통과하면 세관의 검문수속이 기다린다. 엑스선 투시기로 짐 검사를 마치고 나면 출입국검문소다. 요즘은 지문인식 시스템을 통해 곧바로 면세구역으로 빠져나가는 사람도 있지만 어쨌든 출입국 창구에서는 법무부 직원이 탑승권과 여권에 도장을 찍어 준다.

"국적은 어디입니까?"

"왜 왔습니까?"

공항에서는 이렇게 단순하고 본질적인 질문을 받는다. 그래서 공항에 가면 누구든 자신의 국적을 되묻게 된다. 결국 자신이 누구인지, 공항에서 확인 받게 되는 것이다.

출입국 창구를 빠져나오면 면세점들이 몰려 있다. 여기는 법적으로 중립지대다. 로빈 윌리엄스가 출연한 〈터미널〉이란 영화가 있다. 조국을 떠나 미국행 비행기를 타고 있는 동안 주인공의 조국에선 쿠데타가 일어났다. 여권에 찍힌 조국의 이름이 바뀌었다. 미국 정부는 이 여행자의 입국을 거부하고 다시 추방하려 했다. 그런데 이 사람, 뉴욕 JFK공항에서 버텼다. 그것도 수년을. 왜 미국 관리들은 면세구역이 있는 공항까지 들어와서 이 사람을 추방하지 못했을까? 미국의 법으로 어떻게 할 수 없는 공간이었기 때문이다.

공항에서는 비즈니스맨, 초보 여행자, 베테랑 여행자가 쉽게 구분된다. 비즈니스 여행객은 만사 귀찮다는 얼굴이다. 일로 떠나는 여행은 힘들다. 그들의 행동은 기계적이다. 면세점 보관창고에서 미리 주문해 놓은 물건을 그냥 주워 담고, 더 이상 눈길 주지 않고 라운지로 달려간다. 라운지는 '여행 귀족'들의 쉼터다. 라면, 맥주, 샌드위치, 와인……. 있을 만한 것이 다 있다. 샤워실이 구비된 공항 라운지도 있다.

공항에서 베테랑 여행자와 초보 여행자는 옷차림으로 구분된다. 여행을 여러 번 해본 베테랑 여행자들의 옷차림은 허름하다. 공항에서 부친 가방을 잃어버릴 확률이 생각보다 높다. 유럽의 경우 여행 가방의 분실율은 7~8%나 된다고 한다. 베테랑 여행자는 마일리지가 좀 있다 하더라도 라운지에 올인 하기는 아까워한다. 라운지 마일리지에 조금 보태면 제주도 비행기 삯이라도 건질 수 있으니까. 그들은 책 한 권 들고 구석에 박혀 앉아 있다.

반면 초보 여행자들은 주름이 아직 살아 있는 새 옷 차림으로 공항에 온다. 얼굴은 여행에 대한 기대감으로 꽉 차 있다. 해외여행 한 번을 위해 몇 달 전부터 계획을 짜고 새로 산 옷을 입고 온다. 한 사람 한 사람이 제각각 가슴에 꿈을 품고 있다. 불과 몇 시간 뒤에 "에게게……, 이게 호텔이야?" "아니, 사진에서 보던 그런 바다가 아니네"라고 한숨을 쉴지도 모르지만. 무라카미 류의 소설 『공항에서』의 주인공 '나'는 사람들의 표정이나 화장, 옷차림만 봐도 대충 어디 사는 사람인지를 알아챈다.

한편 초보 여행자에게 여행은 인생의 중요한 통과의례와 비슷하다.

"지금까지 어렵게 살아왔는데 우리만의 시간을 가져봐야 할 것 아닙니까."

이런 사람들에게 여행은 십 년 만에 돌아오는 휴가다.

"월급 받아 집을 살 수가 있나요? 돈 모아 집 산다는 거 옛날얘기예요. 택도 없어요. 그냥 즐길래요."

이런 여행자에게 여행은 리얼리티 게임이다. 세상이 너무 지긋지긋해서 그들은 여행을 떠난다.

"드디어 몰디브에 가는 거예요. 사진만 봐도 예뻐요. 자기야, 그렇지?"

때로 여행은 만기가 돌아온 저축통장이다. 이들을 보고 있으면 그들의 꿈을 조금 나눠 갖는 것 같아 행복하다. 행복은 전염된다. 환한 미소는 겨울날 따뜻한 커피 향 같은 기쁨을 준다.

공항 게이트 앞에서 책을 읽는 것은 즐겁다. 나는 볼펜보다는 연필을 들고 줄을 쳐가며 책을 읽는다. 볼펜은 아무래도 사무적이다. 여행은 아날로그와 어울린다. 가방에는 늘 두 권의 책을 넣어오는데, 하나는 언제 읽다 덮어도 상관없는, 시작과 끝이 따로 없는 그런 책이다. 또 하나는 집중해서 읽지 않으면 안 되는, 두꺼운 양장표지가 붙은, 단어의 뜻이 맞나 틀리나 해석해야 할 것 같은 그런 책이다.

이를테면 에드워드 기번의 『로마제국 쇠망사』, 에드워드 사이드의 『오리엔탈리즘』, 클로드 레비스트로스의 『슬픈 열대』 같은 책들이다. 이런 책은 장거리 비행기 안에서 읽어야 한다. 로마사에 관심이 많거나 문명사를 연구하고 싶어서 읽는 것은 아니다. 살다 보면 세기의 명저라고 하는 것들을 한 번쯤은 읽어줘야 할 것 같은 때가 있다. 인생의 숙제를 하는 기분 같은 것이다. 인간은 자신의 뇌 용량 중 95% 이상을 허비하고 있다는데, 그런 빈 공간에다 지성의 나무 한 그루를 심어주고 싶은 것이다.

여섯 권 전질로 된 권당 500~600쪽짜리 『로마제국 쇠망사』 같은 책은 기승전결이 없어서 인내력을 시험한다. 이런 책은 화장실도 가기 번거로운 비행기에서 꼼짝달싹 할 수 없이 앉아 있어야 할 때 읽는 다목적용이다. 시차적응용이다. 그거라도 없으면 비행기 내에서 별로 할 것도 없다. 되는 대로 자고 퍼져 있다가 여행을 시작하면 시차적응에 실패한다. 한마디로 『로마제국 쇠망사』는 여행의 준비운동이자 몸만들기 운동 같은 것이다. 보딩 타임까지 읽는 것은 가벼운 책이다. 여행할 때마다 수속을 다 마치고 떠날 때만 기다리며 책을 읽는 것은 그냥 좋다. 나는 미셸 투르니에의 책이 좋다.

공항은 쇠와 강철, 판유리로 된 '레고 블록'이다. 나는 공항에 갈 때마다

공항은 미래적 건축이다.

공항을 건축한 사람들이 프라모델 조립하는 것을 좋아했을 것이라고 생각했다. 공항 대합실은 쇠파이프로 연결돼 있는 일종의 돔처럼 생겼다. 파르테논 신전처럼 기둥이 줄지어 선 공항은 요즘 드물다. 공항은 탁 트여야 하고, 구석에서도 전광판이 잘 보여야 한다. 승객이 수속 과정을 놓쳐서는 안 되기 때문이다. 창밖도 훤해야 한다. 또 공항은 사무실이나 호텔이 아니다. 움직이는 공간이다. 건물 자체가 하나의 복도이며 트랙이다. 정주형이 아닌 이동형이다.

공항은 유리 교도소다. 새 공항은 대부분 벽과 천장이 모두 유리로 돼 있을 정도로 사방이 확 트여 있지만 밖으로 나갈 수는 없다. 닫혀 있다. 창문 하나 열지 못하게 돼 있다. 유리창은 손에 닿지 않는 아득한 천장 꼭대기에 붙어 있을 때도 있다. 창문으로 기능하는 것이 아니라 환풍기로 기능한다. 공항이 벌통형이나 원통으로 지어진 것이 많은 이유는 원형이 사각형 건물보다 하중을 골고루 분산시키기 때문이다. 적은 기둥으로 건축물을 세울 수 있다. 공항은 파이프와 파이프를 연결해 놓은 길이다. 샛길마다 비행기가 한 대씩 대어져 있다. 컴퓨터의 네트워크처럼 공항은 하드웨어의 네트워크다. 공항은 수학교과서 속에서 본 순서도처럼 생겼다.

공항의 미적 감각은 미래적이다. 공항을 설계한 건축가는 건축가라기보다 엔지니어다. 건축사를 보면 18세기 산업혁명 이후의 건축에서는 엔지니어의 역할이 중요해졌다. 아름다움보다 힘의 분산과 구조가 더 중요해졌다. 대리석만 가지고 지은 건물은 층수를 올리는 것에 한계가 있다. 그러나 철골구조물의 등장은 수십 층의 빌딩을 가능하게 했다. 뉴욕이 수직으로 세운 마천루를 통해 엔지니어의 꿈을 보여준 곳이라면 공항은 수평으로 엔지니어의 역량을 보여주는 공간이다. 마치 현미경으로 본 바이러스를 닮았다. 이런 건축물은 건축가의 창의력을 키워주기도 한다.

한노 라우테르베르크, 『나는 건축가다』

한노 라우테르베르크는 세계적인 건축가들을 인터뷰해 책을 썼다. 책에서 *러시아 타워를 설계한 건축가 노먼 포스터는 비행이란 개념이 건축가에게 영감을 준다고 얘기한다. 물과 공기로부터 자유로운 독립된 개념이 그에게 많은 이야기를 들려준다는 것이다. 그가 설계한 독일 국회의사당의 둥근 전망대는 공항을 닮았다. 포스터는 가장 멋진 건축물이 '보잉 747'이라고도 했다.

낡은 공항은 낡은 공항대로 운치가 있다. 먼지 낀 창문 너머로 보이는 쌍발기 엔진 비행기를 기다리는 것도 즐겁다. 이럴 때는 마치 시골 대합실에 앉아 하루에 서너 대밖에 없는 완행버스를 기다리는 느낌이다. 세상의 모든 시계는 다 똑같이 돌아가지만 유독 이런 공간에서는 서울이나 뉴욕, 도쿄보다 시곗바늘이 느릿하게 돌 것 같은 기분이 든다.

알랭 드 보통, 『공항에서 일주일을』

보통은 이런 공항을 사랑했다. 그는 *비행기가 연착돼 하룻밤 공항에서 묵어가기를 꿈꾸기도 했다고 고백했다. 그러나 대다수의 여행객들은 연착이라도 하면 당황스러워진다. 여행자들을 곤혹스럽게 하는 곳도 공항이다. 여행이 꼬이기 시작할 때 그 출발점 역시 공항이 될 가능성이 높다. Delayed, Delayed, Delayed, Delayed, Delayed, Delayed, Delayed, Delayed, Delayed……. Canceled, Canceled, Canceled, Canceled, Canceled, Canceled, Canceled……. 공항에서 여행자들이 가장 싫어하는 단어가 바로 'Delayed'와 'Canceled'이다. 두 단어는 여행자의 기분을 잡치게 만들 때가 많다.

공항은 모든 여행의 끔찍한 기억들을 모아두는 저장소 같은 역할도 한다. 아프리카 남단 마다가스카르 옆 모리셔스라는 프랑스령 섬나라를 찾아갈 때였다. 인천에서 홍콩까지 간 다음 다시 비행기를 갈아타고 남아프리카공화국에 갔다. 남아공 요하네스버그에서 모리셔스행 비행기로 떠나는 일정이었다. 그런데 홍콩 공항에서 비행기를 갈아타려고 기다리던 중 나를 태우러 오는 항공기의 승무원이 비행 도중 쓰러져 숨졌다. 항공기는 괌으로 기수를 돌렸고, 결국 비행기는 자동 취소됐다. "왜 괌으로 갔지?" "다음 비행기는?" "누구하고 얘기해야 합니까?" "짐은요?" "호텔은 잡아 줍니까?" "식사는요?" 이 수많은 질문에 대한 답은 한결같았다. "기다리세요."

항공편을 결정하는 것은 윗선에서 하는 일이니 표 팔고 보딩 패스 주는 직원들은 알 리가 없다. 결국 이들도 지시가 내려올 때까지 할 수 있는 말은 기다리라는 말 뿐이다. 공항에서는 마치 '기다림'이란 말에 도돌이표가 붙어 있는 것처럼 보인다.

한편 인간의 뇌는 순서도에 따라 움직인다. 한번 순서를 지나치면 자연스럽게 다음 단계에 매달린다. "그럼, 좋은 호텔방이라도 달라고 해야지." 항공사 직원들은 틀림없이 묻는다. "두 사람 같이 자도 되죠?" 이럴 때 마음 약해지면 안 된다. 코 고는 남자들끼리 잘 이유가 없다. 프라이버시를 존중받아야 한다. 혼자 자겠다고 하면 혼자 자게 해준다. 물론 여행사 패키지여행이라면 가이드의 편리에 따라 승객들을 한 호텔에 모아둘 것이다. 어차피 패키지는 2인 1실 기준으로 승객을 모집했으니 어쩔 수 없겠지만 자유여행자는 혼자 자야겠다고 하면 혼자 자게 해준다.

이튿날 요하네스버그에서 떠나는 항공편도 줄줄이 펑크가 났다. 조금 생소하고 잘 알려지지 않은 여행지로 가려면 보통 서너 번 항공기를 갈아타야 한다. 사람들이 많이 가는 여행지라면 항공 편수도 많겠지만 그렇지 않은 자그마한 섬나라는 일주일에 서너 차례밖에 항공편이 없게 마련이다. 하나가 펑크 나면 도미노처럼 스케줄이 펑크 난다. 이렇게 되면 여행 일정이 송두리째 흔들릴 수밖에 없다. 요하네스버그가 안 되면 케이프타운이라도 가서 비행기를 타야 하고, 국내선은 국내선대로 뒤죽박죽이다.

공항에서 필요한 것은 인내심이다. 목소리를 높일 수도 있지만 그래봐야 소용없다. 노랑머리든 검은 머리든 곱슬머리든 다들 속으로는 부글부글 끓고 있지만, 노트북 하나 들고 바닥에 앉아 차분히 기다려야 한다. 여기서 폭발하는 사람은 비등점이 낮은 성질 급한 사람이다. 하지만 한국인들이 '끓는점'이 낮은 것은 성격이 급해서가 아니라 휴가가 짧기 때문일 것이다. 2~3주쯤 되면 하루 정도 빠져도 그러려니 하겠지만, 7박8일에 비행기에서 하루 늦어지고, 국내선 늦어지면 정작 목적지에서는 3~4일밖에 묵을 수 없다.

결국 모리셔스 여행은 아프리카까지 갔는데 공항 바닥에 앉아서 기다리는 시간이 절반이나 됐을 정도로 엉망진창이 됐다. 4일 동안 머물러야 할 곳에서 이틀 만에 돌아오게 됐다. 세상에 이틀 여행하기 위해 거기까지 가다니…….

여행을 좋아하는 사람이라면 공항에서 수없이 많은 일을 당하게 된다. 항공기 엔진 고장으로 하루 늦게 로마로 떠난 적도 있고, 소방관들의 파업으로 파리에서 발이 묶여 하루 종일 기다리기도 했다. 그럴 때 여행 노하우는 따로 없다. 기다리는 것이다. 성질 죽이고, 차분하게. 기다리는 것밖에 없다. 비행기가 못 뜨면 공항에서 놀아야 한다. 공항하고 친한 사람이 여행을 즐기는 사람이다. 물론 알랭 드 보통처럼 공항에 매여 있는 상태를 즐기는 여행자는 거의 없다. 그러나 당시는 고통스럽지만 되돌아보면 모든 게 즐거움으로 남는다. 세월이 지나고 나서 보면 고통스러운 경험도 추억으로 치환된다. 그게 여행의 힘일 것이다.

공항은 세계 각국에서 온 사람들이 다른 목적지를 향해 대기하고 있는 출발선이다. 여기에 꿈과 기대감, 즐거움과 고통이 함께 섞여 있다. 여행 베테랑은 그 모든 악조건까지 즐길 수 있어야 한다. 아니, 즐기지는 못하더라도 담담히 받아들여야 한다.

공항은 여행을 향한 열정을 생산해내는 공간이다. 공항은 연인과 비슷하다. 출국할 때는 막 사귄 애인처럼 설레지만, 돌아올 때는 거들떠보지도 않는다. 연애를 통해 인생을 배우듯이 공항은 여행을 배우는 곳이다. 여행을 알아가는 곳이 바로 공항이다.

공항은 여행의 출발점이다. 알래스카 앵커리지 공항.

호텔

"호텔은 여러 문화와 생활방식을 거르는 여과 장치이다.

이 여과 장치에는 두 개의 독특한 문이 있다. 하나는 세련된 표상체계를 가진

외국인들을 위한 문이다. 그리고 또 하나는 새로움과 호화로움이 진열된

전시장을 지역 주민들 앞에 내놓는 문이다."

프랑수아즈 제드 외, 『도시의 창, 고급 호텔』

시간은 자정 즈음. 호텔에서 키를 받아들고 방에 들어선다. 카드 키를 문 옆에 있는 홀더에 끼우면 너무 환하지 않은 등이 방을 비춘다. 오른쪽에 트렁크를 놓을 접이식 받침대가 있고, 그 옆에 '컴플리멘터리Complimentary, 공짜'라고 쓰인 플라스틱 생수 한 병이 놓여 있고, 그 너머에 TV가 있다. 창 앞에는 의자 두 개, 미니테이블 하나가 있다. 왼쪽은 침대다. 종이배를 만들 때 귀퉁이를 접어놓은 것처럼 침대 끝머리 한쪽 이불이 반쯤 접혀 있다. 그리고 그 위에 총지배인의 '웰컴레터'가 놓여 있다. 가끔은 초콜릿도 하나 얹혀 있다.

먼저 가방을 얹어놓고 옷장을 연 뒤 일회용 슬리퍼를 찾는다. 침대에 앉아 엉덩이로 매트리스를 눌러본다. "너무 푹신하면 내일 아침 허리가

조금 빽빽할 것 같은데…….” 욕실에서 양치질과 샤워를 하고 나와 창 밖을 한번 내다보고, 카메라나 휴대전화를 충전하고, 시계를 머리맡 전등 위에 놓고 이불 속으로 미끄러져 들어간다. 잠들기 전 아내와 아이들에게 문자를 보낸다.

“이제 정말 여행이 시작되는구나.”

“내일은 어떤 세상을 구경하게 될까.”

낯선 베개냄새를 맡았을 때 여행지라는 것을 비로소 실감한다. 여행을 많이 해서 익숙할 법도 한데 늘 근육들은 물렁물렁 늘어지지 않고 빳빳하다. 몸은 피곤한데 눈꺼풀은 쉽사리 감기지 않는다. 여행은 늘 긴장 속에서 시작된다.

호텔은 공항과 함께 여행지의 첫인상이다. 욕실에서건 침실에서건 피부에 닿는 것은 낯설다. 공항과 다른 게 있다면 이 낯섦이 조금 더 촉각적이란 점이다. 이불은 까칠하고, 비눗물은 생각보다 잘 지지 않아 매끄럽고, 다른 향기의 샴푸향이 머리에 남는, 그런 낯섦이다. 따지고 보면 여행이란 낯섦을 즐기는 태도다. 여행지에서 만난 호텔은 거기서 만난 사람들의 얼굴만큼이나 다양하다. 우아한 호텔부터 냄새가 퀴퀴하게 배어 있는 삼류여인숙까지 여행자를 놀라게 하고 당혹스럽게 하는 것이 호텔이다.

여행 베테랑은 호텔을 잘 이용하는 여행자다. 영화 〈귀여운 여인〉에서 리처드 기어는 호텔리어에게 줄리아 로버츠의 드레스를 사주라고 부

호텔은 공항과 함께 여행지의 첫인상이다.

탁한다. 호텔리어가 줄리아 로버츠를 데리고 다니며 척척 일을 처리해 준다. 이 호텔리어는 바로 특급호텔마다 있는 컨시어지Concierge다. 컨시어지는 해결사다. 그냥 짐만 날라주는 벨보이와 다르다. 컨시어지는 손님의 부탁을 들어주기 위해 존재한다. 뮤지컬 입장권을 알아봐주고, 택시를 예약해놓고, 기차 시간을 체크하고, 항공편 정보를 주고, 좋은 식당을 알려주거나 예약해주고……. 이런 모든 것들을 컨시어지가 한다. 미국에서는 게스트 릴레이션스Guest Relations라고도 한다. 나는 여행 기자를 7~8년 할 때까지도 컨시어지가 뭔지 몰랐다. 아무도 가르쳐주지 않았으니 그게 당연했는지도 모른다.

여행자에게는 모든 것이 새롭다. 여행자는 서툰 게 당연하다. 호텔 룸키만 해도 나라별로 지역별로 천차만별이다. 유럽에서는 열쇠를 두 번 돌려야 열리는 문이 많다. 카드를 갖다 대야 열리는 문도 있고, 구멍 난 카드를 밀어 넣어야 열리기도 한다. 카드를 넣었다 빼야 열리는 문도 있다. 마치 쇠뭉치를 달아놓은 듯 무거운 열쇠뭉치를 주는 호텔도 있다.

"왜 이렇게 무거운 열쇠 홀더를 쓰죠?"

별다른 이유가 있나 했더니, 손님들이 주머니 속에 넣고 가는 경우가 많아서 아예 열쇠를 맡기란 의미라고 한다. 호텔 문을 여는 것도 생소하고, 처음에는 욕조에 걸린 두꺼운 수건이 발깔개인 줄도 몰랐고, 욕실에 비치된 작은 샴푸는 기념품으로 가져가도 되는지 안 되는지도 궁금했다(미니 샴푸 등은 대개 가져가도 된다).

여행 기자를 한 십 년쯤 하고 난 뒤에야 알게 된 것도 있다. 욕조 샤워꼭지 아래쯤에 붙어 있는 쇠로 된 물체였다. 70년대 구식자전거에 붙어 있는 따르릉 따르릉 울리던 벨과 비슷하게 생겼다. 거기엔 줄이 하나 늘어져 나와 있다. 처음엔 위급할 때 호텔 측에 알리는 신호줄 같은 것으로만 생각했다(그런 기능을 갖춘 벨도 있다). 나중에 알고 보니 그건 바로 빨랫줄이었다. 정확하게 반대편에 보면 그와 비슷하게 쇠로 된 물체가 하나 더 붙어 있다. 욕조 앞에서 줄을 쭉 잡아당겨서 반대편 고리에 끼우면 빨랫줄이 된다.

"허~참. 이걸 모르고 그동안 그렇게 궁금해했다니……."

호텔은 낯선 나라의 문화를 구체적으로 만나는 장소여서 하찮은 것들까지도 생소하다. 이런 것을 모두 아는 사람은 호텔을 수없이 들락거리는 비즈니스맨 정도일 것이다. 아니, 비즈니스맨도 잘 모를 수도 있다. 어쨌든 알아두면 손해 볼 일은 없다. 시설 이용 및 서비스가 다 값에 포함돼 있으니까. 유스호스텔이나 게스트하우스에서는 즐길 거리가 없지만 고급 호텔은 다르다. 아는 만큼 즐길 수 있다는 말이 딱 적용되는 것이 고급 호텔이다.

나는 호텔을 볼 때 먼저 욕실부터 꼼꼼하게 살펴본다. 이탈리아 코모의 벨라지오 섬 '세르벨로니' 호텔을 취재할 때였다. 관광청으로부터 초청받지 않았다면 감히 찾아보기 힘든 화려한 호텔이었다. 1873년 귀족의 저택을 호텔로 개조했는데, 이 호텔을 찾아왔다는 손님들의 면면이 화려했다. 미국 대통령 루스벨트와 케네디, 영국 수상 처칠, 무용가 이사도라 던컨……. 호텔은 하나의 성곽이라고 해도 좋을 정도로 훌륭했다. 덕수궁의 석조전보다 컸다. "우린 고종 황제가 국비를 털어 석조전을 지었는데, 이 귀족은 자기 돈으로 하나의 왕궁을 만들었구나." 대리석으로 지어진 건물을 둘러보는 순간 탄성이 나왔다. 미슐랭 별 하나를 받은 식당에서는 코모 호수가 한눈에 내려다보였다. 턱시도를 잘 차려입은 호텔의 매니저는 호텔의 역사를 줄줄 꿰었다.

산업혁명이 끝난 뒤 자본이 축적되면서 세계의 귀족들이 세상을 유람했다. 19세기말 20세기 초, 여행의 재발견이라고 해도 좋을 만한 때였다. 당시 만들어진 이 호텔은 러시아의 귀족뿐 아니라 전 세계의 귀족과 부유층에게 인기가 있었다고 한다. 그들은 아름다운 호수를 바라보면서 여행을 즐겼다.

"당시에는 하인들도 많이 데리고 왔죠. 귀족 한 사람이 수많은 사람들을 데리고 다니면서 여행했습니다."

"당시 하인들도 덩달아 호강했겠네요?"

"아뇨. 그 당시만 해도 객실마다 욕실이 달린 것도 아니고, 방은 더 좁았어요. 지금과는 많이 달랐습니다."

하인들은 일을 마치고 나면 제 방에 들어가 욕조에 몸을 담그고 몸을 풀 수 있었던 것이 아니라 주인의 방에 물동이를 나르느라 오히려 힘들었을 수도 있다는 얘기다. 그 시절의 호텔과 지금의 호텔은 구조적으로 다르다. 지금은 고급 호텔 하면 스파를 떠올리지만 당시에는 스파는커녕 제대로 목욕하기도 힘들었다. 호텔의 역사는 바로 호텔 욕실의 역사다. 호텔의 DNA는 바로 욕실에 있다.

객실마다 욕실이 들어간 것은 미국 호텔이 처음이었다. 그것도 20세기 초에나 가능했다. 욕실문화를 연구했던 캐서린 애센버그는 *호텔이 투숙객 전용 목욕탕을 설치한 것은 1829년에 하루 숙박료를 2달러(당시로서는 꽤 큰돈이었다) 받았던 '트레몬트 하우스'가 최초였다고 했다. 애센버그에 따르면 트레몬트 하우스는 객실이 170개나 됐는데 공동목욕탕은

캐서린 애센버그, 『목욕, 역사의 속살을 품다』

지하실에 8개뿐이었다. 7년 뒤인 1836년에 지은 호텔 '애스터 하우스'는 층마다 욕실이 있었고, 1908년 버팔로에 호텔을 지은 스태틀러가 비로소 객실에 욕실을 집어넣었다. 당시 이 호텔은 "1.5달러에 객실과 욕실을 모두 쓰세요"라고 홍보했단다. 호텔 객실에 욕실이 달려 있는 것을 보고 난 다음에 사람들은 자신의 집 안방 바로 옆에다 화장실을 지었다. 애센버그는 1837년 영국 버킹엄 궁에 거처를 마련한 빅토리아 여왕조차도 개인 욕실이 없었다고 했다. 그러니 초창기 호텔에 욕실이 있을 리 없다.

20세기 초 독일인 폰 더 후더는 *호텔 객실 20~30개마다 욕실 한 개가 적당하다고 했다. 애센버그는 19세기말에서 20세기로 넘어가던 당시에 독일인들은 연간 목욕을 5번밖에 하지 않았다고 했다. 목욕문화가 발달한 일본조차 19세기 중반만 해도 '데이코쿠' 호텔 객실 5개당 욕실이 하나였다. 요즘 호텔은 천지개벽한 것이다. 20세기 이후 미국식 호텔이 호텔문화에 큰 영향을 끼쳤다.

니콜라 피에베 외, 「도시의 창, 고급호텔」

왜 욕실이 호텔의 발달을 주도했을까. 이유는 간단하다. 편안함과 편안하지 않음을 나누는 기준을 가장 잘 보여주는 것이 욕실이다. 욕실은 지극히 사적인 공간이다. 제법 좋은 호텔에 묵을 때는 꼭 한 시간 정도 욕조에 누워서 호사를 부려보려고 한다. 영화에서 보듯이 목욕 가운을 선반 위에 걸쳐놓고 거품목욕이라도 한번 해보는 것이다.

요즘 호텔은 좋은 스파를 갖추고 있고, 욕조도 모두 고급이다. 좋은 리조트는 물총 같은 분사기가 달린 자쿠지Jacuzzi도 있다. 또 발코니 앞에 창을 바라보면서 목욕을 할 수 있게 해놓은 곳도 있다. 모리셔스의 고급 리조트에 묵을 때는 침실 가운데 욕조가 있었다. 마치 욕실을 중심으로 호텔 방을 설계한 것 같았다.

현대 고급 호텔에서 여자들을 유혹하는 것도 욕실이다. 스파와 자쿠지는 물론 욕실용품을 선물로 내세워 패키지를 파는 곳이 많다. 스파는 좋은 호텔을 가르는 기준이 됐다. 리조트들도 스파로 경쟁한다. 편안함과 안락함의 기준이 청결에서 이제는 건강과 미용으로 옮겨가고 있다. 이런 점에서 보면 호텔이 중점을 두는 마케팅 대상 고객층은 과거 남성 귀족에서 지금은 여성 부유층으로 바뀌어가고 있음을 알 수 있다. 여성들이야말로 호텔을 제대로 고를 수 있다.

호텔의 명성은 서비스에 좌우된다. 최고급 호텔은 자존심을 겨루는 늙은 귀족들이다. 고급 호텔들은 우리가 최고라고 목에 힘을 주는 묘한 분위기가 있다. 물론 그런 호텔이 다 좋은 것은 아니고 실망스러울 때도 있다. 두바이의 '버즈 알 아랍'이 그랬다. 두바이 정부가 경제위기로 파산 직전까지 몰리기 전 이 호텔은 두바이의 상징이었다. 범선의 돛 모양인 외관도 독특했지만 버즈 알 아랍이 유명한 것은 별 일곱 개짜리 호텔을 표방했기 때문이다.

엄격하게 따지면 별 일곱 개짜리 호텔은 없다. 유럽에서건 한국에서건 미국에서건 별 다섯 개짜리 호텔이 최고급이다(한국은 별 대신 무궁화로 표시한다). 버즈 알 아랍 이전에도 "우린 같은 별 다섯 개짜리 호텔이 아니야"라고 주장하고 나선 호텔이 있다. '포시즌, W, 파크 하얏트'

등은 "우린 별 여섯 개짜리 호텔"이라고 했다. 버즈 알 아랍은 이들보다 더 고급이라는 뜻으로 별 일곱 개라고 홍보한 것이다. 더 높은 서비스와 안락함을 보장한다는 것이다. 그러면 별 여섯 개짜리와 별 일곱 개짜리 호텔은 얼마나 차이가 날까. 한계점을 넘으면 큰 차이는 없다. 그저 별의 인플레이션이다. 별점을 주는 기준은 각 나라마다 다르지만 대개 유럽은 역사와 전통에 중점을 둔다. 아시아는 호텔 시설을 강조한다. 유럽은 작은 호텔도 별 다섯 개짜리 호텔이 되지만 아시아의 호텔들은 크고 화려하다. 규모가 크면 서비스가 어려워지는 법인데, 이걸 메울 수 있는 것은 값싼 인건비 때문이다.

버즈 알 아랍 호텔은 한때 투어프로그램까지 운영하다가 폐지했다. 반바지 차림은 안 된다고 해서 재킷을 입고 호텔을 찾았다. 아무나 호텔에 들어갈 수 있는 것이 아니고 투숙객이나 식당 예약자들만 호텔에 들어갈 수 있었다. 호텔을 구경해보려면 1인당 10만 원 정도 되는 뷔페 식사를 해야만 둘러볼 수 있었다.

그렇게까지 해야 볼 수 있는 내부는 사실 실망스러웠다. 바닥은 금을 발랐다는데 오히려 돈 자랑을 하는 것 같아 촌스러웠고, 실내 장식은 여기저기 번득거렸다. 졸부들이란 차분하고 우아하며 점잖게 뽐내지를 못하고 번쩍거림을 좋아하게 마련이다. 벼락부자가 된 시골뜨기가 어울리지 않는 화려한 옷을 입은 것처럼 말이다. 버즈 알 아랍은 최고의 가치를 금으로 표시했다. 그들의 눈에 최고는 금칠이었다. 그러면서 서비스의 특별함을 강조했다. 이를테면 투숙객은 필로우 초이스Pillow Choice를 할 수 있다. 메뉴를 보고 베개를 고르는 것이다. "우린 거기까지 신경 씁니다." 뭐 이런 식의 마케팅 전략이다. 욕실용품은 이름만 들으면 알 만한 명품으로 투숙객들이 고를 수 있도록 했다. 불가리Bulgari를 쓸 건지 아베다Aveda로 할 것인지 묻는 것이다. 대개 이런 호텔은 투숙객의 허영심을 공략한다.

그러나 모든 사람이 고급 호텔을 누릴 수는 없다. 돈이 있다고 해도 고급 호텔 대신 다른 호텔을 찾는 이들이 있다. 마니아들이 좋아할 만한 호텔도 많다. 오스트리아 빈에서 '비더마이어'란 호텔에 묵은 적이 있다. 호텔이 참 특이했다. 침대는 벽에 붙어 있었고 창은 작았다. 원래 수도승들이 묵는 검소한 방에서 아이디어를 따와 만들었다는 것이다. 좁았지만 아늑했다. 이런 개성 있는 호텔이야말로 그 나라의 속 모습을 보는 것 같은 기분이 들게 한다. 비더마이어는 산업혁명기 독일에서 피어난 건축양식으로, 당시 독일 중류계급의 검소한 생활양식이 변형되어 나타난 것이다. 역사학자 에릭 홉스봄은 *비더마이어 스타일이란 일종의 '가정적 고전주의'라고 표현했다. 경제적으로는 영국이나 프랑스만큼 성장하지 못하고 결국은 소박한 독일식의 고전주의를 표방했다는 얘기다. 비더마이어 호텔은 200년 전 독일의 얼굴이었다.

에릭 홉스봄, 『혁명의 시대』

산토리니에 가면 마구간이나 헛간, 가정집을 개조해서 객실로 만든 호텔들이 많다. 에게해가 한눈에 내려다보이는 이아 마을 같은 경우 호텔의 객실이라곤 대개 10개 안팎이다. 과거에는 다 개인 주택이었다. 거기서 만난 미국인 여성 세 명은 평생을 별러 이곳에 왔다며 에게해를 하염없이 바라봤다. 창은 집집마다 크기가 달라서 요즘처럼 규격화 돼 있지 않았다. 거기서는 산토리니 사람들의 문화를 느낄 수 있었다. 촌스럽게 생긴 주전자가 나와도 어색하지 않고 오히려 정겹다. 터키 카파도키아에 가면 암굴을 파서 만든 토굴 호텔이 있다. 이런 호텔은 최고급 리조트 못지않은 즐거움을 준다.

호텔도 아이디어가 얼마나 중요한지를 느낀 곳은 캐나다였다. 캐나다 밴쿠버 섬의 토피노에는 '위커니니시 인'이란 호텔이 있다. 바닷가 암벽 위에 세워진 최고급 호텔인데, 폭풍우가 거세게 불어닥치는 지역에 위치해 있다. 처음 이곳에 호텔을 짓는다고 했을 때는 비웃음을 샀을 것이다. 밴쿠버 섬에서도 최북단의 오지인데다 관광객이라고는 파도를 즐기기 위해 찾아오는 서퍼들이 대부분이었기 때문이다. 서퍼들이 무슨 돈이 있겠는가. 하지만 이 호텔은 최고의 인기 호텔로 떠올랐다. 폭풍을 보기 위해서만 이곳을 찾는 사람들도 생겼다.

호텔 로비에서는 나이 지긋한 노인들이 폭풍우 몰아치는 바다를 보며 차를 마시고, 천장 아래엔 마이크를 달아놓아 파도소리가 생생하게 들렸다. 그리고 호텔 앞에 따로 만들어놓은 방갈로 스파에선 비바람 속에서 바다를 보며 테라피를 즐길 수 있다. 이 호텔 스파는 세계적인 여행잡지 《콘디나스 트래블러Conde Nast Traveler》로부터 최고의 스파로 뽑히기도 했다. 아늑한 벽난로가 타닥타닥 타는 호텔에서 보는 폭풍우 치는 바다는 묘한 정취를 자아냈다. 마치 비 오는 날 낙숫물 소리를 들으면서 파전을

추억을 파는 호텔도 있다. 그리스 산토리니의 이아 마을 호텔.

부쳐 먹는 정취와 비슷하지 않을까. 바깥의 폭풍우가 호텔을 더 따뜻하고 아늑하게 만들어주는 것이다. 낙원과 고통 받는 세상의 차이는 간단했다. 고해苦海를 한 발자국 떨어져 바라볼 수 있는 곳이 곧 낙원이다. 서퍼가 아니면서 호텔 밖에서 비를 맞고 있다면 그는 고해에 반쯤 잠겨 있는 우울한 인생일 것이다.

독일 라인강을 끼고 있는 뤼더스하임에서는 포도주 통으로 만든 호텔도 봤다. 아테네의 호텔 로비는 자동차를 인테리어 소품으로 쓰고 있었다. 세계 최고의 호텔 중 하나는 천장이 없는 아프리카 호텔이라고 한다. 별을 보면서 하룻밤을 묵는 호텔이라는 것이다. 뉴칼레도니아, 필리핀, 몰디브의 고급 리조트는 바닥을 유리로 만들어 열대어가 산호 주변을 헤엄치는 모습을 볼 수 있도록 해놨다. 이런 호텔은 안락함이나 객실을 파는 것이 아니라 모두 추억을 파는 호텔이다.

호텔에서의 끔찍한 기억도 숱하게 많다. 인도 델리의 버스정류장 앞에 있는 호텔은 24시간 쉬지 않고 경적 소리가 들렸다. 이어플러그를 끼고 베개로 귀를 막고 잤다. 싱가포르에서는 창문 없는 호텔에서 묵은 적이 있다. 변기에 앉아 샤워를 해야 할 정도로 화장실이 좁았다. 호텔 자체가 하나의 두려움이었다. 늘 캄캄해서 시간을 알 수 없었고, 샤워를 한 번 하고 나면 욕실과 변기가 엉망이 됐다. 손가락으로 모든 것을 더듬어 찾아야 했고, 하루는 바퀴벌레가 손에서 빠져나가는 것을 느꼈다. 여행이 고통이었다. 아프가니스탄 카불의 '인터컨티넨탈' 호텔 입구에는 '무기

휴대 금지'란 안내문과 금속탐지기가 설치돼 있었다. 테러 방지를 위해 호텔 출입자들은 호텔을 오갈 때마다 탐지기로 수색을 받는다. 타히티 보라보라 섬의 한 호텔은 천장에 달린 선풍기 옆에 벌집이 있었다. 아침에 일어나보니 말벌들이 이불 위와 창문, 탁자를 기어다녔다. 밤새 뭐가 있는 듯했지만 피곤해서 곯아 떨어졌는데, 아침에 이불 위에서 수십 마리의 벌 떼를 발견하고 혼비백산했다.

호텔을 잘못 골랐을 때의 당혹감이란 말로 표현하기 힘들다. 호텔은 여행의 기분을 좌지우지 한다. 사람마다 호텔을 보는 기준이 다르겠지만 내가 생각하는 나쁜 호텔은 문을 열자마자 거울이 보이는 호텔이다. 태국 크라비에서 꽤 좋은 단독 빌라로 이뤄진 리조트에 묵은 적이 있다. 그런데 문을 열자마자 거울이 보였다. 어둠 속에서 갑자기 거울 속에 사람이 나타나면 그것이 자신의 얼굴이라도 낯설고 화들짝 놀라기 십상이다. 저녁에 객실로 돌아왔을 때 어둠 속에서 거울에 비치는 상은 등골을 서늘하게 만든다. 아무리 시설 좋은 객실이라도 이럴 땐 즉시 방을 바꿔달라고 한다.

그러면 좋은 호텔은? 호텔의 역사, 객실 크기, 등급을 모두 떠나 좋은 호텔은 화장실에서 알 수 있다. 화장실 변기에 앉아 주변을 꼼꼼하게 둘러보면 그 호텔의 청결 상태를 알 수 있다. 이 말을 내게 해준 사람은 하와이의 '힐튼' 체인 마케팅 담당 지배인이었다. 그는 힐튼 창업자와 같이 일했다고 한다. 창업자 힐튼은 호텔 청결 상태를 점검할 때 화장실

변기에 직접 앉아 봤다고 한다. 앉아서 보면 머리카락도 보인다고 한다.

여행자들이 가장 많이 찾는 '힐튼, 메리어트, 하얏트, 인터컨티넨탈' 같은 세계적인 호텔 체인은 대기업에서 만든 제품처럼 잘 규격화 돼 있다. 편안하고 깨끗하다. 그런데 뭔가 아쉬움이 있다. 방콕에서나 하와이에서나 알래스카에서나 느낌이 비슷하다. 그렇다. 여행의 정취라는 것은 결코 공장처럼 잘 짜인 틀과 규격에서 나오지 않는다. 작은 호텔, 특이한 호텔은 오히려 재미있는 추억거릴 만들어준다.

관찰

"나는 영원한 춘추분의 고장인 가봉에서 살아본 적이 있다.
그곳에서 일 년 열두 달 매일같이 똑같은 시간대에 해가 뜨는 것을 보고
있노라면 한심한 기분을 가눌 길이 없다. 나를 리브르빌로 초대해준 친구는
내게 미리부터 예고한 바 있었다. 두고 보게. 정말 신기해!
우리 집은 정확하게 적도의 양쪽에 걸쳐서 세워져 있다네.
부엌은 남반구에 있어서 개수대의 물이 빠질 때는 시곗바늘 방향으로 돌지.
반대로 욕실은 북반구에 위치하고 있어서 세면대의 물이 빠질 때는
그 반대방향으로 도는 거야."

미셸 투르니에, 『예찬』

정말일까. 북반구의 물은 이쪽으로 남반구의 물은 저쪽으로 돈다는 것이? 움베르토 에코의 소설 『푸코의 진자』에도 비슷한 이야기가 나온다. 소설 속에서 지구의 남반구에서는 물이 시계 방향으로 빠져나가고 이탈리아에서는 그 반대라고 한다. 하지만 진위 여부를 확인하지는 못했다고 한다. 해외출장을 가게 되면, 특히 남반구에 가면 욕실에서 물을 내릴 때마다 어느 쪽으로 도는지 유심히 살펴보곤 한다. 하지만 적도 한가운데 집이 놓여 있다고, "화장실은 이쪽으로, 부엌은 저쪽으로"는 투르니에의 허풍이 아닐까 싶다.

그나저나 사람들의 눈은 정말 다르다. 투르니에처럼 개수대나 욕조의 물 빠지는 모습에서 여행의 재미를 느끼는 사람도 있다. 사진 찍고 음식

먹는 것만 재미있는 것이 아니다. 사람의 뇌는 저마다 다른 관측 세포를 가지고 있다. 똑같이 보는 것 같지만 달리 본다. 대개 '보는 눈'은 크게 두 가지로 나뉜다. 머리로 보거나, 가슴으로 본다. 예를 들면 똑같은 것을 보고 아름답다고 하는 사람도 있고, 추하다고 하는 사람도 있다. 사회학자들은 호화로운 제3세계 특급 호텔에서 착취당하는 저임금 노동자를 떠올리고 분노한다. 특급 호텔에서 빈부격차와 부조리를 보는 것이다. 반대로 경영학자들은 서비스로 호텔의 쾌적함을 평가한다.

감성의 눈은 한 사람의 경험과 지역, 역사와 전통과 연계돼 있다. 감성은 문화적인 눈이다. 서양인들이 보고 아름답다고 하는 것과, 동양인들이 보고 아름답다고 하는 것은 약간 차이가 있다. 밥 먹고, 공부하고, 수다 떨고, 노는 것들이 다 우리의 인지세포에 영향을 준다. 시각세포가 받아들이는 모습에 삶의 경험이 문화적 해석을 곁들이는 것이다.

머리로 본다는 것은 '아는 만큼 보인다'는 말과 부분적으로는 통한다. 딱 들어맞는 말은 아니지만 지식은 여행의 재미를 배가시켜준다. 그러나 머리로만 봐서도 제대로 볼 수 없고, 가슴으로만 봐서도 깊이 볼 수 없다. 흔히 미술품을 볼 때는 안목이 필요하다고 한다. 안목眼目이란 말은 결국 지식과 예술적 감성이 모두 들어 있다는 것이다. 그것을 지식 70%, 감성 30% 같은 식으로 딱 나눌 수 없지만 말이다.

남아프리카 공화국의 한 사파리를 돌아볼 때였다. 아프리카 사파리에서 지프를 타고 맹수를 관찰하는 것을 '게임 드라이브'라고 한다. 사파리 호텔에 투숙했더니 오후 5시와 새벽 6시에 게임 드라이브를 한다고 했다. 해 뜰 무렵과 해 질 무렵에 투어가 시작된다. 아니, 대낮에 하면 더 좋을 텐데. 더위 때문에 그럴까?

"낮에는 동물 보기가 쉽지 않아요."

가이드의 답은 간단했다. 사파리에서 낮은 휴식 시간이다. 책을 읽고 어슬렁거리며 논다. 사람이나 동물이나 마찬가지다. 야성의 시계는 농부의 시계와 반대다. 낮에 자고, 밤에 논다. 이것이 바로 아프리카의 생활이다.

관광객들이 타는 차는 랜드로버를 개조한 대형 지프였다. 10여 명이 탈 수 있을 정도로 컸다. 미니버스만 했다. 에버랜드의 지프나 버스만 해도 다 철조망으로 유리창을 가려놓았는데 지붕이 없는 무개차라는 것이 희한했다.

"오픈카를 타고 다니나요?"

"걱정 마세요. 사자는 지프를 보고 동물로 생각합니다. 몸집이 큰 동물로 보고 함부로 덤벼들지 않아요."

설마 사자가 공격해오지 않을까 은근히 겁을 먹었지만 가이드는 놈들이 지프에 달려들어 공격하는 일은 거의 없다고 했다. 대신 차에서 내리는 것은 엄격하게 금지했다. 가이드들은 총을 옆에 끼고 다니며 맹수가 접근하려 하면 경고 사격도 했다. 적당한 안전거리는 둬야 한다.

'동물의 왕국'은 여행자들에게 긴장감을 주지 못했다. 쫓고 쫓기는 생존게임은 보이지 않았다. 동물의 왕국은 오히려 한가했다. 사자는커녕 얼룩말도 보기 쉽지 않았다. 어디에 몸을 숨기고 있는지 사파리 가이드들도 잘 몰랐다. 지프는 이 구석 저 구석을 훑고 다녔지만, 새벽과 어스름 즈음에 다니는 사파리에서는 맹수는커녕 한동안 토끼 한 마리 나타나지 않았다.

사파리 관광객의 희망은 '빅5'를 모두 보는 것이다. 빅5는 인기 동물 5종인데 코뿔소, 사자, 코끼리, 표범, 버펄로다. 사람들은 영양이나 가젤 같은 작은 동물보다 몸집도 있고, 동물의 왕국 한 귀퉁이에서 포효하는 이런 맹수들을 보고 싶어 한다. 그런데 5종 세트를 한나절에 다 보는 것은 현실적으로 불가능하다. 실제 야생의 사파리는 동물 밀도가 높지 않다. 아파트 주민들처럼 사자들이 떼 지어 사는 것도 아니다. 사자와 얼룩말이 이웃처럼 살지 않는다. 더구나 먹이 사슬 꼭대기에 위치한 맹수들은 개체수도 적다. 대개 멸종의 위험 속에서 하루하루를 살아가고 있는 종들도 많다. 그러니 빅5를 다 보려면 적어도 3~4일 정도는 묵어야 한다.

빅5 중에서도 관광객마다 보고 싶어 하는 게 다 달랐다. 나이 든 사업가는 사자 갈기를 보고 싶다고 했다. 한 아가씨는 늘씬한 표범의 사진을 찍고 싶다고 했다. 어린 아이는 코뿔소의 코가 그렇게 단단한지 만져보고 싶다고 했다. 궁금한 것도 천차만별이었다. 내가 정말 보고 싶었던 것은 그놈들의 걸음걸이였다. 대체 어떻게 걷는지 확인해보고 싶었다. 이유는 미셸 투르니에가 말한 측대보와 대각보의 차이 때문이었다.

미셸 투르니에, 『예찬』

*그는 동물의 걸음법에는 두 가지가 있다고 했다. 측대보와 대각보다.

측대보는 오른쪽 앞발과 오른쪽 뒷발이 동시에 나간다. 반면 대각보는 오른쪽 앞발과 왼쪽 뒷발이 함께 나간다. 인간의 걸음걸이도 이렇다. 오른팔과 왼발이 함께, 그리고 왼팔과 오른발이 함께 나간다. 이것이 자연스럽다. 그런데 대자연에서는 야생동물, 즉 길들여지지 않은 동물은 오른발과 오른손이 나간다는 거다. 야생동물은 측대보로 걷는다는 것이다. 개와 늑대를 구분하는 방법도 측대보인지 대각보인지만 보면 안다는 거다. 과거에는 야성을 기르기 위해서 강제로 말 다리를 묶어 측대보를 가르친 적도 있단다. 개 중에는 사냥개가 측대보이며, 야성이 살아 있다는 것이다. 지금껏 〈동물의 왕국〉을 좋아해서 정신없이 보곤 했지만 단 한 번도 그런 발걸음에 눈길을 줘본 적이 없었다. 또 하나, 물 마시는 법도 다르다. 개는 물을 핥아 먹고, 늑대는 물을 들이켠다. 농담 하나 하자면, 벌컥벌컥 흘리면서 막걸리를 마시는 사람들을 게걸스럽게 보지 말자. 야성이 살아 있는 사람이다.

어쨌든 투르니에의 책을 읽고 나니 남아공의 사파리에서 일단 걸음걸이를 눈여겨봐야겠다는 욕심이 생겼다. 정말 사자는 그렇게 걸을까, 정말 하이에나는 측대보로 나타나는 것일까. 그들의 이빨과 갈기, 얼룩배기 몸뚱이가 아니라 오로지 걸음걸이를 두고 온갖 상상을 다 했다. 그러나 코뿔소를 발견했을 때는 너무 어두워서 발걸음이 보이지 않았다. 그 놈들은 꿈쩍하지 않고 사람을 지켜봤다. 놈들도 긴장했던 모양이다. 이튿날은 스프링복 무리를 만났다.

"사자나, 하이에나, 표범은 아닐지라도 이놈들도 야성이 살아 있을 테니……. 어디 보자. 어서 한번 걸어봐라. 천천히…….”

내 눈은 오로지 그들의 가느다란 다리에 꽂혀 있었다.

“대각보냐, 측대보냐…….”

눈이 빠지게 발걸음을 주시했다. 놈들은 관광객들을 태운 차가 서서히 다가오는 것을 보더니 멈칫 했다. 고개를 처박고 있던 놈들이 모두 고개를 들었다. 차가 바퀴를 한 바퀴 정도 더 굴려 스프링복을 향해 다가가는 그 순간, 놈들은 걷는 게 아니라 용수철처럼 두 발을 한꺼번에 모아 통통 튀듯이 도망가버렸다.

“저 동물은 스프링복입니다. 스프링처럼 통통 튀어서 스프링복이라고 하죠.”

가이드는 차분하게 설명했다. 설마 놈들이 두 발로 뛰리라고는 생각 못했던 터라 허탈했다.

야생에서는 걷는 것 자체를 보는 것도 그리 쉽지 않았다. 아프리카의 초원에서 걷는다는 것은 그만큼 자신감이 있다는 뜻이다. 잡아먹는 동물은 걸어도 되지만, 잡아먹히는 동물은 뛰어야 산다. 맹수는 걷고 초식동물은 뛴다. 초식동물은 동료들과 있을 때는 걷지만 육식동물을 보는 순간 뛰고 만다. 인간은 그들에게 육식동물만큼이나 위험한 존재인 것이다. 육식동물 중에서도 맹수의 왕이라고 할 수 있는 동물들은 서 있는 모습 보기도 힘들다. 이놈들은 늘 누워 있다. 에버랜드의 사자 우리나 서울 대공원의 호랑이 우리에 가보면 그들은 대개 누워 있다.

헬기를 타고서야 사자를 볼 수 있었다. 하늘에서 내려다본 사자는 너

무 떨어져서 걸음걸이가 제대로 보이지 않았다. 하루 종일 잠만 잔다더니 정말 그랬다. 돌아다녀봐야 에너지만 소비하게 된다. 최대한 에너지를 아꼈다가 사냥에 나설 때만 그들은 걷고 달린다. 사자들은 누운 채 눈만 꿈쩍거릴 뿐이었다. 대각보와 측대보는 결국 확인을 못했다.

측대보 이야기를 들으면서 묘하게 군 훈련병 시절이 떠올랐다. 군사훈련 중 가장 힘든 것이 사열과 열병 연습이다. 사열이란 군인들이 절도 있는 동작으로 발을 맞춰 걸으면서 사령관에게 경례를 붙이는 훈련이다(국군의 날 퍼레이드를 떠올리면 쉽다). 사열이란 걸음걸이에서도 군인다움을 보여주는 것인데, 독재국가일수록 발걸음에 힘이 들어가 있고 절도 있다. 발을 편안하게 내딛지 않고 일직선으로 올리듯 걷는 군대도 있고, 어깨가 들썩거릴 정도로 팔을 높이 올리는 군대도 있다. 수백 명, 많게는 수천 명이 한 덩어리의 기계처럼 척척 팔과 발을 맞춰야 한다.

그런데 이 훈련을 하다보면 긴장하게 되고, 긴장하면 자신도 모르게 상대방과 발을 맞추지 못할 때도 있다. 그래서 이런 훈련을 받다가 왼팔과 왼다리가 함께 나가는 측대보로 걷는 군인이 하나쯤 나오게 마련이다. 평소에는 잘 걷다가도 꼭 실수가 생긴다. 군대용어로는 '고문관'인데, 동료 중 하나가 이런 실수를 하게 되면 단체 기합이나 얼차려를 받기 십상이다. 이런 실수가 나오면 훈련병 전체가 발을 맞출 때까지 연병장을 '뺑뺑이' 돌 수도 있다.

"측대보로 걷는다는 것이 야성이 살아 있다는 의미라면, 용맹해야 할 군인들도 응당 측대보로 걷게 해야 하는 것 아닐까? 고문관이야말

나미비아 스프링복. "대각보냐, 측대보냐……."

로 '덜떨어진 병사'가 아니라 정말 본받아야 할 병사가 아닐까?"

나는 쓸데없는 공상을 하면서 킥킥 웃었다.

여행이 주는 참다운 재미는 전복, 즉 뒤엎음이다. 사람들은 스스로 보고 싶어 하는 것만 본다. 고정관념이 그들의 머릿속에 굳게 박혀 있다. 그런데 여행을 하다 보면 이런 고정관념에 금이 가고 깨진다. 그것은 배움의 즐거움과 연결된다. 책을 들고 여행을 하다 보면 나 자신이 알고 있는 사실들이 얼마나 빈약한가를 알게 된다.

남아공 동남쪽 산악지대에 섬처럼 고립된 레소토라는 산악국가가 있다. 영국이 남아공의 황금광산에 군침을 흘리고 들어와 미리 정착해 있던 네덜란드의 후손인 보어인과 싸웠다. 물론 영국이 승리했다. 영국군에게 깨진 보어인은 바소토족이 사는 땅을 빼앗았다. 갈 곳 없는 바소토족이 이리저리 헤매다가 숨어들어간 곳이 바로 레소토 공화국이다. 레소토는 내전으로 나라가 늘 소요에 휩싸여 있어 여행자들에게 그리 안전한 국가는 아니지만 남아공에서 레소토 국경까지 가는 트레일은 꽤 유명한 관광상품이다. 지프로 달리는 코스인데, 오프로드 모터사이클 경기를 하기 좋은 코스이기도 하다.

흙먼지 풀풀 날리며 찾아간 레소토의 국경 앞에서 폭소가 터졌다. 유럽에는 솅겐조약으로 국경다운 국경이 없다. DMZ처럼 이중의 철조망을 세워두고 경비를 서는 곳은 드물다. 나는 국경이 꼭 DMZ 같지는 않더라도 뭔가 제대로 된 경계선이 있을 것이라고 생각했다. 하지만 거기서 본 국경은 땅에 조약돌을 박아서 선을 그어놓은 것이었다. 운동장에 백분가루로 트랙을 그어놓은 것보다 못한 국경이었다. "아이들 장난도 아니고 이건 뭐야?" 사진기를 꺼내들자 경비원이 와서 경고를 보냈다. 국경에서 사진촬영은 금지돼 있다. 보안시설을 찍으면 카메라를 뺏는다고 했다. 그러나 보안이라고 이름 붙여놓은 곳을 보니 포대, 레이더 기지, 군부대는커녕 허름한 경비초소 하나뿐이었다.

"뭐가 중요 보안시설이라는 거지?"

그들이 노리는 것은 보안을 핑계로 관광객의 카메라를 탐내는 것이다. 그러고 보니 경비병이 아까부터 내 카메라만 자꾸 들여다보고 있는 것 같았다.

국경을 몇 발자국 지나자 자그마한 마을이 있었다. 이 마을은 일종의 민속촌같이 재현된 마을이다. 별 신기할 것도 없지만 주민들과 밥 한 번 먹는 데 돈 얼마 주는 식이다. 그러면서 마을에 대해 설명을 해준다.

"해발 2천 미터가 넘는데 추워서 창문이 작고 모두 북쪽으로 창을 냅니다."

"왜 북쪽으로 창을 내지? 남향이 따뜻할 텐데……."

여기서 나의 무식이 여지없이 드러났다. 북반구는 남쪽으로 햇볕이 들지만 남반구는 북쪽이 잘 든다. 내 머리는 항상 북반구식으로만 생각했다. 역지사지易地思之를 못했다. 북반구와 남반구는 계절이 반대니 당연히 햇살을 받아들이는 방법도 반대다.

이집트 피라미드의 밑변 4개의 꼭짓점은 정확하게 동서남북을 향하고 있다. 당시에 피라미드는 어떻게 동서남북을 알아맞혔을까? 당연히 별들을 보고 방향을 정했다. 북극성을 중심으로 하면 오차범위를 최대한 줄일 수 있다. 그런데 막상 과학자들이 살펴보니 아주 오래된 피라미드는 약간의 오차가 발생했다. 그래서 과학자들은 북극성을 보고 측정했다면 이런 오차가 나지 않았을 텐데 뭔가 다른 이유가 있을 것이라고 생각했다. 당시 이집트는 천문학이 꽤 발달한 국가였다. 요즘으로 말하면 과학 선진국이었다. 나중에 과학자들에 의해 원인이 밝혀졌다.

*4천 년 전에는 북극성의 위치가 지금과 달랐다. 실은 북극성이 다른 게 아니라 지구의 축이 달랐다. 지금 지구의 축은 23.5도 기울어져 있지만 당시엔 그렇지 않았다. 축의 기울기가 다르니까 지구에서 보는 북극성의 위치도 지금과 차이가 났다. 또 지금의 지구는 오른쪽으로 기울어져 있지만 1만 3천 년 전에는 왼쪽으로 기울어져 있었다. 지구의 자전시간은 늘 똑같이 24시간이라고 생각하지만 엘니뇨 현상이 발생하면 매우 작은 수치지만 자전이 늦어지기도 한다. 절대적으로 정해진 것은 하나도 없는 것이다.

매튜 헤드만, 『모든 것의 나이』

사람들은 자신의 지식에 바탕한 고정관념을 가지고 있다. '아프리카는 덥다?' 천만에, 추웠다. 거기도 사계절이 있고 눈이 내린다. 〈동물의 왕국〉을 너무 오래 보면 그것만이 진실이라고 생각한다. '아프리카는 동물의 천국이다?' 남아공의 케이프타운에 가면 여기가 아프리카인가 싶을 정도로 유럽과 똑같이 생겼다. 왜냐하면 유럽인들이 정착하면서 자신들의 방식대로 마을을 건설했기 때문이다. 아프리카 어디서나 사파리

투어를 할 수 있는 것도 아니다.

눈으로 확인한 것만이 진리가 아니다. 여행을 할 때 눈으로만 보면 반도 못 본다. 왜? 인간은 눈이 발달한 동물이긴 하지만 결코 눈으로 보는 것만이 다가 아니다. 물론 귀로 듣는 것도 다 진리가 아니다. 인간의 눈에 보이는 것은 그야말로 가시광선에 한정돼 있으며, 하다못해 색깔이라는 것도 우리가 보는 형태로 자연계에 존재하지 않는다. 귀에 들리는 것도 음파수가 정해져 있다. 여름에 인기 있는 스마트폰의 애플리케이션 중 모기 쫓는 애플리케이션이 있다. 이것은 모기가 싫어하는 음파를 계속 발사하는 것으로, 인간의 귀에는 안 들린다. 아이들은 들을 수 있는데, 어른이 되면 못 듣는 음파 영역도 있다. 그래서 로버트 루트번스타인은 『생각의 탄생』에서 "심지어 객관적 관찰도 가능하지 않다"고 썼다. 그는 시대와 민족의 압력과 시대적 흐름, 그리고 인간의 개별적 성향 때문에 사실이 왜곡된다고 했다.

그러므로 우리가 시신경으로 보지 못하는 것들은 머리로 봐야 하고, 듣지 못하는 것 역시 머리로 들어야 한다. 그게 인간 종이 스스로 발달해오면서 클 수 있는 힘이었다. 그런 점에서 책이 여행의 재미를 더해준다.

국내 제목
「그늘에 대하여」

문화적인 시각이라는 것도 있다. 다니자키 준이치로는 *『음예예찬』에서 동양의 미를 얘기했는데, 여기서 '음예陰翳'란 그늘이면서도 그늘이 아니고, 그림자이면서도 그림자가 아닌 거무스름한 모습을 말한다. 그는 이 책에서 종이부터 화장실, 조명까지 다양한 예를 들어서 동양적인 수수한

멋에 대해 썼다. 이를테면 서양 종이와 한지는 색깔 자체가 다르다. 서양 종이는 반지르르해서 광선을 튕겨내는데, 당지는 광선을 빨아들인다. 서양 종이는 빳빳하고 당지는 부드럽다. 서양은 번쩍거리는 것을 좋아하고 동양은 요란스럽게 튀는 것을 싫어한다. 아름다움을 보는 눈에도 차이가 있다.

이게 바로 문화의 차이다. 문화에 따라 세상을 보는 눈이 달라지는 것이다. 일본의 이름난 소설가 나쓰메 소세키도 이런 경험이 있었다. 1900년 나쓰메 소세키는 영국에서 자신이 아름답다고 여기는 것에 대해 영국 사람들이 전혀 반응을 하지 않는 것을 보고 놀랐다. 알랭 드 보통은『행복의 건축』에서 이런 소세키의 경험을 소개했다.

소세키는 눈 구경을 하자고 서양인들을 초청했다가 이상한 사람 취급을 받았다. 또 서양인들은 일본인들이 정서적으로 달에 깊은 영향을 받는다는 소세키의 말을 이해하지 못했다. 한번은 소세키가 스코틀랜드의 대저택에 초대를 받았다가 이끼가 낀 오솔길을 발견했다. 그는 이끼 낀 길이 아름답다고 말했는데 주인은 정원사들에게 이끼를 제거시키겠다고 말했다.

서양인들 역시 각 나라별로 문화의 차이가 있을 수밖에 없다. 한국인에게 한국인의 기질이 있듯이 프랑스인에게도 프랑스인의 기질이 있다. 물론 영국인도 영국인답다는 것이 있다. 중국에서 태어나 미국에서 살았던 철학자 린위탕은 영국인과 프랑스인, 미국인 등에 대해 화학기호처럼 재

린위탕,
『생활의 발견』

치 넘치게 표현했다. *그는 'R'은 현실Reality 또는 현실주의, 'D'는 꿈Dream 또는 이상주의, 'H'는 유머Humor, 그리고 'S'는 감수성Sensibility을 뜻한다고 하고 여기에 점수를 부여했다. 이를테면 현실주의 3점, 꿈 2점, 유머 2점, 감수성 1점을 합치면 영국인이 된다는 식으로 말이다.

그가 만든 공식으로 표현한 각국의 스타일은 이렇다. R3D2S2H1=영국인, R2D3S3H3=프랑스인, R3D3S2H2=미국인, R3D4S1H2=독일인, R2D4S1H1=소련인, R2D3S1H1=일본인, R4D1S3H3=중국인. 이상적인 공식은 R3D2S3H2인데, 현실감각도 높아야 하고, 꿈도 있어야 하며, 감수성과 유머감각이 균형을 이뤄야 한다는 뜻이다. 그는 현실에서 꿈을 빼면 동물이라고 했다. '현실+꿈=심통'이며, '현실+유머=현실주의'다. '꿈-유머=광신', '꿈+유머=환상'이며, '현실+꿈+유머=지혜'다.

니코스 카잔차키스,
『영국 기행』

이 기호가 바로 문화 DNA다. 그리스 작가 니코스 카잔차키스는 *"문명을 창조한 위대한 민족은 저마다 나름의 파랑새를 품고 있다"고 말했다. 그는 그리스인들의 파랑새는 미美, 로마인들의 파랑새는 국가라고 했다. 유대인들에게는 야훼이며, 기독교인들에게는 메시아다. 그렇다면 한국인의 파랑새는 무엇일까. 요즘 세상 돌아가는 것을 보면 오로지 경제처럼 보인다. 좋은 말로 경제지, 쉽게 말하면 돈이다. 너무나도 천박하게 우리의 이상이 쪼그라들고 있는 것 같다.

여행을 하다 보면 없던 안목이 생기기도 한다. 세상을 바라보는 시각이 나와 다른 사람을 보며 그들로부터 지혜를 얻는 것이다. 그러니 여행만큼 좋은 교과서도 없다. 여행은 자신의 눈으로 세상을 보는 것이고, 남의 눈으로 자신을 비춰보는 것이다. 그러면서 새로운 눈이 생긴다. 세상을 제대로 보는 혜안이.

개

"개는 이해심 많고 다정한 친구, 이타주의자, 철부지 천진한 손, 협잡꾼,

걸핏하면 속아 넘어가는 어수룩한 아저씨, 소박하고 순수한 아주머니의 모습을

모두 가지고 있다. 이처럼 다양한 개의 모습을 보고 우리는 어리둥절하거나

화가 나기도 하고 한없는 매력을 느끼기도 한다."

스티븐 부디안스키, 『개에 대하여』

여행지에서 꼭 사진기를 꺼내게 하는 풍경은 무엇일까? 교회, 성당, 음식……, 다양한 대답이 나올 수 있지만 나는 동물만 보면 카메라를 꺼내게 된다. 동물 중에서도 가장 친근하고 만나기 쉬우며, 어느 여행지에서나 볼 수 있는 것이 바로 개다.

개는 사실 한 나라의 풍경을 보여주는 척도다. 어쩌면 오래된 가로등, 낡은 카페, 고풍스러운 호텔만큼이나 그 나라에 대한 인상을 기억하게 만드는 풍경이다. 늙은 개가 계단에 눌러앉아 사람이 지나가든 말든 여유롭게 자고 있는 모습에서 평화와 여유를 실감한다. 사실 유럽의 위엄 있고 절도 있는 고딕성당 꼭대기의 십자가보다 오히려 성당 입구에 늘어져 있는 개의 모습이 더 평화에 가깝다. 개는 풍경이다. 개는 평화다.

그리스 산토리니의 이아 마을에서 며칠 묵어갈 때가 있었다. 절벽 꼭대기에 들어선 마을은 에게해 전망대였다. 에게해를 끼고 있는 벼랑 위 마을은 전체가 하얀 등대였다. 아니, 에게해의 백합이었다. 그림엽서처럼 아름답다는 표현을 진부하게 만드는 곳이었다. 이 마을 사람들의 일과는 비슷했다. 지중해의 여름이란 뜨거운 태양 아래서 혓바닥을 내놓고 쉬는 개처럼 느긋하고 축 처지게 마련이다. 이아 마을의 아침은 오전 9시 30분에 시작된다. 호텔 투숙객들은 그때까지도 늘어지게 잠을 잔다. 늦은 아침을 먹고 동네를 산책하는 시간도 대개 그 무렵이다. 그 이전의 동네는 쥐 죽은 듯이 조용하다.

오전 9시 30분쯤이 되면 아침식사를 마친 기념품가게 주인들이 나와서 가게 옆에 마리오네트를 걸고 엽서를 진열한다. 그때쯤이면 태양도 서서히 기지개를 켠다. 비스듬한 광선이 미로찾기를 하듯이 이 골목에 들어왔다가 담장에 막히고, 저 골목을 비추다가 막힌다. 이렇게 빛들이 골목길을 조금씩 갉아먹고 들어온다. 오전 10시 30분쯤 되면 온 동네 구석구석이 햇빛으로 가득하다. 하얀 벽, 푸른 지붕들만 해도 눈이 시린데 티끌 하나 없는 햇빛이 땅바닥에 오글오글 놀고 있으면 "확 눌러앉아버릴까" 하는 생각이 절로 든다.

그 햇살을 정말 여유 있게 즐기는 것은 개들이었다. 오전 10시 30분이면 크루즈가 선착장에 도착한다. 전 세계에서 온 여행객들이 마을로 들어오기 시작한다. 크루즈 여행객들은 파도와 같다. 밀물처럼 밀어닥쳤다가 썰물처럼 빠져나간다. 수많은 여행객들이 가게마다 들러붙어 짧은 시간에 기념품을 사느라 정신이 없다. 영어, 불어, 스페인어, 일어 가끔은 한국어도 들렸다. 세상의 모든 언어들이 골목을 누비고 다닐 때, 개들은 시끄러운 것이 싫다는 듯 슬그머니 자리를 옮겼다.

이 마을에서 며칠 동안 책 한 권 끼고 헌책방을 돌아다녔다. 커피숍을 들락거렸다. 그동안 가장 많이 눈에 띈 것은 십자가와 개였다. 내가 찾아갔을 때 산토리니 이아 마을에는 성당이 무려 79개나 됐다. 몇 개나 셌는지 모르지만 십자가를 세다가 포기했다. 한두 명 들어갈 만한 방 한 칸짜리 성당부터 마을 사람들이 모두 모일 수 있는 곳까지 성당의 크기도 다양했다. 걸어서 20분 거리밖에 안 되는 마을. 가구 수를 추측해보니 200~300여 가구나 될까말까 했다. 그런 조그마한 마을인데도 성당과 개는 곳곳에 있었다.

사진기를 꺼내 처음에는 첨탑을 찍고, 바다를 찍었다. 그리고 십자가를 찍었다. 마지막에는 개들을 찍었다. 산토리니의 개들이란 넉살이 좋다. 수많은 관광객과 사귀어봐서 먹이를 줄 사람이면 고개라도 들어 올리지만 그렇지 않으면 눈 한번 끔쩍거리고 다시 볕 좋은 양지 녘에 앉아 졸기만 한다. 다가가서 머리를 쓰다듬으면 왼쪽으로 누였던 꼬리를 슬그머니 오른쪽 꼬리로 돌려놓는 정도로 반응한다. 마지못해 '헬로'를 하는 것처럼.

산토리니의 원형성당 지붕에 올라가 천연덕스럽게 바다 바람을 쐬며 자는 개도 있었다. 십자가와 사람들은 상하관계다. 그것도 범접할 수 없는 신과 인간의 관계다. 신과 인간 사이에는 사다리인 예수가 있었다. 그

것은 수직관계다. 예수의 피로 죄 지은 인간과 창조신이 회복할 수 있었던 관계다. 기독교 국가에서 인간은 십자가 앞에서 옷깃을 여미게 된다. 경건해져야 한다. 그런데 산토리니에서 보니 십자가와 개들은 친구다. 이놈의 개들은 십자가를 전봇대처럼 편안하게 생각하는 듯 보였다. 예수는 성전에서 장사하는 시장 상인들을 쫓아냈다. 그러나 산토리니 사제들은 태연하고 편안하게 자는 개들을 몰아내지 않았다. 주민들도 머리를 쓰다듬어 줬다. 그리스 사람들이 개들을 대하는 태도는 사람을 대하는 태도보다 부드럽다. 마치 어린아이처럼 개들을 귀여워한다. 심술을 부려 발로 툭툭 쳐봐도 개들은 눈만 꿈쩍일 뿐이다.

이 동네에서 개들이 신경을 쓰는 것은 사람이 아니라 암캐였다. 수캐들은 섹스 외에는 아예 움직이지 않으려는 수사자처럼 살고 있다. 개들은 값비싼 보석과 화려한 옷차림에 향수까지 뿌린 여성 관광객들에게는 눈길 한번 안준다. 아무리 호사스럽게 차렸다 해도 수캐들은 '루이비통녀, 샤넬녀'에 대해 고개 하나 까딱하지 않는다. 이런 느려터진 개들을 부지깽이로 쫓아내는 산토리니 사람은 물론 없다. 관광객들은 사진기를 꺼내 열심히 개들과 사진을 찍어대지만 주민들은 뭐 대수로운 게 있느냐는 듯이 신경도 쓰지 않는다.

못생긴 여자와 돈 없는 남자는 대접받지 못하는 세상이지만 개들은 다르다. 늙고 주름 많으며 뱃살까지 늘어진 개들은 반듯하고 각지고 우직하게 생긴 개들보다 더 사랑받는다. 개들 중에는 못생겨야 주목받는 종도 있다. 불독이 그렇다. 산토리니의 개들은 인도의 걸인들을 닮았다.

햇살을 가장 여유 있게 즐기는 것은 개들이다. "인생 뭐 있어!"

인도에서 만난 걸인들은 구걸을 하고 나서도 당당했다.

"너에게 자선할 기회를 줬는데 내가 왜 네게 감사하다고 말해야 하지?"

인도에서 구걸하는 사람에게 지폐 한 장을 쥐어주고도 그들의 너무 당당한 태도에 약간 맘이 상할 때도 있었다. 산토리니 개들의 태도가 이들과 비슷하다.

"만지고 쓰다듬는 걸 내가 허락해줄게."

개는 한나라의 문화를 살펴볼 수 있는 척도이기도 하다. 나라마다 개를 대하는 태도는 마치 기독교 국가와 이슬람 국가의 차이처럼 다르다. 유럽에서 한 발자국 벗어나면 개의 모습은 달라진다. 개가 친구가 되지 못하고 '개답게' 키워지는 곳도 있다. 여전히 발에 채이며 이를 갈며 호시탐탐 먹이를 노리는 늑대의 본성이 남아 있는 곳도 있다. 노벨상 수상작가 오르한 파묵의 소설 『내 이름은 빨강』에 「나는 개입니다」란 장이 있다. 여기에 개의 독백이 나온다.

이슬람의 개들은 서양의 개들을 비꼰다. 터키의 개들은 목에 사슬을 걸고 노예처럼 거리를 끌려 다니는 서양의 애완견을 개답지 못하다고 무시한다. 개들은 진정 개답게 서로의 냄새를 맡고, 길바닥에서 보란 듯이 섹스도 해야 하는데 서양의 개들은 개가 아니라 사람의 장난감이 됐다는 것이다. 반면 이스탄불의 개들은 떼 지어 몰려다니다가 수가 틀리면 물기도 하고, 아무데서나 오줌을 싸고, 볕 좋은 데서 낮잠도 자며 진정 개답게 산다고 말한다. 이스탄불의 개는 과연 어떤 개가 행복하느냐는 듯이 독자에게 물어본다. 그러고 보니 궁금해졌다. 과연 개답게 사는 개는 어느 나라의 개일까. 그리스의 개인가, 터키의 개인가. 주인이 접붙일 상대까지 마련해주는 나라의 개인가, 제 맘대로 눈이 맞아 암컷을 쫓아다니는 개인가.

터키는 유럽의 관문이다. 보스포러스 해협을 두고 유럽과 아시아 두 곳에 걸쳐 있는 나라다. 이 나라가 미개해서 개를 박대해왔다고 말할 수는 없다. 터키의 전신인 오스만투르크는 동로마 제국을 무너뜨렸던 강국이었다. 한 시대 동안 세계를 지배했다. 그들의 문명은 화려했다. 오히려 유럽이 오스만 제국을 무서워했다. 그리스의 산토리니도 터키의 식민지였다. 두 나라는 지척이었지만 이런 역사적 배경 때문에 사이가 안 좋다. 터키인들이 개를 살갑게 대하지 않는 것은 종교적인 배경도 있다. 이슬람교의 마호메트가 몸을 피해 숨어 있을 때 개가 짖어 위치가 들통 났다는 전설이 있다. 그렇다고 터키인들이라고 해서 개를 학대하는 것은 결코 아니다. 그들도 개를 사랑한다. 문화가 다를 뿐이다. 우리처럼 50~60년대에 개를 대하던 태도와 2000년대 이후 개를 대하는 태도가 다를 뿐이다.

개가 늑대 같다고 느꼈던 때가 있었다. 아프가니스탄 카불에서였다. 버려진 개를 한 마리 들여와 키우는 NGO 숙소에서 2주 정도 묵었다. 카불은 굶주림의 도시였다. 빵도 넉넉하지 않았지만 세상은 피에 굶주린 듯했다. 아프간 사람들은 한때 영국인 침략자를 물리쳤을 정도로, 러시아인들을 패배시켰을 정도로 강인한 전사들이었다. 그들은 미군과 전쟁을 치르며 자존심에 큰 상처를 입었다. 빼앗길 것이 없는 자들에게 자존심이란 목숨보다 더 소중하다. 그게 마지막 밑천이기 때문이다.

아프간은 전쟁으로 인해 끊임없이 파괴와 파괴를 거듭하면서 늘어나는 것은 무덤이었고, 사라지는 것은 숲과 밭이었다. 무덤도 만원이어서 한 구덩이에 여러 사람이 묻혔다. 전쟁 통에는 어느 나라건 입에 풀칠하기가 녹록치 않다. 마찬가지로 개들이 배불리 먹을 리 없다. 게다가 전쟁

통에 개들까지 챙길 여력이 없다. 이슬람 국가는 철저하게 부정한 음식을 먹지 않기 때문에 개들에게 '눈독'을 들이지는 않지만 다른 나라였다면 개들은 밥상에 오를 수도 있었을 것이다. 굶주린 개들은 거리에서 어슬렁거렸다. 카불 거리의 개들은 정말 눈이 빨갰다. 목소리는 낮았다. 개들에게서 살기가 느껴졌다. 울부짖을 때는 등골이 서늘했다. 전쟁은 애완동물마저 광기에 빠지게 한다.

국제 NGO의 한 한국인 봉사자가 거리에 버려진 개가 불쌍해서 데려다 키우고 있었다. 이 개는 뭐든지 먹었다. 중앙아시아의 주식은 인도의 난 소를 넣지 않은 하얀 밀가루를 불에 구워 만든 피자 같은 빵 과 같은 빵에 양고기를 조금 얹어 먹는 일종의 케밥이다. 나라마다 뭘 넣느냐만 다르지 인도, 터키, 아프가니스탄도 비슷하다. 혹시 개도 빵을 먹을까? 하는 생각에 한 조각 정도 던져줬는데 예상 밖으로 게걸스럽게 먹어치웠다. 소시지나 고기 뼈다귀를 먹는 개는 봤어도 빵 먹는 개는 그때가 처음이었다.

"하기야 우리나라 개는 밥을 먹는데, 그 나라 개는 빵 먹는 게 이치에 맞을지 모르지."

피자 미디엄 사이즈 정도의 빵을 하나를 던져줬더니 그 개는 허기를 참지 못하고 순식간에 먹어버렸다. 하나를 더 던져줬더니 이번에는 마당의 흙을 파고 그 속에 빵을 감췄다. 굶주리면서 살아가다 보면 야성이 다시 살아나게 된다. 본능적으로 행동한다.

개들은 사나웠다. 사람을 제외한 모든 동물들과 싸웠다. 이 개는 자기 앞을 지나가는 고양이를 덮쳐 귀를 찢어놓았다. 주인이 말리지 않았다면 잡아먹었을지도 모른다. 아니면 적어도 종잇장처럼 찢어놓았을지도 모른다. 귀와 어깨를 물린 고양이는 순식간에 마당 한구석에 있는 나무 꼭대기로 올라가 내려오지 않았다. 개는 나무 아래서 씩씩대다가 사람에게 빗자루로 된통 얻어터졌다. 개가 공격했다면 주인도 쓰러뜨릴 수 있었을 텐데 본능적으로 참는 것처럼 보였다. 인간을 물어뜯는다는 것은 죽음이라는 것이 DNA에 새겨져 있을 것이다. 나는 아프가니스탄의 참상을 개에게서 확실히 느꼈다. 전쟁은 개들에게도 저놈을 죽여서라도 내가 살아야겠다는 증오심을 불어넣어 준다. 삶과 죽음의 순간이 매일 교차하는데 개들이라고 별 수 있을까. 아프간의 개들은 과거 늑대였던 시절을 그리워하며 살고 있었던 것이다.

영역을 침범하는 자를 쫓아내는 것이 존재의 이유라도 되는 듯이 생각하는 개들도 있다.

"우리 동네에 허락도 없이 들어오다니 겁이 없군……."

자전거로 미국을 여행했던 한 여행가는 가장 위험한 것 중 하나가 개였다고 했다. 80년대 강변이나 해변에 텐트를 치고 나면 어디선가 떼거리로 나타나 시비를 걸었던 양아치 같은 그런 개들이다. 위수지역을 철저히 방어하는 사명을 몸에 각인한 이런 개들을 만나면 줄행랑이 최고다.

그럼에도 개들은 인간의 친구이자 동료다. 어느 나라를 가든 개들은 인간과 함께 산다. 침대 위에 개를 불러들여 함께 자는 사람들도 많다. 개와 친구처럼 지내는 노인들은 혈압이 낮아진다는 연구결과도 나오고 있다. 개를 보면 마음이 편안해지는 것이다. 개는 이제 애완동물의 단계를 넘어섰다. 반려동물이라고 부른다. 아프간 같은 전쟁 통에도 사람들은 개를 거둬다 길렀다. 북한이 연평도에 포탄을 떨어뜨렸을 때 동물단체 회원들이 개들을 도와주러 간 것처럼 개들은 구호 대상 1번이다.

개는 어떻게 인간의 사랑을 받는 가족이 됐을까. 개의 역사를 보면, 1만 년 전에 가축화됐다. 사실 지구 위에 수없이 많은 동물이 있지만 사람이 길들인 동물, 가축화한 동물은 드물다. 45킬로그램 이상의 동물 중 1900년대 이전에 가축화된 동물은 불과 14종밖에 되지 않는다고 한다. 여기에 대해 진화생물학자 재래드 다이아몬드가 밝힌 이유는 크게 4가지다. *잡식성이어야 하고, 성장속도가 빨라야 기를 가치가 있다. 감금 상태에서도 새끼를 많이 낳아야 한다. 성격도 좋아야 하며, 사람이 윽박지르면 적당히 겁을 먹고 물러설 줄도 알아야 한다. 너무 예민하지도 않아야 하고, 사회성을 갖춘 동물이어야 한다.

재래드 다이아몬드, 『총 균 쇠』

이렇게 복잡한 조건에 모두 맞아야 한다. 그래서 영국 과학자 프랜시스 갤턴은 모든 야생동물은 한 번쯤 가축이 될 기회가 있었고, 그중에는 이미 오래전에 가축이 되었지만 나머지는 영원히 야생 상태로 남을 것이라고 말했다. 흥미롭게도 재래드 다이아몬드는 이를 '안나 카레니나의 법칙'이라고 설명했다. *"행복한 가정은 모두 엇비슷하고 불행한 가정은 불행한 이유가 제각기 다르다"는, 소설의 첫머리에서 따온 말이다.

레오 톨스토이, 『안나 카레니나』

DNA를 분석해보면 개는 늑대의 후손이다. 늑대와 양치기의 동화에서도 알 수 있듯이 인간과 늑대는 적대관계였다. 진화생물학자 스티븐 부디안스키는 *약 50만 년 전부터 늑대와 사람이 생태적 지위를 공유해왔다고 했다. 생태적 지위란 어디서 서식하고, 뭘 먹고, 무엇에 먹히는가에 의해 결정된다. 생태적 지위가 같다는 것은 서로 경쟁관계란 뜻이다. 50만 년 전 인간의 뇌는 현대인의 절반 정도였다. 머리만 작은 게 아니라 키도 작았다. 짱구처럼 이마가 불쑥 튀어나왔다. 그들이 현존해 있다면 인간이란 이름을 붙이기 민망할 것이다. 사냥과 채집으로 먹고 살던 시기다. 늑대가 개로 진화한 시기는 약 13만 5천 년 전쯤이다. 농경문화가 시작된 것은 1만 2천 년 전이다. 개가 사람과 함께 살게 된 것은 재래드 다이아몬드에 따르면 1만 년 전으로 추정된다. 그때 비로소 가축이 됐다. 인간의 친구가 된 것이다.

스티븐 부디안스키, 『개에 대하여』

생물학자이자 베스트셀러 작가인 리처드 도킨슨은 『지상 최대의 쇼』에서 "모든 개 품종은 변형된 늑대였다. 자칼도, 코요테도 여우도 아니었다"라고 표현했다. 이 책에서 코핀저라는 학자는 늑대가 개가 된 것을 이렇게 설명했다. 늑대는 사람들의 쓰레기를 뒤지려고 나타났다. 하지만 사람이 나타나면 재빨리 도주했다. 과감한 늑대는 위험을 무릅쓰고 점점 더 사람에게로 다가갔고, 위험도도 점점 높아졌다. 하지만 더 가까이 가서 더 많이 먹는 늑대가 생존경쟁에서 더 유리했다. 이 과정에서 유전적 우연이 작용했다는 설이다. 쉽게 말하면 더 많이 얻어터지더라도 살랑거리는 비굴한 늑대가 개의 조상이며 개는 비굴하게 살아남아 인간의 친구가 됐다는 설명이다.

그렇다면 개와 늑대 중 누가 강할까? 흔히 늑대가 더 강하다고 생각하겠지만 진화론적 관점에서 보면 개와 늑대 중 더 번성한 것은 개다. 늑대는 멸종위기란 말이 나돌고 있지만 개는 다르다. 힘과 용맹이란 생존에 별 도움이 안 된다. 개의 진화과정을 곰곰이 생각해볼 때마다 강한 것이 늘 끝까지 가지 않는다는 것을 알게 된다. 개는 발에 채이고 쓰레기통을 뒤져가며 살아왔지만 결국은 인간의 가장 가까운 친구와 동료로서 대접을 받고 있다. 드라마에서도 이런 모습을 많이 볼 수 있다. 넉살 좋고 여기저기 의지해서 사는 볼품없는 사람들이 결국 번듯하게 성공한다는 빤한 스토리와 비슷하다.

나는 개들을 보면서 여행도 개 같은 여행이 있고, 고양이 같은 여행이 있다고 생각했다. 개 같은 여행은 낙천적이다. 개 같은 여행을 하는 사람들은 가난한 여행자들이다. 음식이 아쉽고, 교통비가 아쉽고, 호텔이 아쉽다. 돈이 아쉬워서 늘 몸을 낮은 데로 굴리게 된다. "인생 뭐 별거 있어!" 이렇게 스스로를 위안하면서 몸은 좀 불편하지만 다른 세상을 본다는 큰 즐거움에 만족해한다. 또 돈으로부터는 자유롭지 못하지만 쉬고 싶으면 쉬어가는, 시간으로부터 자유로운 여행이다. 유럽의 뒷골목에 반쯤 드러누워 한나절은 햇볕에 졸다가 소시지 한 조각 물려주면 꼬리를 끊임없이 흔들어대는 개처럼 말이다. 이런 여행을 그냥 '개 같은 여행'이라고 스스로 정의했다. 천하고 더럽다는 뜻이 아니라 부유하지는 않지만 낙천적이고 여유로운 여행자들의 여행법이다. 고양이 같은 여행은 호텔을 가리고, 좋은 식당을 기웃거리며 털을 깨끗이 핥아 반지르르 하게 하는 깔끔한 여행이라고 해두겠다.

좋은 개는 저마다 족보를 가지고 있지만 유전적으로 따져보면 대부분 잡종이란 것이 밝혀졌다. 유전적으로는 섞이는 것이 강한 것이다. 이종교배와 잡종교배가 동식물의 강한 생명력에 좋다는 것이 진리다. 여행도 섞이는 것이다. 잡종의 세계로 들어가는 것이며 내가 잡종이 되는 것이다. 그 나라의 문화를 몸으로 받아들이지 않는 사람은 그 나라를 이해할 수 없다. 한 자리에서 머물러 자신의 세계만 들여다보는 사람들은 편협하다. 고인 물은 썩게 마련이듯이, 세상을 품에 안으려 하지 않는 사람들이 이웃나라를 보는 눈을 가질 수 없다.

여행에서 개를 만나는 것은 그 나라 사람을 만나는 것과 같다. 때론 얻어터지는 개들이 있고, 때로는 침대 위에서 호사를 부리는 개들도 있다. 간디는 동물을 대하는 태도를 보면 문명의 수준을 알 수 있다고 했다. 나는 개를 보면 그 나라의 상황과 문화도 알 수 있다고 생각한다. 그리고 여행길에서 나는 종종 개 같은 삶을 살고자 노력한다. 개같이 참고, 버텨내는 사람들이 조금이라도 더 행복에 가까워지는 것이라 믿는다.

고양이

"장 콕토는 자기는 개보다는 고양이를 더 좋아하는데,
그 이유는 경찰 고양이를 본 적이 없기 때문이라고 말한 바 있다.
그러나 양치기 고양이라든지, 사냥 고양이, 장님 길잡이 고양이, 서커스 고양이,
썰매 끄는 고양이도 없다. 고양이는 명예를 걸고 그 무엇에도 도움이 되지
않기로 작정한 것처럼 보인다. 그렇다고 고양이가 집 안에서 개보다 못한
자리를 차지하고 있느냐 하면, 그렇지도 않다. 고양이는 장식이며 사치다."

미셸 투르니에,『생각의 거울』

나미비아 사막리조트에서였다. 리조트 앞에서 두 동물이 사납게 싸우고 있었다. 현지 가이드는 하나는 고양이고, 하나는 자칼이라고 했다. 자칼이라면 맹수 아닌가? 고양이가 이런 야생동물과 싸울 정도로 무서운 동물이었다니. 사람들은 고양이를 평가절하 하는 경향이 있다.

아프리카의 사파리 식당에는 야생동물들의 고기가 나온다. 악어의 꼬리를 구워내기도 하고, 스프링복 같은 고기들이 나오기도 한다. 사냥을 허가받고 잡은 것이라고 하는데, 야생동물의 고기는 생각보다 질기고 맛이 없었다. 냄새도 났다. 실제로 야생동물이 마블링이 잘 돼 있을 리 없다. 기름기가 잘 배게 하려면 적당하게 쉬고 좋은 사료를 잘 먹여야 한다. 동물들이 운동을 너무 많이 하면 근육만 강해진다. 야생동물은 먹느

냐 먹히느냐의 생존 경쟁을 벌이고 있다. 그러니 배에 기름살이 오른 동물은 없는 것이다. 육질은 질길 수밖에 없다. 악어 꼬리는 기름덩어리였다. 관광객들은 맛으로 먹는 게 아니라 호기심에 먹어본다. 뷔페 그릴에서 한 접시 가득 야생동물의 고기를 가져왔다가 한 입 물고 모두 남겼다. 그것을 먹는 것은 식탁 너머에 앉은 고양이들이다. 놈들은 악어의 꼬리를 뜯었고, 스프링복의 단단한 근육살을 찢어냈다. 아이로니컬하게도 인간과 동행하면서 그들은 최고의 포식자 자리에 올라선 것이다.

고양이는 대각보가 아니라 측대보로 걷는다. 걸음걸이로만 보면 고양이는 야생동물에 더 가깝다. *부디안스키는 고양이를 야생성이 살아 있는 대표적인 애완동물이라고 봤다. 고양이는 집고양이나 들고양이가 한 종류라는 것이다. 대개 집 동물과 야생동물의 유전자는 다르다. 그런데 고양이만은 그렇지 않다. 부디안스키는 바로 길들여지지 않은 애완동물이 고양이라고 표현했다. 그게 유전자에서까지 나타난다는 것이다.

스티븐 부디안스키, 『고양이에 대하여』

고양이 하면 떠오르는 이미지는 자존심이다. 개는 두드려 맞고도 살지만 고양이는 때려서는 길들일 수 없다. 집 나가는 개는 드물어도 집 나가는 고양이는 많다. '나대로 하겠다, 나만의 스타일이 있다'가 고양이의 모습이다. 길들여졌지만 길들여지지 않은 것이 고양이다. 그래서 고양이는 여자 마음처럼 복잡하다. 잘 안다고 생각하는데 잘 모른다.

개 같은 여행이 있다면 고양이 같은 여행도 있다. 고양이는 깨끗한 것을 좋아한다. 깨끗한 호텔, 럭셔리 리조트에 집착하는 여행자는 고양이를

고양이 같은 여행도 있다.

닮았다. 지저분한 호텔, 냄새나는 호텔이라도 잠만 잘 수 있으면 괜찮다는 '개 같은 여행'과는 다르다. 혹시 고양이가 길바닥에 드러누워 개처럼 자는 경우를 본 적이 있는가? 거의 없을 것이다. 고양이는 청결하다. 게다가 고양이는 광합성을 좋아하는 것처럼 보일 때가 있다. 고양이가 앉은 곳은 햇살 좋고 볕 좋은 계단, 소파, 의자다. 고양이는 잠을 자도 '폼나게' 좋은 데서 잔다. 물론 고양이도 쓰레기통을 뒤진다. 비닐 봉투를 갈기갈기 찢어놓기도 하지만 그래도 고양이는 개보다는 청결한 편이다.

개도 풍경이지만 고양이도 풍경이다. 여행지에서 고양이를 만날 때마다 카메라를 꺼내 사진을 찍는다. 그런데 쉽지 않다. 너무 빨리 내빼버리기 때문이다. 그렇다고 고양이가 부지런한 농부처럼 살지는 않는다. 고양이는 게으르다. 개가 늘어지게 낮잠을 자는 것처럼 보이지만 고양이야말로 생의 대부분을 수면으로 때운다. 수면 시간으로 치면 코알라를 제외하고는 고양이를 따를 동물이 거의 없다. 과학적으로 고양이의 하루 중 84%는 수면 시간이다. 개 팔자가 상팔자가 아니라 고양이 팔자가 상팔자다.

한자리에 눌러 앉아서 즐기는 여행이 바로 고양이 여행법이다. 오전 11시에 일어나 브런치를 먹고 뒹굴면서 책이나 읽는 여행이 고양이 여행이다. 하여 고양이 여행자는 리조트형이라고 규정할 수 있다. 고양이 여행자는 좋은 카페, 부티크 호텔, 깨끗한 음식에 투자한다. 아무 곳이나 머물지 않고 간단한 바게트로 때우지 않는다. 한 끼를 굶는 한이 있더라도 그 지역에서 가장 이름난 식당에서 저녁식사를 한다.

고양이는 어스름, 저물녘을 좋아한다. 저물녘의 노을 진 모습에서 감동받고 사랑하는 모습을 꿈꾸는 여자들은 다 고양이과인 셈이다. 고양이의 모습에서 나는 돈 좀 있는 20~30대 골드미스 여행자들의 모습을 자

길들여졌지만 길들여지지 않은 것이 고양이다.

연스럽게 떠올렸다. 고양이란 단어는 여자와 잘 어울린다. 암고양이라는 말은 흔히 쓰지만 수고양이라는 말은 왠지 어색하다. 남자는 늑대, 여자는 여우라는 말처럼 고양이란 말은 여자에게 갖다 붙이기 좋은 말이다. "보는 것은 웬만큼 했으니 나는 그냥 카페에서 차 한잔 하는 게 좋아." "늘어지게 자고 싶고, 지중해의 햇살을 누리고 싶어!" 이런 식이다.

게다가 고양이는 섹스로부터 자유롭다. 사람이 기르는 가축 중에서 성적인 결정권을 스스로 행사하는 것이 고양이다. 주인이 교미를 시키는 게 개처럼 쉽지 않다. 교미시키기가 고양이처럼 힘든 동물은 없다. 부디안스키에 따르면 고양이의 3% 정도만 주인의 뜻에 따라 혈통을 유지하고 나머지는 자신들이 알아서 바람피우고 섹스 한다. 고양이의 가장 큰 매력은 바로 자신의 페니스와 자궁을 스스로 관리한다는 것이다. 이게 고양이의 자주성이며 독립성이다.

고양이 여행자는 연애주의자다. 그들은 이성과 만나는 것을 즐긴다. 섹스에서도 자유롭다. 나쓰메 소세키는 소설 『나는 고양이로소이다』에서 고양이의 눈으로 인간세상을 풍자한다. 여기서는 고양이가 연애에 대해 독백을 하는 부분이 나온다. 고양이는 점잔을 빼며 연애가 바로 우주적 활력이라고 말한다. 그리스 신화에 나오는 제우스조차 바람둥이였음에서 알 수 있듯이 연애는 모든 동물의 본질이라는 것이다. 고양이란 단어에는, 고양이라는 동물의 이미지에는 에로스가 스며 있다.

오래전부터 고양이는 여성을 상징했다. 여성을 뜻하는 속어 'Pussy'라는 말은 암고양이를 뜻한다. 이 말은 속어로 음부를 의미하기도 한다. 중세인들은 고양이를 여성의 성욕을 의미하는 것으로 해석했다. 고양이처럼 사랑에 빠졌다는 말도 유행했다. 고양이가 헤퍼서 그런 이름을 붙였을까. 아니다. 그저 고양이가 못마땅했던 것이다. 개처럼 한번 발로 차도 낑낑대며 아양을 떨지 않는 게 불만이었을 수도 있다. 고양이는 자존심이 강한 동물이다. 그래서 미웠던 것이다.

고양이의 역사는 여성의 수난사와 비슷하다. 고양이는 애완동물로 상전 대접을 받는 듯하지만 실은 과거에 고양이만큼 학대받은 동물도 드물다. 유럽인들은 동물학대에 민감하다. "왜 한국인들은 개고기를 먹느냐?" "왜 동물을 학대하느냐?" 여행 중 이런 얘기를 가끔 듣는다. 이런 식의 서양인의 주장에 화가 날 때도 많다. 유럽인들의 역사를 들춰보면 그들만큼 지독하게 동물을 학대해온 민족도 드물기 때문이다. 중세 유럽에서는 동물학대가 '레저'였다.

로버트 단턴의 명저 『고양이 대학살』에는 이런 중세인들의 고양이 학대가 잘 드러나 있다. 해가 가장 긴 하지에 거행되었던 세례 요한의 축일에 군중들은 모닥불을 피워놓고 그 위를 뛰어넘고 주위에서 춤추며 그해의 남은 기간 동안 재앙을 피하고 복을 받으려는 희망에서 마법적인 힘을 지녔다는 물체를 불 속에 던져 넣었다. 이때 즐겨 던지던 것이 고양이였다. 고양이를 산 채로 자루 속에 넣어 끈에 매달아 늘어뜨리거나 말뚝에 묶어 태워버렸다는 것이다. 『고양이 대학살』 책에 나오는 고양이 학대 수법은 다양하다. 산고양이를 벽에 넣고 발랐고, 돌아가면서 고양이 털을 뽑는 고문을 즐겼다. 고양이 꼬리를 자르고 상처를 냈다. 당시에는 고양이를 마녀로 생각했던 것이다. 이렇게 동물학대의 역사가 있는 유럽인들이 동물보호를 외칠 때, 그들은 조상의 역사를 알기나 하고 그렇게 큰소리를 쳤는지 의심스러울 정도다.

오히려 고대 이집트에서 고양이는 신으로 숭배를 받았다. 이집트 벽화에 나오는 고양이의 그림을 본 사람도 있을 것이다. 19세기 이집트 테베 인근에서는 고양이 미라가 발견됐다. 거기에는 10만 구나 되는 고양이 미라가 있었다고 한다. 계급이 평민이면 사람이라도 중동의 퍽퍽한 흙 속에 묻혀버리고 말았겠지만 고양이는 죽어서도 미라로 만들어졌다. 부활을 꿈꾸는 하나의 신으로 모셔졌다는 의미다. 실제로 이집트에는 고양이를 죽이면 사형에 처해지는 법률도 있었다. *기원전 6세기 이집트를 침공한 페르시아 왕국은 이집트인들을 혼란에 빠뜨리기 위해 고양이를 풀었다. 고양이를 죽일 수 없었던 이집트인들이 고양이를 다치지 않게 하려고 조심조심 하는 사이에 페르시아군이 이집트 군대를 격파시켜버렸다.

스티븐 부디안스키, 『고양이에 대하여』

가끔 혼자 여행을 떠나는 자유로운 여성 여행자에게 사나운 눈길을 보내는 남자들이 있다. 바로 고양이를 못마땅하게 여기는 중세인 같은 남자들이다. 해외에서 외국인 여자와 놀아났다는 것을 자랑스럽게 떠들어대면서도 여성들의 로맨스에 대해서는 눈에 불을 켜는 마초들도 주변에 흔하다. 이 사람들의 머릿속에는 고양이에 대한 탐욕과 저주가 함께 섞여 있다.

후배 하나는 대학시절 배낭여행에서 외국인 남자를 만났다. 한국의 남자들은 그에게 별 관심을 보이지 않았던 평범한 외모였다. 그런데 유럽에서 만난 외국인이 그에게 푹 빠졌다는 얘기를 전해 듣고서 일부 선배와 동료들은 그런 여자인 줄 몰랐다는 투로 얘기했다. 행실을 들먹였고, 수백 년 전의 예법에나 나올 법한 기준을 들이댔다. 마초들은 그저 자기의 성에 대해 자유로운 고양이 같은 여자 후배가 싫었던 것이다. 그들은 고양이를 싫어하는 개였을 뿐이다. 대개 마초들은 여행지에서 고양이 여행자를 만날 때마다 꼬리를 흔들며 유혹한다. 그리고 통하지 않으면 비난한다. 고양이를 꾀어내지 못하면 스스로 잡종견이 되는 것이다.

동물이 지역의 상징이나 마스코트가 될 수도 있다. 이를테면 디즈니 만화영화에 나왔던 달마시안이란 개들의 고향은 크로아티아 달마시아다. 크로아티아에 가면 달마시아 해안이 있다. 제주도에 가면 제주도의 조랑말을 타고 보는 것도 즐거움이다. 쓰촨이 고향인 판다는 중국의 상징이며 자랑거리다. 어찌 보면 배 나온 중국인을 닮은 것 같기도 하다. 오스트레일리아의 상징적인 동물은 캥거루지만, 태즈메이니아에 가면 태즈메이니안 데블이라는 성질 더러운 동물을 동물원에서 볼 수 있다(얼마나 성질이 더러웠으면 악마Devil라는 이름이 붙었을까). 태즈메이니아의 상징은 태즈메이니안 타이거인데 무분별한 사냥으로 멸종된 것으로 추정된다.

그럼 최고의 고양이 여행지는? 고양이 하면 페르시아 고양이가 가장 유명하다. 페르시아는 지금의 이란이다. 그러나 나는 아직 가보지는 못했지만 꼭 가보고 싶은 고양이 마을이 있다. 터키의 동부 반 마을이다. 이 동네에는 반 고양이가 살고 있다. 이 동네를 알게 된 것은 무라카미 하루키의 그리스-터키 여행기인 『우천염천』을 통해서였다.

하루키에 따르면 반 고양이는 반 마을 인근에서만 산다. 원래 고양이는 물을 싫어하는데 반 고양이는 수영을 좋아한다고 한다. 게다가 오른쪽 눈과 왼쪽 눈의 색깔이 다르다. 고양이는 물을 싫어하기로 유명한데,

물을 좋아하는 고양이가 있다니……. 하루키는 이 마을에서 반 고양이와 함께 호수에서 수영을 해보고 싶어 했다. 이런 별종 고양이가 있다고 하니 터키에 가면 나도 반 고양이를 꼭 봐야겠다는 생각이 들었다. 대체 무엇이 고양의 성질까지 바꿔놓았을까.

문득 팔라우의 산속 호수에 있는 해파리가 떠올랐다. 보통 해파리는 민물에 살지 않고 바다에 산다. 해파리는 독이 있어서 사람을 쏜다. 그런데 팔라우에 있는 민물 해파리는 사람을 쏘지 않는다. 그 산속 호수에서 민물 해파리와 수영을 하는 투어 프로그램이 있다. 인기 여행상품이다. 민물 해파리는 어떻게 생겨났는가. 수천 수만 년 전 바다였던 지역이 지각 변화로 육지로 변했고 거기서 살아남은 해파리들이 독을 잃어버리는 방향으로 진화했던 것이다. 아마도 반 고양이도 이런 계기가 있었던 것이 분명하다. 그들이 물로 뛰어들게 된, 우리가 알지 못했던 이유가 있을 것이다.

하루키의 책을 본 다음 반 호수에 꼭 가보고 싶어졌다. 거기서 나는 고양이 같은 여행을 해볼 생각이다. '개 같은 여행'을 해왔지만 나이가 들면 들수록 '고양이 같은 여행'이 그리워진다. 늙어갈수록 고양이처럼 늘어지고 자유롭고 도도해지고 싶다. 하지만 어쩌랴, 주머니는 가벼워지고, 늙을수록 처신에 신경을 쓴다. 굽실거린다. 고양이 전략으로는 생존할 수 없고, 개처럼 살아야 길게 갈 수 있다는 생각이 몸을 지배한다.

가끔 개들도 고양이가 되고 싶어 하지 않을까 생각해볼 때도 있다. 고양이처럼 산다는 것, 고양이처럼 여행한다는 것은 결코 쉬운 일이 아니다. 자존심 하나 들고 세상에 맞장 뜨는 고양이 여행자들을 보면 그들의 용기가 부럽기도 하고, 무모해 보이기도 한다. 적어도 야생으로 돌아갈 자신이 있다면 무엇이든 못할 게 없을 것이다.

콜럼버스 이전에는 미국 대륙에 말이 없었다. 영화에서 인디언들이 말을 달리며 공격하는 모습은 불과 100~200년 만에 변화한 인디언의 모습이다. 마찬가지로 미국에는 고양이가 없었지만 현재 미국에는 수천만 마리의 들고양이가 있는 것으로 추산된다. 결국 이 들고양이들은 유럽인이 가져온 고양이들이다. 미국의 들고양이는 집고양이의 후손이란 얘기다. *고양이들은 한 발은 문명세계에 한 발은 야성의 세계에 들여놓고 있는 지킬박사와 하이드 같은 동물이다. 그들은 길들여진 것 같으면서 길들여지지 않았다. 언제든지 고양이는 변신할 수 있다. 인간은 이런 고양이를 부러워한다. 오래 전 인간도 야생에 살던 때가 있었으므로.

스티븐 부디안스키, 「고양이에 대하여」

미술관

"미켈란젤로가 교황청의 한 예배당 안의 받침대 위에서 4년간의 고독한 작업 끝에 이룩해 놓은 것을 보면 평범한 우리들로서는 어떻게 한 개인이 그만한 것을 성취할 수 있었는지 상상하기조차 힘들다."

에른스트 곰브리치, 『서양 미술사』

그러니까, 로마 바티칸에서 시스티나 성당의 프레스코 벽화를 둘러보고 있을 때였다. 시스티나 성당 벽화는 미켈란젤로의 대표작이다. 수많은 그의 작품을 놓고 우열을 가려보라는 질문 자체가 어리석긴 하지만 그의 작품 중 딱 하나만 뽑으라면 아마도 많은 이들이 〈천지창조〉가 그려진 시스티나 성당의 벽화를 뽑을 것이다. 바티칸 내부에서는 사진 촬영도 자유로웠다. 그런데 시스티나 성당 내부는 사진 촬영도 못하게 했다. 양쪽 네 귀퉁이에 경비로 보이는 사람들이 앉아 있었고, 관람객들은 저마다 탄성을 지르며 천장을 뚫어지게 쳐다봤다. '아, 어, 와'란 짧은 감탄사가 세계 각국의 말로 튀어나왔다.

가이드들은 낮은 목소리로 자신이 끌고 온 여행자들에게 미켈란젤로가 얼마나 훌륭한 예술가였는지, 이게 얼마나 대단한 걸작인지에 대해서 조목조목 설명했다. 감격한 나머지 눈에 물기가 비친 금발의 여성도 보였다. 돋보기를 낀 노신사는 연필을 들고 작은 수첩에 메모를 했다. 중국계나 일본계로 보이는 한 청년은 벽화를 보고 다시 책을 들추고 그림 하나하나를 비교했다. 스웨터를 어깨에 걸쳐 멘 대학교수쯤으로 보이는 중년의 아저씨는 그림을 한 번 쳐다보고 다시 고개를 내리고 곰곰이 생각에 빠져들었다. 이곳이 교황의 개인 예배당이었다니 교황은 이 방에 들어올 때마다 저 엄청난 벽화들 앞에서 주눅이 들지 않았을까?

예술을 알거나 모르거나, 예술사를 공부했거나 안 했거나 미술사나 미술에 관심이 있는 사람으로 수천 킬로미터 떨어진 먼 나라에서 여기까지 왔다면 아마 감격의 눈물까지는 아니더라도 천재의 걸작에 감탄할 수는 있을 것이다. 이게 얼마나 위대한 작품인가. 곰브리치는 미술은 미켈란젤로 이전과 이후로 나눌 수 있다고까지 말했다. '천재란 이런 것이다'라고 언급될 때마다 나오는 사람이 미켈란젤로인데, 그가 4년에 걸쳐 그린 작품이 바로 이 시스티나 성당 벽화다. 그런데도 30분이 지나니 지루해졌다. 천장만 쳐다보고 있으니 목도 뻐근해졌다. 아무리 작품이 좋아도 고개를 들어 올리고 있는 게 쉽지 않았다. 몸이 피곤하니 어깨에 맸던 카메라 줄도 살 속으로 파고들었다.

"의자라도 있으면……."

"미켈란젤로를 제대로 보려면 적어도 반쯤 드러누울 수 있는 소파에 누워서 봐야 하는 것 아니야!"

눕기는커녕 앉아서 차분히 볼 곳도, 쉴 만한 곳도 없었다. 자그마한 벤치가 있었는지도 모르겠다. 하지만 몇 안 됐다. 하기야 쉬면서 보라면 밀려드는 관람객들을 다 받아내지 못할 것이다.

나는 마음속으로 스스로를 책망하고 있었다.

"이런 걸작 앞에서 지루하다니 창피하지도 않은가."

피곤함과 싸우고 있는 내 자신이 초라했다. 소가 되새김질을 하듯 씹고 또 씹어서, 보고 또 보면서 음미하고 감동해야 할 순간에 웬 목 타령, 허리 타령, 다리 타령이란 말인가.

"나의 예술적 감각은 이거밖에 안 된단 말인가."

자괴감이 슬그머니 마음을 채워가고 있었다. 이런 걸작 앞에서 조금의 고통도 참지 못하는 데 대한 반작용으로 내 정신은 어떻게든 작품을 가슴 속에 집어넣어 보려고 애썼다. 그때 60대 정도로 보이는 한국인 부부의 말이 예술작품을 부둥켜 안아보려는 나의 노력을 한마디로 날려버렸다. 남자는 경상도 말투로 부인에게 낮게 내뱉었다.

"봐라, 저 아담 좀 봐라. 엄청 싸가지 없는 놈이데이. 하나님이 하늘에서 날아오는데 비스듬하게 누워 가꼬 손가락 하나 뻗고 있는 거 보이나? 하나님과 맞장 뜨는 거 아인가. 아버지만 와도 저렇게 누워 있다고 매타작을 당할 낀데……."

경상도 남자의 그림 감상법에 웃음이 터져 나왔다. 경상도 양반 집안에서 태어났다면 그런 생각을 하는 게 당연할지도 모른다. 만약 조선의 이름난 성리학자가 저 그림을 봤다고 생각해보자. 실제로 불경스럽다고

미켈란젤로, 〈천지창조〉 벽화의 일부, 시스티나 성당.
그림을 어떻게 봐야 한다는 올바른 감상법은 따로 있지 않다.

생각했을 것이다. 신과 피조물, 아니 임금과 신하 정도로만 바꿔봐도 그렇다. 만약 조선의 화가가 저런 그림을 그렸다면 맞아 죽었을 것이다. 그 말을 듣고 보니 아담, 정말 '싸가지 없어 보인다'는 생각도 들었다.

"미술이 뭐, 별건가!"

미술작품을 대할 때마다 읽고 외워서 감동을 받으려고 했다. 안목을 키우려면 그런 과정이 필요하다고 생각했다. 미술관을 숙제처럼 코스에 넣고 다녔다. 유럽의 이름난 미술관에는 국내에서 돈을 내고 보려 해도 못 보는 작품들이 많다. 여기까지 왔는데, 그거 하나 못 보고 돌아갈 수 없다는 욕심이 자연히 생기게 마련이다. 한데 숙제처럼 머리로만 보기에는 어렵고 지루했다. 책을 좋아하는 사람은 많지만 독후감 쓰기를 좋아하는 사람은 드문 법인데도 미술을 머리에 넣어보려고 했다. 공부하듯 미술관에 가니 감동하지 못한 나 자신에 대한 자책감만 앞설 때가 많았다. 머리로만 깨우치는 데는 한계도 있다. 좋은 작품인지 아닌지 가슴으로 느껴지지가 않는 것이다.

그러나 '그림은 이렇게 봐야 한다'는 식의 감상법은 없다. 예술은 수학공식처럼 단순화, 표준화 할 수 없기 때문이다. 그림을 통해 자신의 이야기를 떠올릴 수도 있다. 경상도 남자처럼 자기가 보고 느껴왔던 경험들을 통해 그림을 볼 수도 있다.

인권운동가이자 작가인 서경식은 80년대 초반 유럽 미술여행을 떠났다. 네덜란드의 흐루닝헤 미술관에서 〈캄비세스의 재판〉이란 그림을 보고 압도당했다. 이 그림은 고대 페르시아 전제군주로부터 가죽 벗김 당하는 형벌을 받은 사람의 고통을 그린 것이다. *그는 이 그림을 보고 자신의 아버지를 떠올렸다. 하지만 아버지뿐 아니라 그의 형들도 떠올렸을 것이 분명하다.

* 서경식, 『나의 서양미술 순례』

서경식이 고문을 소재로 한 그림에서 전율을 느꼈던 것은 당연하다. 바로 자신의 두 형인 서승, 서준식이 한국 유학 중 간첩으로 몰려 옥살

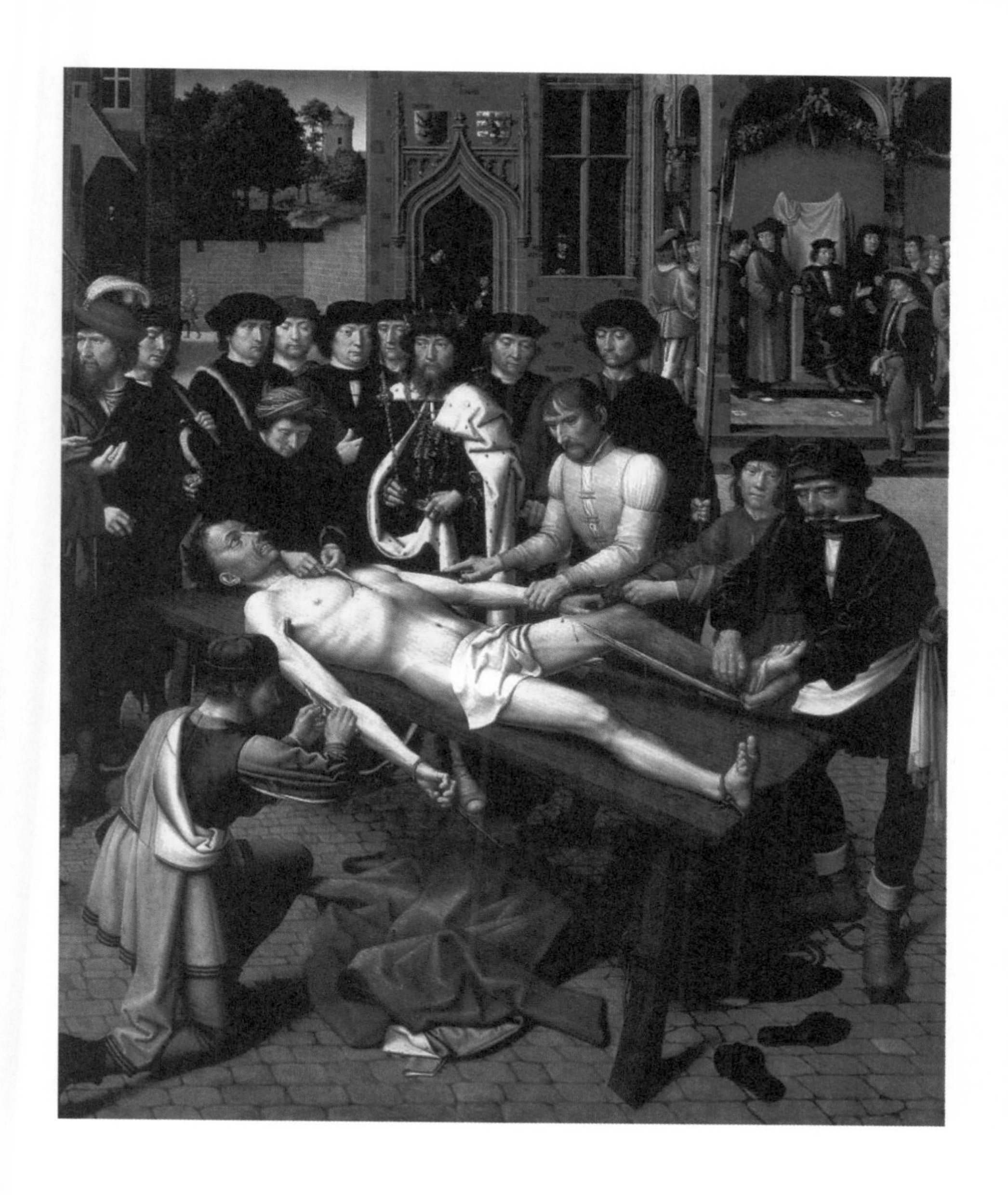

제럴드 다비드, 〈캄비세스의 재판〉, 네덜란드 흐루닝헤 미술관.

이를 했고 모진 고문을 받았다. 그의 부모들은 두 아들이 석방되는 것을 보지 못하고 세상을 떴다. 서승은 고문에 거짓자백을 할까 두려워 기름을 몸에 붓고 자살을 시도했다. 서승의 얼굴은 그때의 화상으로 일그러져 있다. 그런 형들이 아직 감옥에 있을 때였으니 서경식은 그 그림 앞에서 가슴이 떨렸을 것이다. 그는 파리 루브르 미술관에서도 미켈란젤로의 조각 작품 〈빈사의 노예〉를 보고 형들을 떠올렸다. 형들 중 하나는 이 작품을 보고 싶어 했지만 차가운 형무소에서 사상범으로 복역하고 있었다. 서경식이 미술관을 찾았을 당시 이미 형들은 12년을 복역 중이었다. 언제 출감할지도 알 수 없었다. 그의 형들이 바로 빈사의 노예였다. 그러니 왜 명작 앞에서 무릎을 탁 치며 감동하지 못할까? 이런 고민을 할 필요는 없는 것이다.

물론 미술에 안목이 필요한 것은 사실이다. 과거 어느 예술계 인사를 인터뷰 하는 도중 이런 질문을 한 적이 있다. 안목이란 어떻게 생기는 겁니까. 그는 웃으면서 말했다.

"좋은 작품을 많이 보면 저절로 알게 됩니다."

아마 현대인들이 예술작품에 대해서 잘 감동하지 못하는 이유는 우리가 동시대에 살고 있지 않기 때문일 것이다. 결과를 다 아는 스포츠 경기처럼 우린 한 화가의 작품이 어떤 의미를 가지고 있는지 알고 있다. 만약 미켈란젤로 시대에 태어나서 그의 새 작품을 만났다면 숨이 멎을 정도로 충격을 느꼈을지 모른다. 하지만 우리는 교과서, 책, 광고 등을 통해 이미 수없이 미켈란젤로를 접했기 때문에 너무 익숙하다. 익숙해지면 시시해지는 것이 인생이고, 인간의 눈이다. 오래 사귄 남녀가 매일 첫 사랑 시절처럼 들뜬 하루를 보내지는 않는다.

미술도 마찬가지일지 모른다. 14~15세기의 건축가이자 화가인 필리포 브루넬레스키가 원근법을 적용한 그림을 처음 발표했을 때 사람들은 충격을 받았다. 대리석을 마치 종이 주무르듯이 깎아 수려한 대리석상을 만들었던 그리스인들도, 섬세하기 이를 데 없는 그림으로 지금까지 관람객을 압도했던 헬레니즘 미술가들조차도 물체가 뒤로 물러서면 작게 보인다는 원근법조차 이해하지 못했던 것이다. 너무나 쉬운 원근법이 그림에 적용된 것은 불과 500년 전이다.

실은 내가 바티칸 성당에서 가장 아름답다고 생각했던 작품은 바티칸 대성당 내에 있는 〈피에타〉였다. 〈피에타〉는 유리관 속에 있다. 한 관람객이 망치로 내려치는 바람에 파손될 뻔했다. 그래서 유리 상자 안에 작품을 넣어놓았다. '피에타Pietà'는 이탈리아어로 '슬픔, 비탄'을 뜻하는 말이다. 주로 성모 마리아가 십자가에서 내려진 예수 그리스도의 시체를 떠받치고 비통에 잠긴 모습을 묘사한 것을 가리킨다.

〈피에타〉는 슬펐다. 예수의 몸이 너무 나약하게 보이기 때문이다. 〈피에타〉 상의 예수에게는 신의 모습이 느껴지지 않는다. 축 처진 인간의 모습을 하고 있다. 신의 모습이 아니라 장삼이사張三李四의 몸뚱이다. 성모 마리아의 표정은 오히려 담담하다. 이 조각상은 어린 시절 죽은 동생을 떠올리게 했다. 고교 2학년 때 막내 동생은 친구와 함께 저수지에 놀러갔다가 물에 빠져 죽었다. 귀여움이 뚝뚝 묻어나던 일곱 살 아이였다. 그

미켈란젤로, 〈피에타〉, 성 베드로 성당.

아이가 죽기 전날, 나는 어둑어둑해질 때까지 놀다가 집에 왔다며 막내를 꾸짖었다. 야단을 치고 나니 나도 마음이 언짢아서 동생의 마음을 풀어주려고 함께 동요를 불렀다. 그리고 다음날 동생이 죽었다는 소식을 듣고 병원에 달려갔을 때에는 병원의 차디찬 콘크리트 바닥에 동생이 누워 있었다. 흰 천이 시신 위에 덮여 있었다. 어머니는 그 아이를 무릎에 안고서 마리아처럼 동생을 내려다봤다. 그때 어머니의 모습과 〈피에타〉 상은 너무나 닮아 있었던 것이다.

돌 하나에서 미켈란젤로는 어떻게 저런 작품을 깎고 만들어낼 수 있었을까. 그 앞에 서니 낮은 한숨이 나왔다. '떡 주무르듯'이란 말은 너무 범속해서 가져다 붙이기 힘들 정도였다. 미켈란젤로는 많은 예술가들이 그랬던 것처럼 신의 은총으로 완성했다는 등의 구태의연한 말을 하지 않았다. 미켈란젤로는 조각가는 마치 보자기를 벗겨버리면 그 속에서 조각상이 나온다는 듯이 석상을 덮고 있는 돌을 제거하기만 하면 된다고 말했다.

그는 대리석을 오랫동안 찾아다녔다. "돌이 말을 한다" "저 속에 내가 원하는 사람들이 들어 있다"고 생각했기 때문이다. 그런 광기와 비범함을 갖추고 있었다. 영화에서 예술가들은 괴팍하고 자신만의 세계가 있는 것으로 그려진다. 이런 예술가는 작품을 이해하지 못하는 사람들에게 화를 내기도 하고 무시하기도 한다. 괴팍한 성질, 까다로운 취향, 대인장애……. 예술가 하면 떠오르는 모습이다. 실제로 여행을 하다 보면 쥐뿔도 없으면서 시답잖은 작품을 하나 내세우면서 괴팍한 성질을 내는 사람들이 있다. 예술가 행세를 하면서 말이다. 이런 예술가의 인상은 미켈란젤로 시대에 생긴 것이다. 이집트의 예술가는 예술가가 아니었다. 그들은 이름조차 남기지 못했다. 중세의 예술가도 거드름을 피웠다는 소리는 없다. 아마 그랬다가는 왕과 귀족들의 손에 치도곤을 당했을지 모른다. 그들은 예술가라기보다 숙련공이었다. 스승이 밑그림을 그려주면 후배가 덧칠을 하는 식으로 그림을 그렸다. 그들은 기능인이었지 예술가는 아니었던 것이다.

✖예술가라는 개념이 생긴 것은 르네상스 시대였다. 레오나르도 다빈치와 티치아노, 미켈란젤로 등이 바로 예술가의 시대를 연 것이다. 미켈란젤로는 과거 예술사에서는 찾아볼 수 없었던 높은 사회적 명성을 얻었다.

아르놀트 하우저, 『문학과 예술의 사회사2』

쉽게 말하면 그 전까지만 해도 예술가들은 공예품을 만드는 장인에 불과했다. 자신의 작품을 창작한다기보다 주문된 제품을 생산하는 사람이었던 것이다. 기술이 뛰어난 사람들은 물론 있었다. 그들은 솜씨가 좋아 장인으로 대우를 받았다. 하지만 예술작품은 다른 문제였다. 그것은 주문한 사람의 생각을 뛰어넘는 걸작이어야 했다. 그걸 가능하게 한 사람이 바로 미켈란젤로였다. 모든 사람들이 그에게 존경의 뜻을 표하게 됐고, 그는 교황의 청까지도 거절했다. 예술가가 천재의 반열에 오른 것도 미켈란젤로 이후다.

예술 작품은 그 사람들의 인생을 알게 되면 더 매혹된다. 예술가들의 괴팍한 삶은 늘 흥미진진해서 마치 한 편의 드라마 같기 때문이다. 대표적인 작가가 바로 고흐다. 고흐는 한국인들이 가장 좋아하는 화가라고 한다. 센 강변에 위치한 오르세 미술관 등에도 고흐의 작품이 있지만 파리에서 차나 기차로 한 시간 정도 가면 고흐의 흔적이 남아 있는 고흐 여행지가 있다. 오베르 쉬르 우아즈라는 소도시다.

오베르 쉬르 우아즈는 고흐가 마지막 생애를 보낸 곳이다. 이곳에는 고흐의 무덤도 있다. 마지막 작품인 〈까마귀 나는 밀밭〉의 배경이 된 밀밭도 있다. 전원파 화가들의 무대였던 바르비종, 인상파 화가들이 머물렀던 아를 등과 더불어 오베르 쉬르 우아즈는 미술기행지로 더할 나위 없이 좋다. 마을은 작았지만 아름다웠다. 고흐는 거기서 미친 듯이 그림만 그렸다. 성당도 그렸고, 하숙집도 그렸다. 고흐가 그린 성당과 밀밭 앞 안내판에는 그의 그림이 붙어 있다. 그림과 실물을 비교하며 볼 수 있도록 하기 위한 것이었다.

고흐가 감동을 주는 것은 그의 인생이 불우했기 때문이다. 네덜란드 프로트 준데르트에서 태어난 그는 우아즈 강가에 있는 마을 오베르에서 생을 마감했다. 죽을 때 나이는 37세1853~1890였다. 늘 세계 최고 경매가를 기록하는 그의 그림이지만 생전에는 단 한 점밖에 팔지 못했다는 소리가 있다. 고흐가 오베르에 머문 날은 67일에 불과하다. 이 짧은 기간 동안 고흐는 오직 그림만 생각했다. 우아즈는 고흐 삶의 절정이었고, 클라이맥스였다.

오늘날 우리가 고흐의 자취를 자세히 알 수 있는 것은 동생 테오에게

사이프러스 나무가 있는 〈별이 반짝이는 밤〉, 뉴욕 현대미술관.

보낸 편지 덕분이다. 그는 그림에 대한 자신의 생각과 삶을 테오에게 편지로 알렸다. 그가 테오에게 보낸 편지는 무려 668통이나 된다. 고흐는 오베르에서도 편지를 여러 통 썼다. 다음은 1890년 6월 고갱에게 쓴 편지의 내용이다.

*"최근에는 옆으로 별 하나가 보이는 사이프러스 나무 그림을 그리고 있네. 눈에 뜨일락 말락 이제 겨우 조금 차오른 초승달이 어두운 땅에서 솟아난 듯 떠 있는 밤하늘, 그 군청색 하늘 위로 구름이 흘러가고,

빈센트 반 고흐, 『반 고흐, 영혼의 편지』

프랑스 오베르 쉬르 우아즈의 고흐와 테오의 묘지.
고흐의 불행했던 인생 때문의 그의 그림은 더 큰 감동을 준다.

그 사이로 과장된 광채로 반짝이는 별 하나가 떠 있네. 분홍색과 초록으로 부드러운 반짝임이지."

너무나도 유명한 〈별이 반짝이는 밤〉에 대해 쓴 것이다. 이 그림은 초현실적인 분위기를 풍긴다. 고흐의 대부분의 그림에는 직선이 직선적이지 않다. 오베르 성당도 구불구불하고, 해바라기도 타오르는 불꽃같다. 강렬함이 있다. 이걸 보고 이런 해석을 한 사람들도 있다. ※당시의 그림물감에는 납이 많이 들어 있었고 고흐같이 하루 종일 그림만 그린 사람

빌 브라이슨, 『거의 모든 사생활의 역사』

은 납중독을 일으켰을 수도 있다고. 이를테면 납에 중독되면 동공이 확장되고 보는 물체마다 일종의 휘광을 가진 것처럼 보이게 만든다는 것이다. 오지랖이 넓은 빌 브라이슨은 그래서 고흐가 납중독으로 고생했을 가능성이 높다고 했다.

오베르에서 나는 고샅고샅 고흐의 인생을 더듬어보려고 애썼다. 좌절감, 콤플렉스는 예술가의 예술혼을 자극할 때가 있다. 실연이나 상처, 고통이 시를 잉태하듯이 가난과 좌절 등도 그림을 잉태하는 양분이 된다. 고흐에게서 그런 모습을 발견할 수 있다. 고흐는 성격은 괴팍했지만 마음은 여리고 약했다. 자신의 사촌 케이에게 청혼했다가 거절당했고, 이후 매독에 걸린 임신부를 데려와 살기도 했다. 그녀와도 헤어졌는데, 가난 때문이었다. 물감 살 돈조차 없는 가난한 화가였던 그는 동생에게 늘 손을 벌렸다. 그림을 팔고 사는 화상을 했던 동생은 형을 끝까지 도와줬다. 편지 앞 구절마다 "50프랑 잘 받았다"는 등의 구절이 있는 것을 보면 늘 돈을 부쳤던 것 같다. 고흐의 마지막 작품은 〈까마귀가 나는 밀밭〉이었다. 까마귀는 가끔 죽음을 상징한다. 그는 이 그림을 남기고 자살했다. 그가 죽은 뒤 가슴에서 동생에게 부치지 않은 편지가 발견됐다.

고흐는 불행했기 때문에 불세출의 화가로 남았다. 그가 남긴 작품은 879점이었고, 생전에 그가 판 유화작품은 단 1점, 400프랑이었다. 고흐 자신도 어머니에게 보낸 편지에서 '다른 그림이나 네덜란드 물가를 생각하면 얼마 안 되는 돈'이라고 썼을 정도로 적은 돈이었다.

형의 죽음 이후 테오도 6개월 후에 죽음을 맞았다. 파리에서 자신과의 말다툼 때문에 형이 오베르로 내려가 일을 저질렀다고 믿었던 것일까. 아마도 당시 다툼은 돈 때문이었던 것으로 보인다. 결국 두 달 만에 형이 자살을 했으니 테오도 충격을 받았다. 그 충격으로 정신병을 앓았고 6개월 만에 형을 따라 세상을 등졌다. 밀밭 옆 공동묘지엔 형제가 나란히 누워 있었다. 그의 묘지에는 전 세계에서 고흐의 숭배자들이 모여들어 사진을 찍고, 스케치북에 그림을 그린다.

전 세계 명사들의 묘지를 보면 초라한 죽음을 맞았더라도 이름을 얻은 뒤에는 화려하게 단장을 하게 마련이다. 그러나 고흐는 죽어서도 가난했다. 소품 한 점만으로도 크리스티와 소더비 경매장을 들썩거리게 할 정도로 그의 그림은 유명하지만 그의 묘지는 아직도 해바라기를 그리던 시절의 모습을 떠올리게 할 정도로 초라했다. 작은 묘비 하나에 푸른 담쟁이만 덮여 있었다. 관광객이 그의 작품을 생각하며 얹어놓은 해바라기들은 그림처럼 강렬하지 못해서 더 애처롭다. 묘지를 보고 있으면 슬프고 안쓰럽다. 처량하다. 한 일본인 연인이 고흐의 무덤 앞에서 사진을 찍고 꽃 한 송이를 얹었다.

꾹꾹 찍어 누르고, 꿈틀거리는 붓 자국으로 가득한 고흐의 그림. 그에게 불행한 인생살이가 없었다면 고흐의 작품은 후세에 그런 감동을 주지는 못했을 것이다. 고흐의 그림은 그의 불행이 그려놓은 것이다. 미술은 이런 식으로 이야기를 건다. 미술평론가 이주헌은 *"반 고흐의 그림은 모두 그의 자화상이나 마찬가지라는 사실을 인정하지 않을 수 없다"고 했다. 고흐는 자신의 그림을 통해 세상과 소통하려 했으나 세상은 그

* 이주헌, 『서양화 자신 있게 보기2』

와 소통하려 하지 않았던 것이다.

이렇게 예술의 이해에 대한 컴플렉스는 많이 없어졌지만 그래도 가끔 답답할 때가 있다. 현대미술은 당최 해석이 안 되고 어렵다.

"미켈란젤로랑 고흐는 이해할 수 있지만 현대 예술은 대체 뭐냐?"

그러나 이해하지 못한다고 해서 주눅 들 필요는 역시 없을 것 같다. 진중권의 글 한 토막에서 위로를 받았다. 그는 『미학 오디세이』를 통해 과거 예술가들은 자연을 모방하면서 그것을 이상적인 아름다움으로 끌어올렸다고 말했다. 과거에는 이상과 현실, 예술과 사회의 조화를 추구했으나 현재는 그 관계가 달라졌다. 인간들의 관계 자체가 추상적으로 변해 이를 정직하게 증언하려면 현대 예술도 추상적일 수밖에 없는 것이다.

해석하기 어렵다면 굳이 해석할 필요가 없다. 밥벌이로 미술을 하는 사람이 아니라면 거기에 매달려 끙끙댈 필요도 없다. 이해 안 되면 안 되는 대로 봐도 상관없다. 미국의 작가이자 예술평론가 수전 손택은 ✖"해석은 예술작품이 일련의 내용으로 구성된다는 심히 미심쩍은 이론을 토대로 예술을 어지럽힌다. 예술을 지적 도식의 범주에 포함되는 일종의 실용 품목으로 만드는 것"이라고 비판했다.

수전 손택, 「해석에 반대한다」

쉽고도 어렵고, 재밌기도 하고 재미없기도 한 미술. 나는 그냥 즐길 수 있는 데까지만 즐긴다. 미술도 여행처럼.

건축

"건물은 말을 한다. 그것도 쉽게 분별할 수 있는 주제들에 관해 말을 한다.

건물은 민주주의나 귀족주의, 개방성이나 오만, 환영이나 위협,

미래에 대한 공감이나 과거에 대한 동경을 이야기한다."

알랭 드 보통, 『행복의 건축』

도시 여행이란 곧 건축 여행이다. 여행자가 사진 찍고, 구경하고, 감탄하고, 실망하는 것은 대개 건축물이다. 특별한 건축물은 한 도시, 아니 한 나라를 상징하는 랜드마크가 되기도 한다. 파리하면 에펠탑이 떠오르듯 한 도시의 대표적인 건축물에는 그 도시의 역사와 철학이 녹아 있다. 게다가 과거의 이름난 건축물들은 대부분 엄청난 돈을 쏟아 부어 만들었다. 프랑스의 개선문, 이집트의 피라미드 등 나라의 대표 건축물은 그 나라 사람들의 자존심이었다. 왕이나 실력자는 후대 사람들이 자신의 건축물 앞에서 감탄하는 모습을 떠올리며 그것을 지었다. 그래서 건축물은 후손에게 남기는 당대의 파피루스 같은 것이다. 돌로 된 문서이고 조각으로 새긴 역사다.

버트란트 러셀,
『게으름에 대한 찬양』

영국의 철학자 버트란트 러셀은 *"먼 옛날부터 건축에는 두 가지 목적이 있었다"고 했다. '실용적인 목적'으로의 건축은 피난처와 집으로서의 역할을 하는 건축이고, '정치적인 목적'은 한 시대의 이념이나 통치자의 업적을 돌로 표현해서 후손에게 남기는 것이다.

현대에도 마찬가지다. 유리와 철골, 콘크리트가 대리석을 대신하고 있을 뿐이다. 지금도 역사에 남는 건축물을 짓는 국가와 사람들은 많다. 그게 가장 적나라하게 드러나고 있는 곳이 두바이였다. 도심에는 고층 건물이 줄지어 서 있다. 강렬한 햇살과 사막만 아니었다면 어느 메트로폴리스의 중심이라고 할 만한 그런 도시였다. 서울의 테헤란로와 별다를 바 없었다. 모래 위에 세워진 빌딩은 다 휘황하고 찬란했다. 사상누각沙上樓閣이란 말이 틀리고 있음을 증명하고 있었다.

그러나 뭔가가 아쉬웠다. 도시란 원래 그 나라 사람들의 삶의 향기가 배어 있는 법이다. 베두인들은 태양과 모래 속에서 생을 이어왔다. 열기와 폭풍 속에서 사막을 건너다니면서 생존했다. 살아가는 환경이 거칠고 험악할수록 사람들은 생명에 대해 감탄하고 존경을 보내기 마련이다. 그런데 거기에 그런 모습은 없었다. 그냥 서울이나 도쿄 같은 대도시가 사막 한가운데 떡 버티고 있었다. 신기루 같은 도시가…….

황량한 사막에 그들은 세계 최고의 리조트를 세워놓았다. 그건 신기루가 아니라 실제로 만져지는 살아 있는 도시였다. 오아시스는 오아시스인데, 그냥 오아시스가 아니라 '두바이판 라스베이거스'였다. 두바이 관광팸플릿은 세계 최고라는 '7성급 호텔, 세계에서 가장 높은 건축물'

사막에 인공 오아시스를 재현한 두바이 메디나 호텔.

등으로 채워져 있다. 호텔은 인공눈을 뿌려 스키장도 만들었다. 물놀이 테마파크도 있었다. 정작 베두인의 향기를 맡아보려던 나 같은 여행자는 어리둥절했다.

게다가 이 도시는 노동자를 죄다 타국에서 수입해 썼다. 단순히 더럽고 어렵고 힘든 3D 분야뿐이 아니라 호텔 지배인과 요리사도 외국인이었고, 식당에서 일하는 사람들도 외국인이었고, 항공사 승무원도 외국인이었다. 두바이 사람보다 외국인이 더 많았다. 모래 바람을 맞고 살았던 베두인은 '리모컨 인간'으로 변해가고 있었다. 버튼만 누르면 시종들이 다 알아서 해주는 오토매틱 사회의 주인이 되어가고 있었던 것이다. 대를 이어온 경험으로 모래폭풍이 부는 사막에서도 길을 잃지 않고 살아남았던 사람들은 더 이상 '몹쓸 사막'에 의지하지 않고 사는 것 같았다. 우연히 사막을 가로지르는 도로에서 그들의 집을 봤다. 낙타를 우리에 가둔 트레일러 하우스에는 접시 안테나가 붙어 있었다. 하지만 그들을 탓할 수 있을까? 아니다. 인간의 본성상 쾌적함과 편안함을 거부할 수는 없는 것이다.

두바이는 세계에서 가장 국제적인 도시다. 이들이 가장 자랑스럽게 내세운 것은 2010년 개장한 '부르즈 할리파'였다. 부르즈 할리파는 철골과 시멘트로 만든 '신기루'의 정점이다. 내가 방문했을 때는 한창 마무리 공사 중이었는데 아득하게 높았다. 한국의 기업이 직접 건설에 참여했다는 부르즈 할리파는 공사비만 12억 달러가 들어갔다. 높이는 800미터. 서울 남산[262미터]이나 63빌딩[249미터]의 약 3배에 달한다. 부르즈 할리

파는 세상에서 가장 높은 피뢰침이고, 하늘을 향해 솟구친 송곳이다. 거기서 인류가 꿈꿔온 높이에 대한 욕망을 느낄 수 있다. 이들이 사막 한가운데 초고층 빌딩을 세운 것은 그들만의 욕망이 아니라 인류 역사 곳곳에서 볼 수 있는 높이에 대한 추구다. 인간은 고대로부터 현대에 이르기까지 하늘을 동경해왔다. 중세에는 유럽의 대성당이 그랬고, 산업 혁명 이후에는 강철 빔의 등장으로 고층빌딩이 가능해졌다. 20세기 초에는 미국의 대도시들이 초고층 빌딩을 놓고 경쟁을 벌였으며, 20세기 후반부터는 아시아도 가세했다.

부르즈 할리파를 보면서 유럽의 대성당을 떠올렸다. 천 년 전의 고층 건축물은 성당이었다. 파리 시내에 묵을 때마다 센 강변 있는 노트르담 대성당에 산책을 겸해 자주 찾아가봤다. 노트르담 대성당은 웅장하다. 굳건하고 튼튼하다. 마치 잘 다듬어진 스파르타 병사의 몸처럼 근육질로 된 성당이었다. 노트르담은 각이 져서 부드러움보다는 위용을 내세운다. 이 성당의 천장 높이는 무려 35미터다. 10층 건물의 천장과 맞먹는다.

노트르담이 세워지기 시작한 것은 12세기. 완공된 것은 14세기다. 대성당은 그 마을에서 가장 높은 건축물이었다. 중세인의 눈에 대성당은 대체 어떻게 보였을까. 오금이 저릴 정도로 두려운 느낌이었을 것이다. 지금 우리는 높은 건물들을 너무 많이 봐왔기 때문에 높이에 대해서는 무덤덤한 편이지만 그들은 성당에 들어서면 무릎에 힘이 풀리고 엎드리고 싶었을 게 분명하다. 당시 허허벌판에는 오로지 대성당만 우뚝하게 서 있었다. 건물 자체가 숭배의 대상이었다.

그 시대 성당들은 모두 높았다. 일본 학자 사카이 다케시에 따르면 생드니 성당은 본당 높이가 20미터, 사르트르 성당은 36.95미터, 랭스 성당은 37.95미터, 아미앵 성당은 42.3미터, 보베 성당은 무려 51미터에 달했다. 1227년에 완공됐던 보베 대성당은 1284년에 천장이 무너져내리고 말았다. 신은 바벨탑을 무너뜨리면서 인간에게 경고했는데도 인간은 신의 이름으로 바벨탑처럼 높은 건물을 올리려 했다. 고딕 성당은 높이를 광적으로 추구했기 때문에 비례는 엉망이었다. 건물을 자세히 보면 바깥벽에 기둥들과 받침벽이 늘어서 있는 것을 알 수 있다. 높이 지으려니 벽을 잡아줄 만한 것들이 필요했던 것이다. 당시 고딕 성당들은 섬세함보다는 웅장함, 하모니보다는 권위를 중요하게 생각했다.

다케시는 『고딕, 불멸의 아름다움』에서 고딕이 광적으로 상승을 지향한 것은 죽을 수밖에 없는 인간의 비소함, 왜소함, 유한성에 대한 깊은 자각과 동시에 일어난 일이었다고 썼다. 대성당은 신을 위한 장소이며, 신을 위해서라면 높이 지어야 했다. 대성당은 천국으로 이어지는 사다리여야 했던 것이다.

그렇다면 중세인들은 성당에서 평화와 위안을 얻었을까. 아니, 아마도 두려움이 더 강했을 것이다. 왜냐하면 성당의 신은 미소로 신자들을 맞이하지 않기 때문이다. 그곳에 새겨진 사람들의 표정은 무뚝뚝하다. 성당 벽화 속에서 환하게 웃고 있는 성인의 모습은 찾지 못했다. "수고하고 무거운 짐 진 자들아 다 내게로 오라"고 했던 신이지만, 신자들은 편안한 마음으로 성당에 올 수 없었다. 중세 시대에 신과 인간의 관계는 친근하지 않았다. 엄격했다. 교회는 신의 이름으로 마녀 사냥을 했다. 신의 이름으로 살육이 벌어졌다.

나는 노트르담의 무표정한 석상을 보면서 백제의 마애불을 떠올렸다. 7세기에 새겨진 것으로 보이는 서산 마애불은 장난기 있는 동자승을 닮았다. 마애불의 모습은 구도자 부처의 모습이기도 하다. 아니 장난꾸러기 소년을 닮기도 했다. 부처는 동네 어디서나 볼 수 있는 맘씨 좋은 사람들이었을 법하다. 아니면 이 상을 조각한 사람은 천진난만한 개구쟁이를 떠올렸을 수도 있다. 오로지 죄 많은 인간을 구원하러 온 서양의 신과, 누구나 신이 될 수 있다는 동양의 부처는 이렇게 달랐다. 생각하는 것이 달랐으니 신들의 모습도 달랐던 것이다. 성당의 이미지든 마애불의 얼굴이든 모두 인간이 상상한 것들을 구체화한 것이다.

높이에의 욕망은 근대 건축물에서도 찾을 수 있다. 에펠탑도 마찬가지다. 에펠탑은 1889년 프랑스 혁명 100주년을 기념하기 위해 개최한 세계박람회 때 지어졌다. 모리스 쾨클랭이 설계했고, 300명의 작업자가 철제부품 1만 8,038조각을 50여만 개의 리벳Rivet, 철들이나 철판을 조립하는 데 쓰는 굵은 못을 이용해 조립하였다. 높이는 300미터에 달했다.

에펠탑은 지금 보면 아름답다. 우아하게 솟았다. 멋을 적당하게 부린 파리지엔이 연상된다. 그래서 에펠탑을 보고 있으면 파리 사람들의 머릿속을 알 것 같다는 생각이 들기도 한다. 그런데 만약 내가 19세기 말 파리에 살았다고 치면 에펠탑은 과연 아름다운 건축물이었을까? 당시 사람들은 느닷없이 송전탑 같은 엄청난 철골구조물이 들어서는 데 꽤 불만이 많았다. 대체 저것이 건물인가 아니면 그냥 골조인가? 완성된 건축물인가 아닌가? 이도저도 아니면 대체 뭐 하는 건축물인가? 송신탑인가? 당시에는 불만의 소리가 가득했다. 에펠탑만큼 많은 비판 속에서 세워진 건축물은 프랑스에서 일찍이 없었다고 한다. 에펠탑은 당대의 이름난 작가와 예술가들로부터 조롱을 받았다.

사카이 다케시의 『고딕, 불멸의 아름다움』과 빌 브라이슨의 『거의 모든 사생활의 역사』에도 에펠탑에 대한 당시의 불만이 나온다. 소설가 모파상과 구노 등 47인의 지식인이 공식적인 항의서한을 정부에 제출하기도 했다. 일부에서는 '발광한 피라미드, 멋진 철물' 같은 표현으로 에펠탑을 비꼬았다. 그도 그럴 것이 과거에는 그런 건물이 없었던 것이다.

그러나 에펠탑은 건축물의 변화를 예고했다. 바로 대리석 건축물의 시대를 넘어 철골구조물의 시대로 진입했다는 얘기다. 게다가 에펠탑은 부품조립식으로 이뤄졌다. 그만한 건축물을 만들다 보면 반드시 사고가 발생하고 희생자가 나오기 마련인데, 에펠탑을 만드는 과정에서 죽은 사람은 없었다. 바로 엔지니어의 시대가 도래한 것이다. 프랑스의 근대 건축가 르 코르뷔지에도 20세기는 엔지니어의 시대임을 예고했다. 과거 건축가들은 예술가였다. 바티칸 대성당을 최종 설계한 사람은 미켈란젤로였다. 레오나르도 다 빈치도 과학자이자 예술가였다. 그런데 산업혁명은 건축에도 변화의 바람을 몰고 왔다. 알랭 드 보통도 『행복의 건축』을 통해 산업혁명기에 건물을 짓는 과정에서 엔지니어들이 지배적인 위치에 올랐다고 했다. 보통은 엔지니어들이 쇠와 강철, 판유리와 콘크리트를 다루는 기술을 정복하여 다리, 철도 차고, 수도, 선창 건설로 관심을 끌고 경외감을 불러 일으켰다고 했다.

사실 철골과 유리 구조물의 시초는 런던의 수정궁이다. 수정궁은 1850년 런던 만국박람회 때 하이드파크에 세워진 유리 전시장이다. 1936년에 불에 타버리고 지금은 매표소 입구로 쓰였던 문만 남아 있다. 그것은 19에이커2만 3천 평의 대지 위에 지어진 거대한 유리 온실과 같았다. 빌 브라이슨은 『거의 모든 사생활의 역사』에서 수정궁이 갖는 미래건축의 특징을 이렇게 집어냈다. "벽돌을 하나도 쓰지 않고, 시멘트도 사용되지 않았다. 마치 텐트처럼 땅에 세워놓았을 뿐이다." 지금 생각하면 누구나 떠올릴 수 있겠지만 당시에는 천재적인 아이디어였다. 게다가 편편한 유리판이 당시 처음으로 상용화 됐다.

20세기는 철골과 시멘트와 유리의 시대다. 높이는 이제 신에 대한 경외감의 표현이 아니라 기술에 대한 자랑으로 변했다. 본격적인 고층빌딩은 미국에서 나왔다. 뉴욕의 마천루 역시 높이를 추구했다. 미국인들은 유럽에 대한 콤플렉스가 있었다. 찬란한 역사를 가지고 있는 '늙은 유럽'에 맞서 그들은 첨단 구조물을 보여주고 싶었다. 그게 바로 엠파이어 스테이트 빌딩 같은 고층건물로 나타났다. 콘크리트 기술의 개발, 강철 빔의 탄생, 빌딩 구조의 개선, 엘리베이터의 개발……. 당시 건축물은 지금으로 치면 스텔스 항공기나 우주비행선 같은 첨단 기술의 경연장이었던 것이다. 여기에 '세계 최고'라는 인간의 욕심이 보태졌다. 최고란 말은 높이뿐 아니라 기술력, 자본력을 의미하기도 했다. 미국 내에서도 높이에 대한 경쟁은 치열했다. 맨해튼 은행과 크라이슬러 빌딩은 마천루 경쟁을 벌였다. 서로 눈치를 보며 설계 변경을 해서 높이를 더욱 높여갔다. 크라이슬러는 첨탑의 높이를 조정함으로써 한때 세계에서 가장 높은 빌딩이라는 기록을 획득했다.

건축가 이건섭은 『20세기 건축의 모험』을 통해 "'세계에서 가장 높은' 이란 수식어를 지키는 데 미국인들이 얼마나 민감한가. 말레이시아의 쿠알라룸푸르가, 중국의 상하이가 자꾸 세계 최고를 주장하고 나서자 미국 시카고의 존 행콕 타워는 상부 세 개 층을 증축하고 첨탑을 높이는 것으로 대응했다"고 적고 있다.

높이에 대한 추구뿐 아니라 건축사에서는 뽐냄과 과시도 무시할 수 없다. 건축은 거주자의 편리함만을 위해 지어지지 않는다. 세계적인 건축가 르 코르뷔지에는 센 강이 내려다보이는 프랑스 푸아시에 사부아 부부의 부탁을 받아 빌라 사부아를 지었다. 지금은 건축역사를 볼 수 있는 건축물로 관람객들이 많지만 당시 이 집을 처음 본 사람은 당황했다. 사각형 건축물은 못생겼다. 게다가 집주인 사부아는 끊임없이 코르뷔지에에게 항의했다. 여름에 덥고, 겨울에 춥고, 비도 샌다며 수리를 해달라고 했던 것이다. 원래 빌라 사부아는 실용적으로 지어졌다. 그러나 실제로는 *"예술적 동기에서 나온 비실용적인 건물"이었다.

알랭 드 보통
「행복의 건축」

프랑스의 낭시란 도시는 '뽐냄의 건축' 시대의 건물들이 많다. 낭시는 19세기 말과 20세기 초 일어났던 아르누보Art Nouveau 운동의 중심지다. 낭시가 있는 프랑스의 로렌 지방은 15세기부터 독일과 크고 작은 국경 분쟁을 벌였다. 내가 학교 다닐 때 교과서에는 알퐁스 도데의 단편 「마지막 수업」이 실려 있었다. 어느 날 갑자기 프랑스 땅에서 독일 땅으로 변해 마지막 프랑스어 수업을 받는 교실의 풍경을 그린 이 소설은 1870년부터 2년 동안 벌어진 프로이센 - 프랑스 전쟁을 소재로 했다. 이 전쟁에서 패하면서 프랑스는 알사스, 로렌을 독일에 뺏겼고 1차대전 후 독일에 승리한 뒤 돌려받았다. 낭시는 다행히 독일로 넘어가지는 않았지만 전쟁 후 알사스 난민들의 피난처가 됐다. 난민 중에는 많은 기업가와 예술가들도 섞여 있었다. 풍부한 자본과 예술인들이 모여든 소도시. 이들이 일으킨 문화운동이 바로 아르누보였다.

아르누보는 벨기에에서 처음 시작됐지만 가장 많은 예술가들이 모여든 곳이 낭시다. 루이 마조렐, 에밀 갈레, 유진 발랭, 자크 그루베 등이 낭시에서 활동했다. 아르누보의 흔적은 스타니슬라스 광장의 미술관, 공작의 궁이었던 로렌박물관 등에서 찾아볼 수 있다. 아르누보는 그림보다는 건축과 공예, 가구 등을 통해 아름다움을 추구했다. 현재 낭시에 남아 있는 아르누보 건축만 80여 동이 된다.

유럽을 여행하다 보면 시대별 건축물을 볼 수 있다. 그런데 마을 전체가 아르누보 양식인 곳도 있다. 피오르fjord 여행의 출발점인 노르웨이의 올레순이 바로 대표적인 아르누보 타운이었다. 마을 전체가 똑같은 건

이 건물은 얼핏 보면 단순해 보이지만 창 하나도 크기나 모양이 조금씩 다르다.
노르웨이 올레순.

JUGENDSTIL
SENTERET
JUGENDSTIL
SENTERET

축양식을 하고 있다면 그건 신도시임에 틀림없다. 우리 같은 식의 재개발이 없는 유럽에서 왜 도시 전체가 아르누보 양식으로 지어졌단 말인가. 궁금해서 취재해보니 슬픈 스토리가 있었다.

올레순은 150년 전부터 이미 관광지였다. 피오르 때문이었다. 산업혁명 이후 유럽의 귀족과 신흥자본가 사이에선 세계 여행이 붐을 이뤘다. 자본이 축적됐고 먹고 살 만하니 세상 구경을 하고 싶은 것이었다. 올레순은 피오르 여행의 관문으로 자연스럽게 발전했다. 그러나 화재로 도시 전체가 타버리고 말았다. 1904년 1월 23일 새벽 2시 15분, 마가린 공장에서 불이 났다. 당시의 건축물은 대개 나무로 지어졌다. 불길은 바닷바람을 타고 나무 집들을 하나하나 삼켰다. 이튿날 오후 5시에 불은 꺼졌으나 천여 채의 가옥 중 850채가 불에 탔다. 주민 1만 2천 명 중 1만여 명이 이재민이 됐다. 소방서 옆에 살던 노파 한 사람만 사망했다. 인명 피해가 적은 게 그나마 기적이었다.

올레순이 잿더미가 됐다는 소식은 순식간에 유럽 곳곳으로 퍼졌다. 유럽인들은 구호의 손길을 내밀었다. 독일의 빌헬름 2세가 보낸 구호선은 화재 발생 이틀 만에 올레순에 도착했다. 독일 황제가 이처럼 빨리 구호선을 파견하게 된 것은 게이랑에르 피오르를 무려 7번이나 방문한 적이 있어 피오르의 아름다움을 이미 알고 있었기 때문이었다. 올레순 경제가 타격을 입으면 유럽에 영향이 있다는 진단도 나왔다. 올레순은 세계 최고의 대구 어장으로도 유명했다. 그러다 보니 여기저기서 구호품을 보내게 된 것이다. 우리나라 수해 현장에 생수나 옷가지를 전해주

듯 유럽인들은 새 집을 지을 때 쓰라고 경첩이나 문고리 같은 건축 자재도 많이 보냈다. 당시 정부는 국가 재정을 쏟아 부어 마을을 재건했다.

유럽의 변방인 조국을 떠나 유학을 하고 있거나, 다른 나라에서 건축가로 활동하고 있던 노르웨이 사람들은 조국으로 달려왔다. 그들은 당시 유행이던 아르누보 양식을 건축물에 적용했다. 그래서 도시 전체가 아르누보 스타일로 변한 것이다. 아르누보는 요즘말로 바꾸면 뉴아트New Art, 새로운 예술이란 뜻이다. 이때 지은 집들은 겉멋을 많이 부렸다. 한 건물에 같은 모양의 창이 없고, 장식도 아기자기하다. 지혜를 상징하는 부엉이를 새겨 넣는가 하면 병원이었음을 상징하는 꽈배기 모양의 장식도 보인다. 19세기 유럽에서 유행했던 낭만주의의 영향이었다. 당시의 아르누보 건축을 보고 있으면 '뽐냄'과 '과시'를 알아낼 수 있다. 아르누보 이후에는 여기에 대한 반발로 단순미와 기능성을 자랑하는 바우하우스 건축이 나오게 된다.

이로부터 다시 100년쯤 흐른 요즘 현대 건축물들은 어떻게 자신의 모습을 드러내고 있을까. 지금은 디자인의 시대다. 건물이 과거에는 하나의 상징물이었지만 이제 하나의 아트, 즉 작품이 되어 가고 있다. 1990년대 중반 파리의 퐁피두센터를 보고 참 재밌다고 생각했다. 퐁피두센터는 파이프와 배관이 다 외부로 드러나 있다. 쉽게 말하면 내장이 다 나와 있는 건물이다. 생각의 전복이었다. 당시의 문화부 장관이었던 앙드레 말로가 현대적인 건축물을 만들어보고 싶어 했고, 퐁피두 대통령 때 완공

렌조 피아노가 설계한 뉴칼레도니아 치바우 센터.

됐다. 퐁피두를 설계한 사람은 바로 렌조 피아노라는 이탈리아 건축가다. 퐁피두는 그의 초기작품이고, 나는 나중에 전 세계를 돌며 그가 남긴 다른 건축물을 볼 기회가 있었다. 그러면서 변화를, 한 건축가의 인생을 통해 그동안의 변화도 읽을 수 있게 됐다.

뉴칼레도니아에 가면 치바우 센터가 있다. 이것도 렌조 피아노의 작품이다. 그 건물은 숲 속에 앉아 있다. 뉴칼레도니아는 프랑스령이다. 치바우는 프랑스로부터 독립해야 한다고 주장했던 독립운동가다. 그가 암살된 뒤 그를 기념하기 위해 세운 건물이다. 높이를 지향하는 건물은 하이힐을 신는 여자의 마음과 비슷하다. 돋보이고 싶은 것이다. 드러내놓고 싶어 한다. 그런데 이 건물은 숨어 있다. 주위의 나무보다 조금 더 키가 클 뿐 건축물은 담담하게 생겼다. 이 건물은 숲을 형상화했다. 그래서 사람을 주눅 들게 하지 않는다. 숲 속에 앉아 있는 치바우 센터는 숲 속의 또 다른 숲이다. 마치 소나무 숲 옆에 느티나무 숲이 있듯이, 종이 다른 나무처럼 그냥 편안하게 앉아 있다. 이 건물은 원주민들의 집터를 현대적으로 재해석한 것이다(렌조 피아노는 샌프란시스코 사이언스센터도 설계했는데, 이곳에서는 친환경을 주제로 내밀었다).

높은 건물은 힘으로 이야기한다. 돈을 자랑한다. 기술력을 뽐낸다. 하지만 치바우 센터는 숲과 어울린다. 편안하다. 튀는 것을 싫어한다. 관람자에게 그냥 숲 속의 오두막으로 들어오라는 것 같다. 렌조 피아노는 그렇게 자신의 건축물을 통해 평범하지 않으면서도 부담스럽지 않게 자신의 건축철학을 남에게 들려줬다. 어느 시대든 건축물이란 의미를 어떻게 담느냐가 중요하다. 치바우 센터가 주는 의미는 어울림이다. 건축물은 전통을 이어받는다. 한 나라의, 한 도시의 DNA가 건축 속에 있다. 그래서 좋은 건축물은 겉보다는 정신을 봐야 한다. 그림을 보고 어떤 물감을 썼느냐, 어떤 캔버스에 그렸느냐를 따지지 않고 작가의 의도를 보는 것과 같다.

건축물은 도시의 이미지다. 철과 시멘트로 그린 그림이다. 그들은 이제 아티스트이자 철학자다. 건축가 다니엘 리베스킨트는 ✖"건축의 힘은 언어의 힘과 같다"고 했다. 그는 건물이 보는 사람에게 영향을 미친다고 말한다. 현실을 강렬하게 표현하기 때문에.

한노 라우텐베르크, 『나는 건축가다』

이들의 말처럼 건축은 한 나라가 세상을 향해 자신의 모습을 보여주는 거울이다. 건물은 말을 한다. 건축이 하는 말을 들어주는 것, 그것도 여행의 재미다.

사진

"사실, 사진을 찍는다는 것은 여행 도중 흔히 격해질지도 모를 혼란스러움을 진정시켜주고 완화시켜주는 활동이다. 여행객들은 카메라를 꼭 들고 가야 된다고 생각하며, 여행 중 마주치는 것에는 모두 주목하려 한다.
그래서 앞뒤 재지 않고 사진을 찍어댄다. 그렇게 함으로써 자신의 경험에 형태를 부여하는 것이다."

수전 손택, 『사진에 관하여』

사진 찍기를 좋아한다. '찰칵.' 뇌 속에 하나의 풍경을 저장하기 위해 셔터를 누르는 그 순간이 좋다. 일몰과 일출, 성당과 교회, 파도와 부두, 전봇대와 외등, 화물선과 마도로스, 노인과 지팡이, 어머니와 젖먹이 아이, 아이스크림과 소다수, 조가비와 소라, 백사장과 발자국까지…….

순간을 포착한 사진은 정지된 장면 하나만 보여주지 않는다. 그 사진을 보는 순간 뇌세포들은 앞뒤 기억을 모두 꺼내 기억메모리를 가동시킨다. 함께 갔던 친구는 누구였던가? 묵었던 호텔, 바가지를 씌운 해변의 술집! 연쇄적으로 기억을 불러낸다. 사진 한 장이 뇌의 회로 속에서 시작도 끝도 애매모호한, 추억의 영화 한 편을 돌려준다. 사진은 여행의 기억을 부르는 '엔터키'다. 사진은 과거로 돌아가는 촉매제다.

중학교 입학과 함께 아버지로부터 사진기를 선물 받았다. 올림푸스 하프 카메라였다. 하프란 일반 카메라 사이즈의 필름을 절반 정도로 나눠 찍는 카메라다. 일반 카메라가 한 장 찍을 수 있다면 하프 카메라는 두 장 찍을 수 있다. 필름 크기는 18×24밀리미터다. 일반 필름은 36×24밀리미터다. 그래서 다른 카메라에선 32장이나 24장 찍히는 사진을 64장, 48장 찍을 수 있다. 말하자면 '절약형' 카메라였다. 하지만 하프 카메라는 확대하면 사진의 질이 떨어졌다. 필름 자체가 작아서다. 3×5, 4×6, 8×10인치 사이즈까지는 그런 대로 봐줄 만했지만 더 이상 확대하면 질이 확 떨어졌다.

이후 기자생활을 하면서는 니콘 FM2, 콘탁스 G1, 니콘 F4, 마미야 645 등 다양한 카메라를 가지고 다녔다. 카메라는 여행 동료였다. 디지털카메라를 쓴 것은 2007년쯤부터였다. 그때까지도 동료들로부터 '얼리어답터Early Adopter'와 반대되는 의미로 '라스트어답터'란 말을 듣곤 했다. 거의 대부분의 기자들이 디지털카메라를 들고 다니는데 마지막까지도 필름카메라를 가지고 있어서였다.

사진은 여행자의 시각을 반영한다. 사물을 어떻게 보느냐 하는 철학적 깊이나 사고의 영향만을 받는 것이 아니다. 카메라의 종류와 렌즈의 크기에 맞게 생각이 사진 속에 담기는 것이다. 재치 넘치는 작가 미셸 투르니에는 『외면일기』에서 카메라의 조리개와 셔터타임을 문학의 관계에 빗대어 설명했다. 이를테면 스탕달은 조리개 3.5, 발자크는 16이란 식이다. 이 표현을 이해하려면 카메라의 작동원리를 알아야 한다.

사진은 셔터타임 즉 빛이 들어오는 시간과 양에 따라 달라진다. 조리개를 열고(조리개는 숫자가 낮을수록 빛이 많이 들어온다. 일반적인 렌즈에는 f2.8부터 f22까지 있다. f 다음 숫자가 클수록 조리개는 조여지고, 작을수록 조리개는 열린다) 셔터타임을 짧게 하면 배경은 확 죽고 인물(피사체)만 돋보이게 된다. 반대로 셔터타임을 길게 하고 조리개를 조여주면 뒷부분의 배경까지 선명하게 들어온다. 결국 스탕달은 시대묘사보다는 세부 주인공 묘사에 초점을 맞추고 있고, 발자크는 당시의 시대상황까지 꼼꼼히 표현한다는 뜻이다. 이 말은 사진은 사진가의 마음대로 조절하고 표현할 수 있다는 의미도 된다. 사진은 보이는 대로 나오는 것이 아니라 보고 싶은 대로 보는 것이다.

태국에 시밀란이란 섬이 있다. 시밀란은 태국 카오락 지역에서 두 시간 정도 떨어진 9개로 된 섬인데, 이 섬의 물빛이 꽤 아름답다. 섬에는 '도널드 덕'이라고 불리는 자그마한 돌산이 하나 있었다. 마치 오리 모양으로 생겨서 관광객들이 이런 이름을 붙였다고 한다. 이 산 위에서 보면 해변이 한눈에 내려다보인다. 카메라를 들고 땀을 뻘뻘 흘리며 20분쯤 산에 올라갔다. 뭘 찍을까? 해안선과 연하디 연한 물빛, 유람선이 둥둥 떠 있는 모습을 세세히 담을 것인가? 아니면 스노클링을 하는 사람들에 초점을 맞추고 모든 걸 뭉개버릴 것인가? 잠시 바다를 내려다보다 스노클링을 하는 사람에 포커스를 맞췄다. 물빛이 아른거리는 바다에 스노클링 하는 사람들 몇 명만 남아 있는 사진이었다. 그 사진은 내 마음에 꼭 들었다.

사진은 찍는 사람의 시각을 보여준다.

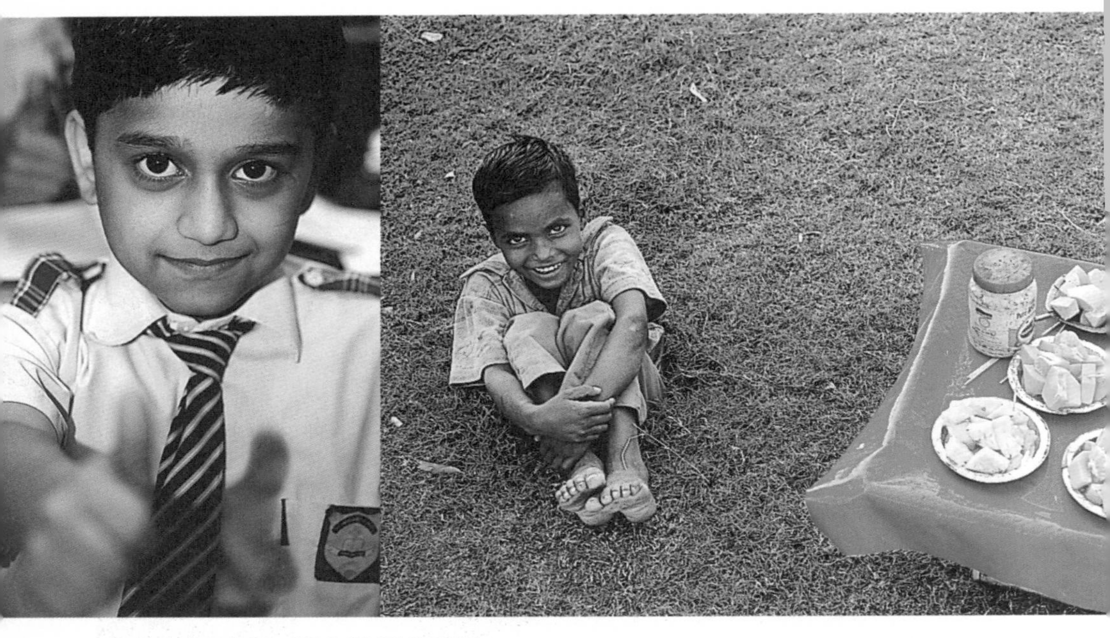

인도에서 만난 아이들. 사람은 꽃보다 아름답다.

사진이란 '어디까지 보여주고 어디까지 버릴 것'인가, 즉 선택이다. 인도를 여행할 때는 풍경도 풍경이지만 아이들의 얼굴을 찍는 데 관심이 많았다. 인도 아이들은 눈이 컸다. 까만 얼굴에 큰 눈동자를 찡긋거리며 웃는 모습이 귀여웠다. 그들은 천진난만했고, 언제든 웃을 준비가 돼 있었다. 그들은 물이 든 풍선이었다. 콕 찌르면 팍 터졌다. 웃음은 시도 때도 없었다. 아이들은 카메라 앞에서 자랑을 하는 것을 즐거워했다. 옷에 온통 구멍이 나 있는 아이들이 웃고 있는 모습은 세상의 어떤 풍경보다 아름답다. 끊임없는 경적 소리, 쓰레기가 날리는 도로, 수많은 인파……. 인도는 다른 곳보다 여행자를 더 지치게 하는 나라였지만 아이들이 웃는 모습을 보고 있으면 피로가 풀리는 듯하다. 여행을 마치고 나서도 힘이 들 때면 아이들의 사진을 꺼내봤다. 그들을 보는 것만으로도 어깨에 짐을 더는 것 같았다. 여행할 때는 바다와 산만 보지 말고 사람들 표정을 봐야 한다. 사람은 꽃보다 아름답다.

사진은 세상에 대한 사진가의 판단이자 결정이다. 수전 손택은 『사진에 관하여』에서 사진가는 피사체에 사진가의 특정한 기준을 들이대게 마련이라고 했다. 손택은 카메라는 현실을 해석하는 것이 아니라 그대로 포착한다는 생각도 존재하지만, 사진도 회화나 데생처럼 이 세계를 해석하기는 마찬가지라고 설명했다.

사진은 여행자의 윤리를 건드리기도 한다. 여행지를 돌다보면 해변에서 키스하는 연인을 만날 때도 있고, 반라의 상태로 햇볕을 즐기는 사람들도 있다. 태국의 크라비 해변에서였다. 여성 몇 명이 가슴을 드러낸 채 일광욕을 하고 있었다. 아시아 관광객들로 보이는 사람들이 카메라를 들이대고 사진을 찍었다. 그들은 킥킥댔고, 웃음소리는 선탠을 즐기는 여성들의 귓속까지 파고들었다. 여자들의 눈빛이 날카로워졌다. 그들의 눈에는 자신의 몸을 훑어본 남자들에 대한 분노가 서려 있었다. 일부는 타월을 꺼내 몸에 덮은 채 다시 누웠다.

여행 기자들도 이런 상황에서 고민하고 고민한다. 기자라는 직업은 때때로 기자 개인에게 적당한 폭력성을 가슴에 품고 있으라고 속삭인다. "그냥 찍고 봐" "언제 다 허락을 받고 사진을 찍니?" "사진은 순간이다. 찰나를 포착하는 거야!"

꽃 같은 젖가슴을 내보이며 드러누운 금발의 아가씨에게 "사진 촬영 좀 해도 될까요?"라고 물어보기도 했고, 키스에 열중하는 커플에게 좋아 보이는데 사진 한 장 찍겠다고 요구하기도 했다. 거절하는 사람도 있었고 선선히 들어주는 여행자도 있었다.

이슬람 국가에서는 카메라를 들고 있는 외국인은 경계의 대상이 되기도 한다. 여성들을 찍는 것이 아니라 아름다운 주택이나 유적을 찍는 데도 자리를 피했다. 아프가니스탄이나 이란에서 히잡을 쓰고 있는 여성에게 카메라를 들이댄다는 것은 곧 그녀에게 린치를 가하는 것과 같다. 만약 그녀의 가족이 본다면 사진가에게 거센 항의를 할지 모른다.

아프간과 이란에서 만난 여인들은 카메라를 들고 있는 사진가를 피했다. 그들은 눈도 마주치지 않으려 했다. 아프리카의 모리셔스에서 만난 한 가족에게 사진 좀 찍겠다고 포즈를 취해달라고 했다. 가족 중 어머니로 보이는 여인은 히잡을 쓰고 있었다. 아버지는 촬영에 응했지만 10대 중반쯤 되는 소년 하나는 눈을 부릅뜨고 노려봤다. 아버지가 사진촬영을 허락했다 할지라도 자신은 마음에 안 든다는 것이었다. 그래서 오랫동안 촬영을 할 수 없었다.

촬영은 때로 폭력이다. 카메라는 군화이며 몽둥이가 될 때가 있다. 롤랑 바르트는 ✖"사진은 누구 것인가?" 묻는다. 사진에 찍힌 사람의 것인

롤랑 바르트, 『밝은 방』

가? 사람을 찍은 사람의 것인가? 하는 질문이다. 바르트는 인물사진은 힘들의 닫힌 영역이며 네 개의 상상적인 것이 그 속에서 교차하고 대립하고 변형된다고 표현했다. 카메라 렌즈 앞에서 내가 나라고 생각하는 나, 사람들이 나라고 생각하는 나, 사람들이 나라고 생각해줬으면 좋겠다고 내가 생각하는 나, 사진작가가 나라고 생각하는 나가 서로 교차한다는 것이다.

내가 생각하는 장면, 내게 사진 찍히는 사람이 원하는 장면은 다를 수밖에 없다. 사진은 늘 진실을 얘기하지 않는다. 진실을 가장한 허상을 보여줄 때도 있다. 어느 해변에서 슬그머니 여인의 엉덩이를 만지면서 치근대는 내 모습을 누가 찍어서 다른 사람들에게 회람된다고 생각하면 어떨까. 설사 그 여인이 아내라 하더라도 나의 욕망을 다른 사람에게 들키는 것 자체가 께름칙할 것이다. 그래서 사진을 찍는다는 것 자체가 사진가를 도덕적 딜레마에 빠뜨릴 때가 있다. 수전 손택은 사진을 찍는다는 것은 사진에 찍힌 대상을 전유하는 것이라고 말했다.

사진기와 렌즈의 크기도 영향을 준다. 200밀리미터, 300밀리미터 등 대형렌즈를 낀 전문가용 DSLR은 사람을 긴장시킨다. 사진가가 이런 카메라를 들고 선글라스를 낀 채 해변에 나타나는 순간, 많은 사람들은 경계한다. 목욕탕에 용 문신을 한 '떡대'가 들어올 때, 나이는 들었지만 짧은 머리에 푸른 잉크로 '忍耐인내'라는 글자를 새겨넣은 아저씨를 볼 때 은근한 경계심이 드는 것과 마찬가지다. 큰 카메라를 들고 다닌다는 것은 때로는 해변 귀퉁이에서 어슬렁거리는 눈매 매운 청년들과 비슷하다.

그래서 한동안 뒷모습에 몰두한 때가 있었다. 모든 대상에는 표정이 있기 마련이다. 앞모습뿐 아니라 뒷모습에도 표정이 있다. 뒷모습은 내게 두 가지 위안을 줬다. 하나는 카메라의 폭력성을 줄여준다는 것이고, 다른 하나는 뒷모습에는 앞모습이 갖지 못한 진실의 힘이 드러나 있다는 것이다. 사진가 에두아르 부바의 사진집에다 미셸 투르니에의 글을 붙인 책이 있다. 제목은 『뒷모습』이다. 미셸 투르니에는 이 책의 첫부분에서 뒤쪽이 진실이라고 말한다. 얼굴은 거짓말을 할 수 있지만 등은 거짓말 할 줄 모른다는 것이다. 그는 "동성애자들은 멋진 인조유방을 만들어 붙일 수 있지만 견갑골은 그들이 남자임을 숨기지 못한다"고 말했다.

여행길에서 뒷모습을 많이 찍었다. 뒷모습에도 표정이 있다. 뒷모습은 앞모습이 보여주지 못하는 인생의 그림자까지 보여줄 때가 있는 것이다. 지금도 가끔 폐허가 된 카불의 사원 앞에서 쪼그리고 앉아서 대화를 나누고 있던 중년 사나이의 사진이 기억난다.

좋은 사진은 상상력이 발동하는 사진이다. 여운이 남는 사진이다. 그런 점에서 롤랑 바르트의 말에 전적으로 동의한다. 롤랑 바르트는 『밝은 방』에서 사진은 생각에 잠겨 있을 때 전복적이라고 했다. 실제로 그런 것 같다. 광주민주항쟁을 찍은 사진 중 딱 한 장만 고르라면 아버지의 영정을 든 채 무표정한 모습을 하고 있던 어린이를 찍은 사진을 고르겠다. 수만 명이 금남로를 메운 사진도, 관 앞에서 통곡하는 가족들의 사진도, 곤봉으로 시위대를 내리치는 사진도 이보다 더 마음을 움직이지는 못했다.

사진이 내게 물음을 던질 때, 사진을 보고 답을 해야 할 때 그때 사진의 힘을 느끼는 것이다.

사진기의 크기나 종류도 알게 모르게 여행에 영향을 준다. 나는 여러 대의 카메라를 썼다. 니콘 FM2는 고지식한 카메라였다. 늘 선명하고 바른 생활 아저씨 같은 카메라다. 그리 크지도 작지도 않은 셔터 소리에, 필름도 저절로 감기는 것이 아니라 손으로 감아야 하는 수동식이다. FM2는 일본인이 만든 카메라답다. 고지식하고 답답하지만 화질은 좋다. FM2를 들고 다니려면 신중해야 한다. 수동에다가 조리개까지 일일이 손으로 맞춰야 하니 즉각 촬영할 수 없다. 빛의 강도를 알아보기 위해 하늘을 보고, 밝은 곳과 어두운 곳의 중간지점의 노출을 한번 재보고, 초점을 맞추기 위해 이리저리 돌려보고……. 아무리 짧아도 10~20초 정도의 준비시간이 필요하다. 성급하면 좋은 사진을 얻지 못한다. FM2는 에누리가 없다. 고리타분한 쌀가게 주인 같은, 근수를 정확하게 재는 저울 같은 카메라다.

그래서 FM2는 고대 유적지와 어울리는 카메라였다. 터키의 에페수스는 성경에 나오는 「에베소서」의 무대였다. FM2로 내가 찍으려고 한 것은 아르테미스 여신과 클레오파트라의 여동생 무덤 등이었다. 아르테미스는 다산의 여신이었다. 그의 신전은 도망자들의 안식처였다. 그곳으로 피하면 관리들이 선불리 침범하지 않았다. *클레오파트라의 여동생 아르시노에 4세도 이곳에 있었다. 카이사르와 전쟁을 치르다가 결국 참패

마르탱 콜라, 「마지막 파라오 클레오파트라」

하고 이곳에서 귀양살이를 했던 것이다. 낡은 돌무더기에 구형 카메라를 들이댈 때 기분이 좋다. 이런 고대 유적지에서는 유물을 발굴하는 고고학자처럼 천천히 차분하게 카메라를 들이대야 한다. 터키의 고도에서 나는 수동 카메라를 썼다. 역사는 아날로그와 잘 어울렸다.

니콘 F3는 튼튼한 농부 같은 카메라다. 니콘이 내놓은 카메라 중 가장 셔터 소리가 크다. 사진기자들은 이런 농담도 한다. "니콘 F3는 망치다. 그걸로 못을 박을 수도 있다." 그만큼 강하다. 병치레 한번 안 해본, 들판에서 웃통을 벗은 채 일해서 검게 그을린 그런 강한 청년 같다. F3를 몇 번 빌려 쓴 적이 있다. F3의 최대 단점은 무례하다. 콘서트 도중 목소리를 낮출 줄 모르고, 한 발자국만 걸어도 뚜벅뚜벅 소리를 내는 사람 같다. 아마도 이란이나 아프가니스탄에서 F3를 들고 다녔다면 얼굴이 화끈거렸을 것이다.

니콘 F4는 아티스트가 아니라 사진기자를 위한 카메라다. 속도감 있고, 필름도 빨리 감긴다. 1초에 4장까지 찍을 수 있다. F4는 자동차로 치면 머신이다. F1그랑프리에 출전한 최고의 자동차는 아니지만 인디500 같은 곳에서 내달리는 그런 힘을 가진 기계다. F4는 영감을 주지는 못했다. 그저 효율성이 높을 뿐이다. 사진가에게 생각할 겨를을 주지 않았다. 적절하고 효율적이어서 미워할 수는 없지만 뭔가 부족한 카메라였다.

가장 애착이 가던 카메라는 콘탁스 G1이다. G1은 작다. 똑똑하지만 수줍어서 잘 나서지 않는 여자 같은 카메라다. G1으로 마음에 드는 사진을 많이 찍었다. G1은 반사경이 없다. 요즘 DSLR을 찍는 사람들이 렌즈를 바꾸다 보면 카메라 안에 반사경을 볼 수 있다. 렌즈를 통해 들어온 피사체의 모습이 반사경에 반사돼 보인다. 셔터를 누르면 반사경이 들어올려졌다 다시 내려온다. 셔터타임이 125면 125분의 1초 만에 반사경이 들어올려졌다 내려오는 것이다.

자동카메라와는 달리 콘탁스 G1은 피사체와 맞대면을 한다. 줌렌즈가 아니라 단안렌즈밖에 없다. 28, 48, 90밀리미터 식으로 돼 있다. 그래서 줌으로 물체를 당겼다 밀었다 할 수 없다. 카메라를 들고 내가 앞으로 뒤로 움직여야 한다. G1은 사진 찍는 사람과 대화를 한다. "당신의 눈을 믿어봐!" "당신 시각은 이것밖에 안 돼?" 격려도 하고 비판도 한다. 이슬람국가에서 이런 카메라를 많이 들고 다녔다. 아프간에서도 이란에 갈 때도 콘탁스를 들고 갔다. 평범한 자동카메라 같이 보여 상대방을 주눅 들게 하지 않는다. 경계심을 낮춰준다. 장난감 카메라 같은 G1 앞에서 사람들은 미소를 건넸고, 환하게 웃었다. 전문가용 카메라를 들이댔다면 그들은 도망갔을지도 모른다. 콘탁스를 만지작거리고 있으면 상대방이 보통 관광객 정도로 생각한다. 그래서 촬영하기가 쉽다.

콘탁스 G1으로 사진 찍기는 섹스와도 비슷하다. 막 찍는다고 잘 찍어지는 게 아니다. 함부로 셔터를 누를 수 없다. G1은 이리저리 곁눈질도 해가면서 풍경과 사귀어야 한다. 화질은 뛰어나다. 렌즈가 밝다. 렌즈가 밝다는 것은 많은 빛이 렌즈를 통해 들어올 수 있다는 의미다. 밝은 렌즈를 쓰면 어두운 부분이 뭉개지지 않아서 섬세하게 표현할 수 있다. 보통 카메라가 1부터 10단계로 명암을 표현할 수 있다면 콘탁스 G1은 1부터

30까지 표현할 수 있을 것 같다.

마미야 645는 세미프로용 카메라로 동료 사진기자에게 중고를 샀다. 필름 사이즈가 일단 크다. '645'란 말 자체가 필름 사이즈를 뜻한다. 6.0×4.5센티미터 크기의 필름을 쓴다. 기존 필름처럼 쇠로 된 케이스에 들어 있는 것이 아니라 종이처럼 생겼다. 안쪽에 검은 필름이 있고, 뒤쪽은 종이로 감싸져 있다. 마미야 645로 많은 사진을 찍지는 못했다. 이 카메라는 도도한 배우나 연예인 같았다. 풍경사진을 찍을 때면 늘 삼각대가 함께 붙어 있어야 한다. 그냥 들고 찍을 수도 있지만 아무래도 안정성이 있으려면 삼각대를 대고 찍는 경우가 많다. 나 같은 아마추어에겐 아무래도 조금 버거운 카메라였다. 핀이 잘 맞지 않아 고생도 많이 했다. 촬영이 어려웠다. 가난한 집 청년이 부잣집 따님과 사귀는 느낌이었다. 조심스럽게 다뤄야 했다. 그래도 마미야 645는 자주 토라졌다.

필름 카메라와 디지털 카메라는 많은 차이가 있다. 소설가 김영하는 『여행자 도쿄』에서 필름 카메라를 농부, 디지털 카메라를 사무원으로 비유하기도 했다. 필름 카메라를 쓸 때 인물사진은 코닥, 풍경사진은 색에 강한 후지 벨비아를 썼다. 필름처럼, 사람의 눈도 똑같은 모습을 똑같이 전달하지는 않을 것이다. 우린 다른 바디와 다른 렌즈를 달고 있는 저마다 다른 카메라다.

커피

"이맘은 수도승들 한 사람 한 사람에게 다가가, 향기는 꽤 좋지만 맛은 아주 엉망인 검고 쓴 음료를 한 잔씩 나누어주었다. 순식간에 그 음료는 그들의 깨어 있으려는 의지 속으로 파고들었다. 특히 충분한 양을 쭉 들이켠 수도승은 자신이 제정신을 차리기 힘들다는 사실을 잊어버린 듯이 보였다.
잠이 덜 깬 노곤함은 무릎 관절에서부터 사라지기 시작했으며 어깨에서 축 늘어진 팔의 무게도 느껴지지 않았다. 그것은 끈질기게 끌어당기는 중력으로부터의 해방이었다."

하인리히 야콥, 『커피의 역사』

터키는 참 컸다. 버스 여행은 지루했다. 다음 목적지까지 가는 데 하루 종일 걸리기도 했다. 화장실 한 번 들렀다가 다시 버스에 몸을 구겨 넣고 졸다보면 말갛던 해가 붉은 얼굴을 하고 있었다. 낡고 정겨운 지붕을 얹은 마을과 고성만 나타나도 신기했으나 몸이 피곤해지니 여행도 슬슬 지겨워졌다. 커피 마시고 졸고, 커피 마시고 졸고, 커피 마시고 졸고……. 여행이 마치 휴게소나 간이식당을 쫓아다니는 일정으로 변해가고 있었다.

그러다 버스가 잠시 국도 변의 휴게소에 섰다. 휴게소라기보다는 자그마한 식당이었다. 지중해의 햇살은 참으로 공평해서 마룻바닥 틈새까지 구석구석 스며들었다. 바른 볕에 잘 마른 나무 바닥은 구들장처럼 따뜻했다. 거세지도 않고 약하지도 않은 바람이 귀밑을 스쳐갔다. 열기를 약간 먹은 바람은 졸음을 눈꺼풀 위에 던져놓고 지나갔다. 카메라를 쥐었던 손아귀에선 힘이 자꾸 빠지고, 정강이를 단단하게 붙잡고 있던 힘줄도 할머니 속바지 고무줄처럼 축 늘어졌다.

나이 든 노인들이 커피를 마시고 있었다. '터키 커피'를 주문했더니 마음씨 좋아 보이는 남자가 커피를 가져왔다. 호텔에서 보던 네스카페가 아니었다. 한약처럼 걸쭉했다. 하얀 각설탕과 금이 간 커피 잔은 터키의 시골마을과 잘 어울렸다.

"이건 진한 게 아니라 탁한데?"

커피가루가 잔 바닥에 가라앉았다. 마치 덜 풀어진 미숫가루처럼 찌꺼기가 남았다. 건너편 탁자에 앉은 노인이 커피를 다 마시더니 컵을 바닥에 뒤집었다. 찌꺼기를 보며 동료와 몇 마디 하다 사라졌다.

"뭐 하는 걸까요?"

"터키에선 커피 찌꺼기로 운수를 봅니다."

터키 커피는 원두가루를 넣어 함께 끓인다. 이렇게 끓이는 나라들이 여럿 있다.

"재밌네요. 커피를 그렇게 마시는 줄 몰랐어요."

"터키 커피는 역사가 깊어요."

"유럽과 가까워서 오래 전에 터키로 커피가 건너 왔나 보죠?"

"아니요. 우리가 유럽에 커피를 건네준 거지요."

커피에 대해 몰라도 한참 몰랐던 때여서 터키가 유럽보다 한참 뒤 떨어졌을 것이라 생각했다. 사실은 터키를 통해 커피가 유럽으로 확산된 줄 모르고 말이다. 커피는 세상에서 가장 히트한 음료다. 불과 수백 년 사이에 커피를 마시지 않는 나라가 거의 없다. 사람들은 매일 커피와 생활한다. 일어나서 먼저 커피 한잔 하고 일을 시작한다. 식사는 걸러도 커피는 거르지 않는다. 자명종처럼 사람들의 곁을 떠날 수 없는 존재가 됐다.

커피의 원산지는 아프리카다. 커피의 발견에는 에티오피아의 목동 칼디가 발견했다는 설과 예멘의 오마르가 신의 계시를 받고 커피를 마시고 원기를 회복했다는 설이 있다. 이후 예멘의 수도사들이 커피를 마시며 수행에 도움을 받았다는 것이다. 책마다 약간 다르긴 하지만 커피는 8~9세기에 에티오피아에서 재배됐고, 11~12세기에 중동으로 건너왔으며, 17세기에 유럽에 전파됐다고 본다. 다양한 책들 가운데 하인리히 야콥이 쓴 『커피의 역사』가 커피의 발견 과정을 마치 소설처럼 생생하게 그리고 있다.

예멘의 양치기들은 어느 날 염소 떼들이 며칠째 잠을 자지 않고 흥분하며 울어대는 것을 보고 이상하게 생각했다. 처음엔 염소를 귀찮게 하는 새 때문인 줄 알았다. 양치기들은 조심스럽게 염소 떼를 관찰한 후 염소 똥 같은 열매를 먹고 난 염소 떼들이 반쯤 미친 것처럼 울어대는 것을 알았다. 양치기들은 이 열매를 들고 이슬람의 수도승 이맘을 찾아갔다. 고민하던 이맘은 이 열매를 끓여서 맛을 봤다. 쓰디썼지만 미묘했

쓰디쓰지만 향이 깊은 이 열매는 아프리카를, 유럽을, 그리고 머지 않아 세계를 정복했다.

다. 향은 깊었다. 금세 심장이 뛰었다. 축 늘어졌던 몸에는 피톨들이 다시 돌기 시작했다. 짓눌렸던 눈꺼풀이 다시 떠졌다. 인간이 커피를 발견한 순간이었다.

이슬람권에서 발견된 커피는 쉽게 퍼져갔다. 오스만투르크 제국의 음료로 자리 잡는 것은 시간문제였다. 그 와중에 커피가 사탄의 음료다, 아니다 하는 논쟁도 일었다. 심지어 여자들의 불만이 많았다는 기록도 있다. 야콥은 "15세기 이집트 카이로에서는 밤낮없이 커피를 즐기느라 아내 곁에 눕고자 하는 욕망이 사라진 데 대해 많은 여성들이 커피 때문에 남편을 잃었다"며 커피를 마시지 못하도록 해달라는 요청도 있었다고 전한다(비슷한 이야기가 오르한 파묵의 『내 이름은 빨강』에도 나온다).

커피를 불경한 음료로 봐야 하느냐 아니냐를 놓고 이슬람에서는 수대에 걸친 논쟁이 벌어졌다. 와인은 이슬람에게 졌지만 커피는 이슬람을 이겼다. 딱히 거부할 명분이 없었다. 술에 취할 수 없었던 사람들이 기호품으로 선택할 만한 것들은 많지 않았다. 커피는 그 자리를 파고들었다. 커피는 이슬람에서 가장 인기 있는 음료가 됐다. 이후 서방으로 커피가 전해졌을 때 유럽인들은 커피를 두고 '이슬람의 와인'이라고 불렀다.

마르마르해를 따라 달리던 버스 여행길에서도 커피는 바다와 참 잘 어울렸다. 해안가에는 오스만투르크의 고도古都들이 점점이 박혀 있었다. 바닷바람을 맞으며 커피 한잔 하고, 사진을 찍으면서 여행을 했다. 커피와 함께하는 여행은 즐거웠다. 시간이 부족한 탓에 많은 도시를 둘러

볼 수는 없었지만 거기 남아 있는 도시들의 위용만 보더라도 오스만투르크가 한때 강력한 힘을 거느린 세력임을 충분히 짐작할 수 있었다. 문명이란 강과 같다. 높은 곳에서 낮은 곳으로, 힘 있는 곳에서 힘 없는 곳으로 흐른다.

오스만투르크는 유럽을 벌벌 떨게 했다. 1453년 5월 29일, 16만 대군을 이끌던 젊은 술탄 메흐메드 2세는 동로마 제국의 수도 콘스탄티노플을 함락시켰다. 로마제국이 330년에 수도를 옮긴 뒤에 1,100년 동안 번영했던 동로마는 거기서 숨이 멎었다. 로마의 숨통을 끊은 것이 오스만투르크였다. 서유럽은 전전긍긍했다. 언제 오스만투르크 제국이 서진을 해올 것인지 불안했다. 17세기 초 오스만 제국의 목표는 오스트리아 빈이었다. 이에 맞서 유럽의 제후들은 동맹군을 모았다. 오스만투르크의 군대가 빈을 포위했을 때였다. 당황한 빈 시민들은 공포 속에서 적들의 동태를 살폈다. 그들은 꾀를 냈다.

하인리히 야콥이 『커피의 역사』에서 이야기하는 커피의 오스트리아 전래 과정은 흥미진진하다. 오스트리아를 비롯한 유럽 국가들은 오스만 제국의 통역사 콜쉬츠키에게 SOS를 쳤다. 십자군을 요청하는 비밀편지를 군주들에게 전해달라는 부탁이었다. 콜쉬츠키는 폴란드인으로 터키를 잘 아는 유럽인이었다. 콜쉬츠키는 고민 끝에 자신이 나고 자란 유럽을 돕기로 했던 모양이다. 그래서 어렵게 임무를 완수한다. 그의 편지를 받은 폴란드와 독일 지역의 연합군이 지원병을 만들어 오스만을 공격하러 왔다. 때마침 이슬람의 금식기간인 라마단이었다. 허를 찔린 오스만 군은 모든 것을 버리고 곧바로 퇴각했다.

야콥에 따르면 그때 오스만 제국 군대가 남기고 간 물품 중 커피가 발견됐다. 연합군은 전리품 중 염소 똥처럼 생긴 희한한 콩을 발견했는데, 처음에는 그게 커피인지 몰랐다. 군인들은 수상쩍은 곡식에 불을 질러 버렸고, 그윽한 커피향이 천지에 진동했다. 뒤늦게 커피 향을 맡고 나타난 콜쉬츠키는 오스만투르크 군이 남긴 커피를 자신이 가져가겠다고 했다. 그는 커피가 어떤 음료인지 이미 알고 있었다. 그는 이 커피를 가지고 오스트리아 빈에 유럽 최초의 커피하우스를 연다(유럽 최초의 커피하우스는 1650년 런던 옥스퍼드 대학 내에 생겼다는 설도 있다).

그런데 정작 빈 사람들은 걸쭉한 터키식 커피를 좋아하지 않았던 모양이다. 그래서 그는 찌꺼기를 걸러낸 새로운 방법을 시도했다. 커피에 우유와 꿀을 넣기도 했다. 아마도 그게 세계 최초의 카페라떼였을지 모른다. 콜쉬츠키는 이웃 제빵사에게 크루아상을 만들게 해 커피와 함께 내놓았다. 크루아상도 오스만투르크의 서유럽 침공으로 생겨난 빵이다. 오스만 군이 빈을 급습하기 위해 땅굴을 뚫다가 제빵사에게 들켜 공격이 무산됐다. 이때부터 서유럽인들은 이슬람의 상징인 초승달 모양의 크루아상을 만들어 먹었다. 마치 이슬람을 잡아먹는 것처럼. 어쨌든 카페는 유럽 전역으로 급속하게 퍼졌다. 파리, 제노바 등의 카페는 지식인과 예술인의 터전이었다. 그들은 카페에 모여서 신문을 읽었고, 세상 돌아가는 얘기를 들었다.

오스트리아 빈을 처음 방문했을 때 '비엔나커피'를 열심히 찾아다녔다. 80년대 중반 대학시절에 한국에서는 비엔나커피가 한창 유행이었다. 비엔나커피는 인스턴트 커피에 생크림을 듬뿍 얹은 커피였다. 당시로서는 가장 비싼 커피였다. 커피에 싸구려 위스키를 두어 스푼 떨어뜨려주는 카페도 일부 있었다. 맛으로 마시는 것이라기보다는 폼으로 마시는 커피였다. 해외에선 이런 위스키 커피도 마시나 보다 하며 밥값보다 비싼 커피를 홀짝이곤 했다. 대학다방은 바로크나 로코코 양식을 흉내 낸 어쭙잖은 장식을 하고 비싼 커피를 팔았다. 카페 내부에 오줌 누는 아이의 석상을 하나 세워놓기도 했다. 그런 카페에 비엔나커피는 묘하게 어울렸다. 당시 메뉴판에는 보통 커피와 맥심, 초이스 커피가 나뉘어 있었다. 지금 생각하면 우습지만 같은 인스턴트 커피라 해도 맥심과 초이스는 돈을 몇 푼 더 받았다. 여기에 비엔나라고 해서 달짝지근한 생크림까지 듬뿍 얹어주니 뭔가 있어 보였던 것이다.

"비엔나커피 있어요?"

개점한 지 100년이 넘었다는, 동으로 된 문고리가 반짝거리고 불투명한 유리창에서 연륜이 느껴지는, 잘 다려 입은 검은 옷을 입은 웨이터가 서빙 하는 카페의 바리스타와 종업원들은 모두 뜨악한 눈빛에 퉁명스러운 목소리로 말했다.

"비엔나커피? 여기서 파는 게 다 비엔나커피죠."

그러나 막상 그들이 내놓은 커피는 내가 아는 비엔나커피와는 상당히 달랐다. 커피 잔은 소주잔처럼 작았고, 커피는 한약처럼 새카맸다. 설탕 두 스푼, 프림 세 스푼. 다방 커피에 익숙해진 혓바닥은 쓴 커피를 제대로 받아들이지 못해 당황했다. 혓바닥은 반사적으로 단맛을 찾는 것처럼 연방 앞니와 입안을 훑어댔다.

처음 유럽에 커피가 전래된 곳 중 하나인 빈에서 엉뚱하게 존재하지도 않는 비엔나커피를 찾은 것은 어처구니없는 일이었다. 빈에서는 역사가 있는 카페에서 이름난 명사들의 흔적을 찾아다녀야 했다. 사실 커피는 맛으로만 마시는 음료가 아니다. 커피는 장소, 즉 카페가 중요하다. 카페에서 사람들은 신문과 잡지를 읽었다. 카페는 문화공간이었다.

프랑스 파리에서는 생제르맹 데프레 성당 옆에 있는 카페 '되 마고'가 유명하다. 인근의 카페 '드 플로'와 함께 19~20세기 프랑스의 지식인과 예술가들이 모여들던 자리였다. 되 마고는 생텍쥐페리, 피카소가 단골이었고, 사르트르와 시몬느 드 보봐르가 연애를 했던 곳이기도 하다. 피카소와 그의 연인 도라 마르도 이곳에서 자주 만났다. 몽마르트르 언덕의 카페 '르 콩쉴드'는 여배우 사라 베르나르, 화가 툴루즈 로트렉, 모네 등 이름난 거장이 모였다는 곳이다. 이 일대에는 아직도 손풍금을 연주하거나 그림엽서를 파는 가게들이 많다. 스위스 취리히에 있는 '오데온' 카페는 1916~1917년 레닌이 스위스에 머무는 동안 자주 다닌 카페였다. 커피 잔, 메뉴, 각설탕 껍질에 레닌 일러스트가 그려져 있다.

커피가 처음 한국에 들어왔을 때 커피는 서양 문물의 상징이었다. 고종황제가 커피 애호가였다. 고종은 아관파천 당시 러시아 공사관에서 처음 커피를 맛봤고, 환궁 후 덕수궁에 정관헌이라는 서양식 건물을 짓고 커피를 마셨다. 커피에 독을 타 고종과 순종을 암살하려는 시도도 있었다. 순종이 황태자에 책봉된 뒤 황실의 통역관이자 고종의 측근이었던 김홍륙이 고종과 순종이 즐기던 커피에 독을 넣었다. 고종은 곧 뱉어냈으나 순종은 커피를 마셨다가 치아를 잃고 몸져누웠다.

70년대에는 음악다방이 유행했다. 의자의 등받이는 『해리포터』 시리즈에 나오는 나무의자만큼이나 높았고 조명은 어두컴컴했다. 탄노이 스피커에 테크 턴테이블에 클래식 음반을 올려놓고 두어 시간 음악을 듣다 올 수 있는 다방이었다. DJ박스가 있던 다방도 있었다. 명동의 세시봉은 작은 콘서트홀이었다. 70년대 다방은 입보다는 귀가 즐거운 곳이었다. 80년대에는 다방 대신 카페라는 이름을 단 곳이 많았다. 정체불명의 요란한 커피들이 이때 나왔다. 쌍화차처럼 계란 노른자를 띄운 모닝커피도 나왔다. 1999년 이화여대 앞에 스타벅스가 생기면서 커피 전문점 시대가 열렸다.

커피 문화는 나라마다 다르다 커피 마시는 법도 다르다. 카푸치노 때문에 이탈리아에서 꽤 당황한 적이 있다. 음식에 대해서 손님보다 요리사가 더 고집을 부리는 나라가 바로 프랑스와 이탈리아다. 이탈리아 여행 도중 오후 늦게 바에서 카푸치노를 한 잔 시킨 적이 있다. 그런데 종업원의 얼굴이 일그러지더니 "안 판다"는 것이었다.

"아시아인에 대해 아무리 텃세가 있어도 그렇지 커피 가지고 텃세를 부리다니!"

화가 치밀었지만 맞받아 싸울 수도 없는 노릇이었다. 속만 끓이다 에스프레소 한 잔 마시고 나왔다. 나중에 알고 보니 이탈리아인들은 오후에 카푸치노를 안 마신다. 물론 로마 같은 관광지에선 언제든지 마실 수 있지만 그들 역시 마음속으로는 "커피 맛도 모르는군. 오후에 카푸치노를 마시다니" 이렇게 생각하고 있는 것이다. *이탈리아인들은 아침에는 '의식을 치르듯이' 카푸치노를 마시지만 그 외에 어떤 시간에도 카푸치노를 마시지 않는다고 한다. 그 이유는 간단하다. 카푸치노는 좋은 에스프레소로 만들어지는데 갓 볶은 최고 품질의 커피와 최상급 신선한 우유가 카푸치노의 맛을 좌우하기 때문이다. 에스프레소를 만드는 데도 요령이 있다. 절대 끓는점까지 도달해서는 안 된다. 그렇게 만드는 과정이 까다로워서 이탈리아에서는 자주 커피를 마실 수 없는 것이다.

엘레나 코스튜코비치, 『왜 이탈리아 사람들은 음식이야기를 좋아할까』

이탈리아인들에게 카푸치노는 아침식사다. 제대로 된 카푸치노를 마시려면 아침이 좋다. 카푸치노는 오히려 이탈리아 밖에서 더 마시기 쉽다. 서호주의 프리맨틀에 가면 카푸치노 거리가 있다. 카푸치노 거리는 약 한 블록 정도의 길 한편에 카페들이 쭉 늘어서 있는 곳이다. 식민지 시대에 지어진 건축물들이 들어서 있는 올드타운으로 관광객들이 모이는 명소다. 여기선 밤낮없이 카푸치노를 내놓는다.

이탈리아에서 커피는 자선의 방법이기도 하다. 나폴리에는 '카페 소스페조'가 있다.

"소스페조? 그게 무슨 커피지?"

소스페조는 커피가 아니다. 한 잔은 여기서 마시고 나머지 한 잔은 가

pinasse café
Caffè KIMBO

난한 사람들을 위해 남겨둔다는 것이다. 돈은 두 잔 값을 지불하고 나간다. 나중에 카페에 들어와 카페 소스페조가 있는지 물어보는 빈민들에게 주는 커피다. 이탈리아에서 커피는 평등과 구휼의 상징인 것이다. 냄비처럼 확 달아오르는 이탈리아인들이지만 그런 면에서는 착하고 선량하다.

이탈리아 커피는 유럽에서도 최고다. 커피에도 은근히 국가의 자부심이 배어 있다. 슬로푸드라는 말까지 만든 이탈리아 사람들은 미국식 커피를 싫어한다. 이탈리아의 세계적인 석학 움베르토 에코는 아메리칸 커피를 이렇게 무시했다.

✖"아메리칸 커피 중에는 더러 몹시 뜨겁기만 하고 맛은 지지리 없는 것이 있다. 대개 역의 구내식당에서 사람들을 몰살시킬 목적으로 사용하는 보온병 재질의 플라스틱 컵에 따라 마시는 펄펄 끓는 고약한 혼합물 말이다. 아메리칸 커피 중에는 위에서 말한 것 말고도 구정물 커피가 있다. 대개 썩은 보리와 시체의 뼈, 매독 환자를 위한 병원의 쓰레기장에서 찾아낸 커피콩 몇 알을 섞어 만든 듯한 이 커피는 개숫물에 담갔다 꺼낸 발 냄새 같은 그 특유의 향으로 금방 식별할 수 있다."

움베르토 에코,
『세상의 바보들에게 웃으면서 화내는 방법』

에코는 아메리칸 커피를 신랄하게 조롱했다. 하지만 미국에도 맛있는 커피가 있다. 스타벅스의 원조는 시애틀이지만 스타벅스를 있게 한 커피숍은 샌프란시스코에 있다. 바로 샌프란시스코 버클리 대학가에 있는 '피트스Peet's'다. 피트스에는 유기농 커피하우스, 유기농 베이커리, 공정무역 초콜릿숍 등 다양한 가게가 모여 있다. 어느 신문기자는 그곳을 마치 고립된 공간, '구어메 게토Gourmet Ghetto'라고 불렀다. 패스트푸드의 왕국에서 유대인 거주지처럼 고립돼 있는 맛의 천국이라는 설명이었다. 스타벅스 창업자도 샌프란시스코에서 대학을 다녔다고 한다. 이때 피트스의 커피 맛을 보고 시애틀에 스타벅스를 내기로 결심했다. 그는 이 가게의 주인 피트를 스카우트해서 커피 로스팅을 맡겼다. 커피는 가장 중요한 것이 로스팅이란다. 현재 피트스는 유기농 커피와 공정무역을 통해 얻은 커피를 판매한다. 그의 커피숍은 늘 붐빈다. 겉모양은 어디서나 볼 수 있는 평범한 커피숍이었다. 인테리어가 유별난 것도 아니었다. 그러나 이 작은 커피숍이 세계적인 커피 체인이 만드는 데 영감을 준 곳이다.

서양에선 공짜로 뭘 나눠주는 법이 없다. 물도 사 마셔야 하고, 화장실도 돈을 내야 한다. 그런데 딱 하나 호텔에서 공짜로 주는 것이 커피다. 물론 인스턴트 커피이긴 하지만 말이다. 나 같은 여행자들은 호텔 냉장고 위에 놓여 있는 인스턴트 커피 한 잔으로 아침식사를 때우고 여행을 시작한다. 여행길에서 아침을 여는 것은 집에서와 마찬가지로 커피다. 커피는 여행을 알리는 출발 신호 같은 것이다.

맥주

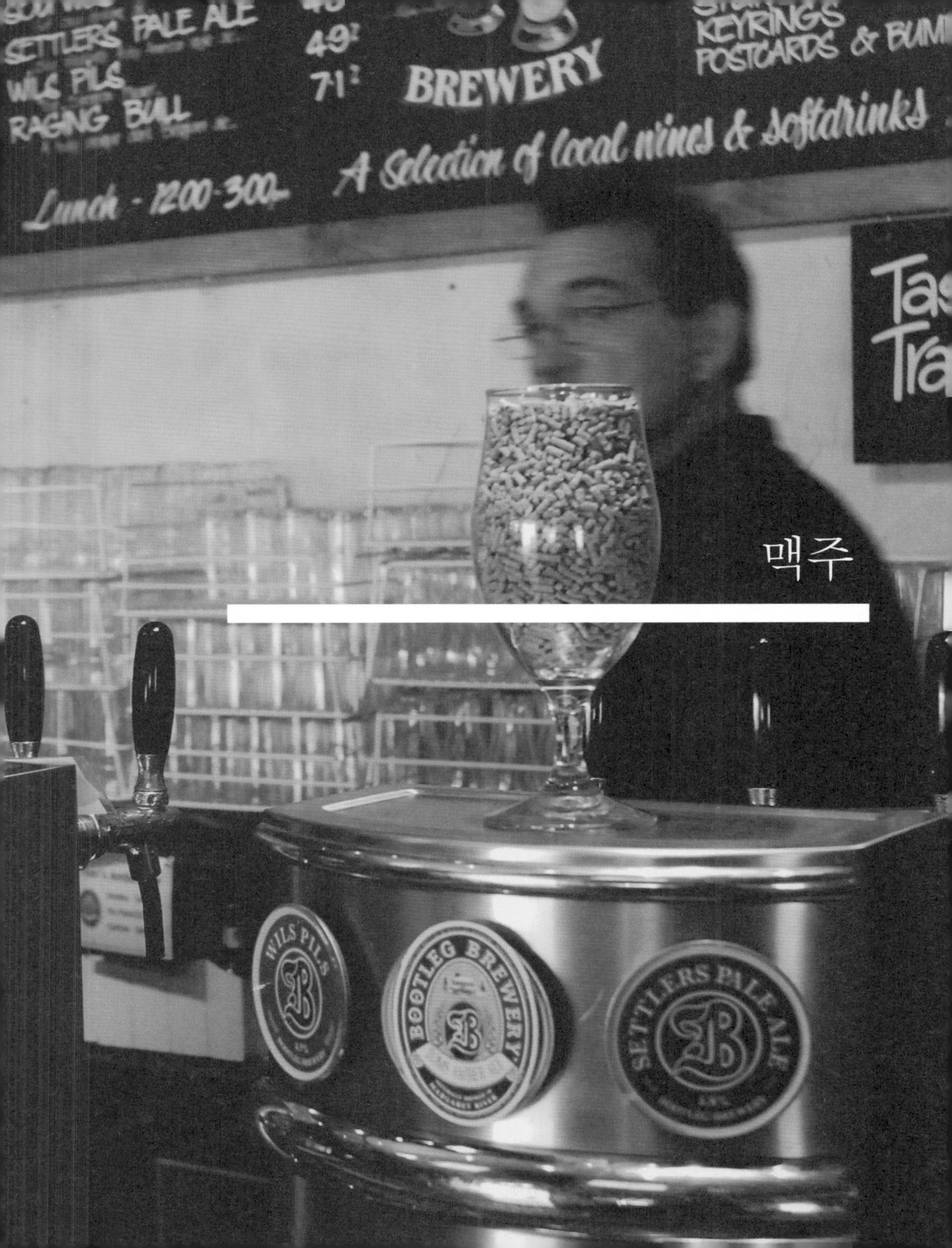

SETTLERS PALE ALE
WILS PILS
RAGING BULL
BREWERY
KEYRINGS
A Selection of local wines & softdrinks
Lunch - 1200-300
WILS PILS
BOOTLEG BREWERY
SETTLERS PALE ALE

"거룩하신 아르눌프여. 훌륭하신 우리 아버지여, 이렇게 청하노니

제가 당신의 맥주를 마시는 게 당신 마음에 들기를 간절히 원하나이다.

제가 당신의 맥주를 마시는 한, 제가 살아 누리는 모든 날에 걸쳐

당신을 섬기겠나이다. — 프랑스 메츠 성당 벽에 쓰인 수도사의 글"

야콥 블루메, 『맥주, 세상을 들이켜다』

맥주를 사랑한다. 입술에서 부서지는 수많은 기포의 느낌이 좋다. 미세한 공기방울들이 혀끝에서부터 파도처럼 밀려오면서 터진다. 혀는 우리 몸에서 가장 민감해서 미세한 기포 하나 하나가 폭죽처럼 터지는 것을 감지해낸다. 혓바닥의 돌기들은 하나하나 맛과 향의 정보를 들고 내 뇌의 신경세포에 맥주의 정보를 전달해준다. 목젖을 긁고 넘어가는 까칠까칠함, 짙은 홉의 향기, 입안에 시원하게 퍼져가는 맥주의 온도……. 소시민이며 가난한 여행자로서 하루 일정을 끝낸 뒤 마시는 맥주의 첫 잔, 첫 모금에서 행복을 느낀다.

맥주는 지역마다 맛이 다르다. 수만 가지 얼굴과 향을 가지고 있다. 일단 호텔을 잡고 나면 가까운 술집을 찾아간다. 밤이 너무 늦으면 냉

맥주는 소시민과 가난한 여행자들의 행복이다. 프랑스 보르도의 노천카페.

장고나 바에서 맥주를 하나 들고 발코니로 가거나, 욕조에 누워 맥주를 한잔한다. 여행하는 나라의 기운을 흠뻑 들이마시며 다음날 찾아갈 여행지에 대한 즐거운 상상을 하는 것이 내 여행의 즐거움이며, 새로운 땅에 도착했다는 나만의 자축이다. 와인은 격식이 있지만 맥주는 발가벗고 마셔도 상관없다. 와인이 귀족이라면 맥주는 평민이다. 와인이 사랑이라면 맥주는 평등이다.

맥주 한잔은 비행기에서 굳어 있던 근육들을 서서히 풀어준다. 혈액 속에 맥주 향을 실은 알코올들이 서서히 퍼지는 그 순간, 나는 내가 비로소 해방됐다는 것을 느낀다. 여행이란 굳은 것을 풀어주고, 단단한 것을 늘어지게 하며, 움츠린 것을 펼쳐놓게 한다. 여행은 해방이며, 해방감을 주는 것은 로컬 맥주다.

여행지마다 맥주를 찾아다니게 된 것은 한국 맥주가 형편없었기 때문이었다. 몇 해 전 국제기구에서 일하고 있던 한 외국인은 소수의 하우스 맥주를 제외하곤 한국에 좋은 맥주가 없다고 한국의 한 시사 잡지에 기고까지 했다. 그는 한국의 맥주를 '밍밍한 오줌 같은 색깔의 맥주'라고 표현했다. 한국의 맥주 제조사들이 들으면 자존심 상할 만한 얘기지만 실제 한국의 맥주는 형편없다.

요즘 들어 조금 나아지긴 했어도 한국의 맥주는 세계적인 상품이 아니다. 게다가 선택권도 많지 않다. 일단 종류가 너무 적다. 유럽에서 흔하게 마실 수 있는 밀맥주도 없으며 벨기에의 호가든처럼 효모가 살아있는 채로 병입된 맥주도 없다. 상온에서 빨리 숙성시킨 상면발효맥주 Ale, 애일도 없다. 향이 독특하고 강한 필스너 스타일의 맥주도 없다. 유럽과 비교하는 것은 무리라고 반박할 수도 있지만 한국 맥주는 동남아 맥주보다 못하다. 한국 맥주는 필리핀, 태국, 중국 맥주보다 떨어진다. 필리핀의 '산미구엘', 태국의 '싱하', 중국의 '칭다오', 일본의 '삿포로' 맥주는 세계 수준이다. 맥주는 선진국, 후진국의 개념도 쉽게 뒤엎어 놓는다.

한국 맥주의 역사가 짧아서일까? 일제 때 들어왔으니 역사로 치면 거의 80년 가까이 된다. 이 정도면 역사가 일천하다고 할 수도 없다. 취재를 해보니 한국 맥주가 맛이 없는 이유는 복합적이었다. 하우스 비어를 만드는 브루스터brewster를 찾아다니며 물어봤다.

"왜 한국 맥주는 맛이 없죠?"

"좋은 홉과 맥주 보리를 써야 하는데, 그게 쉽지 않아요."

과거 농산물은 농민들의 생계가 달려 있어 수입에 엄격한 통제를 받아왔다. 게다가 맥주용 원료는 아무 데서나 수입하는 것이 아니다. 보리밥 할 때 쓰는 보리와 맥주를 만들 때 쓰는 보리는 다르다. 아무래도 맥주보리도 맥주용으로 특화된 것이 좋다. 홉도 천차만별이다. 서울의 특급호텔에서 근무하는 한 브루스터는 "기껏 가져다 쓰는 맥주원료가 두어 가지밖에 안 된다. 실험도 많이 해보고, 다양한 종류의 보리와 홉을 써보면서 좋은 맥주를 만들어야 하는데 현실적으로 너무 어렵다"고 털어놨다. 비용이 만만치 않다는 것이다. 주세도 의외로 높다. 그렇다 보니 맥주 맛이 유럽은커녕 아시아에 비해서도 떨어진다. 최근 들어 새로 나온 맥주는 독일에서 홉을 수입해 왔다느니, 순수하게 보리와 홉 물로만 만든 맥주라는 등의 홍보를 하고 있다.

여행지를 떠올릴 때마다 그 고장의 맥주가 함께 떠오른다. 나의 여행 기록은 맥주 순례였다. 스위스에서였다. 컨디션이 최악이었다. 버스 창밖의 들녘은 화사한데 몸은 무거웠다. 병든 닭처럼 목이 자꾸 꺾였다. 콧물은 시도 때도 없이 흘렀다. 머리는 멍했다. 몸이 피곤하니 여행이 귀찮아졌다. 파김치가 된 몸으로 꾸벅꾸벅 졸고 있을 때 버스는 그린델발트로 접어들었다. 그린델발트는 융프라우 산 아래 마을이다. 숙소는 캠핑장의 작은 샬레였다. 스위스인들은 샬레의 나무 지붕 위에 일부러 흙을 도톰하게 쌓아놓았다. 꽃씨가 바람에 날아와 싹을 틔웠다. 지붕에는 민들레가 피어 있었다. 숙소가 참 마음에 들었다. 사각형의 번듯한 콘크리트 호텔이었다면 오히려 실망했을 것이다.

인터라켄의 슈퍼마켓에서 사온 햄을 안주 삼아 함께 온 여행자들과 나무 의자에 둘러앉아 맥주를 들이켰다. 작은 파티였다. 그때 마신 맥주가 체코 맥주 '필스너 우르켈'이었다. 산에서 불어온 바람은 서늘했다. 멀리 융프라우 쪽 설벽은 노을에 의해 붉게 물들어가고 있었다. 바람이 들녘을 스치고 지나면서 민들레 홀씨들을 하늘로 날려 보냈다. 풍선처럼 일제히 솟구친 꽃씨들은 푸른 초지에 퍼졌다. 바람은 풀을 눕혔다 다시 일으켰다. 얼음벽에 튕겨 나온 햇살은 초원에 고루 퍼졌다. 그날 대지는 환했고, 화사했으며, 강렬했다. 필스너 우르켈도 봄날 향기처럼 톡톡 입안에서 터졌다. 향이 유독 짙었다.

유럽 여행을 다닐 때마다 필스너Pilsner가 뭘까 궁금했다. 나중에 알고 보니 필스너란 지역 이름에서 나온 말이었다. 독일어로 베를리너 하면 '베를린으로부터'란 뜻이다. 필스너란 '필젠으로부터' 왔다는 뜻이다. 필젠은 체코의 제2도시다. 지금이야 독일과 체코 나뉘었지만 수백 년을 거슬러 올라가면 신성로마제국이다. 필젠은 맥주가 유명했다. 요즘 맥주는 황금빛이지만 19세기 초만 해도 맥주 색깔은 탁했다. 맑고 투명한 맥주는 없었다. 당시의 맥주는 쉽게 말하면 막걸리 수준이었다. *필젠의

'와바'의 맥주안내서 『What's Beer』

시민양조장이 독일의 맥주 장인을 스카우트 했다. 그의 이름은 조제프 그롤. 독일 바바리아 지방의 브루스터였다. 1842년 그가 실험 끝에 만든 맥주가 바로 황금빛 필스너다.

필스너는 술꾼들을 사로잡았다. 곧 독일 전역에서 수많은 양조장들이 필스너를 만들기 시작했다. '필스, 필스너, 필젠'은 그때 나왔다. 라인란트의 지몬 양조장에서 1908년 '오리지널 지몬브로이 도이치필제너'가 나오자 체코 사람들은 발끈했다. 필스너의 오리지널은 필젠이라는 것이었다. 필스너는 필젠에서 나온 맥주를 뜻하는데 왜 독일인들이 필스너를 붙이냐며 그들은 독일 법원에 소송을 제기했다. 5년의 소송 끝에 쾰른 법원은 판결을 내렸다. 법원은 고민을 거듭했던 것 같다. 만약 필스너를 못 쓰게 하면 자국의 맥주제조업이 엄청난 타격을 받을 게 뻔하고, 그렇다고 체코 사람들의 주장을 무시하면 국제적으로 망신을 당할 수도 있었다. 쾰른 법원은 이렇게 판결했다.

"필스너는 원산지 표시가 아니라 스타일이다. 대신 필스너 앞에 양조장 이름을 붙여라."

이를테면 '크롬바커 필스너' 이런 식으로 말이다. 체코 사람들은 '필스너 우르켈'을 내놨다. 우르켈이란 '오리지널'이란 뜻이다. '가짜에 속지 말자. 진짜 오리지널 필스너는 체코에 있다'는 의미다. 가끔 대형 할인매장에서 필스너 우르켈을 발견하게 된다. 그때마다 그 봄날의 스위스를 떠올린다. 그때만 해도 필스너 우르켈은 한국에서는 볼 수 없던 맥주였다.

2000년대 초반 독일 여행 중 뮌헨에서 마셨던 그 맥주 맛도 잊지 못한다. 서울서는 맛보지 못한 맥주였다. 뮌헨 특유의 로컬 맥주를 시켰더니 종업원은 '바이스비어'를 내왔다. 바이스비어란 밀로 만든 맥주를 뜻한다. 로마사를 들춰보면 로마인들의 주식은 밀이었다. 보리는 밀보다 한 단계 떨어진 식량이었다. 밀맥주는 보리맥주보다 고급이었다. 그때까지만 해도 독일은 기계처럼 무뚝뚝하고 절제된 민족이라고 배웠다. 그런데 술집은 어디나 똑같다. 서울만큼이나 떠들썩하고 시끌벅적했다. 서로 춤을 추면서 난리법석을 떨었다.

독일 사람들의 맥주에 대한 자부심은 정말 대단했다. 그들은 맥주와 함께 살아왔기 때문이다. 길드 같은 수공업 중심의 조직에서 가정과 직장, 술집은 트라이앵글을 이뤘다. 함께 술 마시고 회포를 푸는 것이 자연스러운 일과였던 것이다. 중세 유럽에서는 맥주로 임금을 주기도 했다. 독일에는 어린이들을 위한 맥주도 있다. 알코올 도수를 낮춘 맥주다. 그러니 맥주왕국이라는 말을 들을 만하다. 종교개혁가 마르틴 루터도 맥주에 대한 글을 남겼다. 야콥 블루메는 『맥주, 세상을 들이켜다』에서 "어떤 나라든 악마를 반드시 갖게 마련인데 독일의 악마는 술배가 보통 좋은 게 아니어서 그야말로 천하의 술꾼임에 틀림없다"고 썼다. 게다가 피가 더워서 목이 말라 하는 바람에 와인과 맥주를 퍼마셔도 몸이 영원이 식지 않는다고 했다. 루터조차 술을 안 마시고는 못 배겼던 모양이다. 루터의 부인은 수녀 출신이었는데 먹고살기 위해 양조장에서 기술자로 일했다. 그는 부인에게 편지를 보내 맥주를 보내달라고 부탁하기도 했다.

독일에는 맥주에 대한 미신이 많다. 그중 하나가 맛있는 맥주에 대한 신화다. 술에 집착하는 사람들은 묘한 고집이 있다. 상식은 술 앞에서 힘을 쓰지 못한다. 몸에 좋다면 뱀술도 마시는 법이다. 중세에는 더했을 것이다. 중세에 맥주 맛을 좋게 하려면 맥주 통에 뭔가를 넣어서 발효시켜야 한다는 믿음이 있었다. 그중 하나가 사람의 손가락을 하나 넣으면 술이 잘 익는다는 황당무계한 믿음이었다. 한국에는 약손가락이 있었지만 중세 유럽에는 술손가락이 있었던 모양이다. 그러나 손가락을 구하는 게 문제였다. 그래서 술집 주인들은 간수들에게 뒷돈을 주고 교수형 당한 사람의 손가락을 샀다.

영국도 맥주에 대해 전통이 깊다. 영국 사람들은 점잖다. 속내를 알 수 없을 정도다. 하지만 펍Pub에 가면 영국인들도 프랑스인이나 이탈리아인처럼 수다스럽고 떠들썩하다. 펍에선 영국인이 영국인이 아니다. 사회학자인 케이트 폭스는 『영국인 발견』에서 영국인들의 삶에 펍이 지대한 영향을 미치고 있다고 썼다. 폭스에 따르면 펍에 가보지 않으면 영국인을 이해하지 못한다는 것이다. 어른들의 4분의 3은 펍에 간다고 하니, 영국 성인들의 놀이터나 다름없다. 폭스는 펍이 영국인에게 '또 하나의 집'이라고까지 표현했다. 그는 펍이 연령, 계급, 학력을 불문하고 여기에 더해 상상할 수 있는 모든 직업인이 다니는 곳이기에, 영국 인구에 대한 표준 샘플을 제공해주는 장소라고 했다. 사실 펍에서 보는 영국인은 거리에서 보는 영국인과는 다르다. 펍은 영국인에게 사우나와 같은 곳이다. 거기서는 벗고 있어도 자연스럽다. 예절도 벗고, 체면치레도 벗어버리고,

웃고 떠드는 공간이다.

맥주 강국하면 독일, 체코, 영국, 벨기에 등 유럽이지만 나는 호주 맥주도 좋아한다. 멜버른을 여행할 때 늘 '빅토리안 비터'를 사 마셨다. 병은 마치 실험실의 화학용기처럼 생겼다. 홉 향이 꽤 짙었고, 뒤끝은 쓰지만 깊은 향이 남는 맥주였다. 대만 여기자 2명, 한국 기자 2명, 홍콩 여기자 2명 등 모두 6명이 팀을 이뤄 멜버른을 여행한 일이 있다. 홍콩 여기자들은 광둥어인 캔토니스를, 대만 여기자들은 대륙 중국어인 만다린어를 썼다. 세 팀은 영어가 짧아서 어려움을 겪을 때마다 한자를 섞어 쓰며 대화를 나눴다. 아시아권 기자들이라서 죽이 잘 맞았고, 밤마다 함께 술병을 땄다. 동료들을 위해 사놨던 선물용 술까지도 나중에는 트렁크에서 꺼내 마실 정도였다. 그때 가장 많이 마셨던 맥주가 빅토리안 비터였다.

여행 도중 등샤오핑이 사망했다는 소식이 들려왔다. 중국과의 관계가 적대적인 대만인들은 전쟁이라도 나지 않을까 걱정했다. 반면 홍콩 기자들은 정치에는 무관심했다. 그들은 오로지 휴가 걱정을 했다. 그 시절 함께 파도를 보고 갈매기를 쫓아다니며 웃음을 터뜨렸던 그 여기자들은 지금 어디 있을까? 빅토리안 비터는 여름날의 추억 같은 술이었다. 짧지만 에피소드가 많았던 그 시절이 그 병맥주로 기억되는 것이다.

호주 태즈메이니아에 갔을 때는 '캐스케이드'라는 맥주를 마셨다. 태즈메이니아는 황량한 땅이다. 초지는 강렬한 햇살에 타버려 갈색을 띠었다. 하지만 그것도 제대로 가꾸지 않고 그대로 놔둬서 마치 갈대밭 같왔다. 거긴 문명의 이기로부터 한참 떨어져 있었다. 크레이들 마운틴이라는 트레킹 코스를 나이 든 호주 여성가이드와 걸었다. 그녀는 점잖고 수줍음이 많았지만 친절했다. 벽난로를 피우는 산장에 앉아 캐스케이드를 들고 나왔을 때 포섬이라는 자그마한 동물을 만났다. 이놈들은 사람을 두려워하지 않아서 가끔 산장 앞에까지 나타나곤 했다. 추운 밤이었지만 맥주는 자꾸 댕겼다. 고요한 숲에서 나는 물소리에 정신이 팔려 밤숲을 어슬렁거렸다. 거기서 사진작가 마사키 아이하라의 작품을 만났다. 그는 한국에서도 전시회를 열었다. 태즈메이니아를 찍은 작품은 단순했지만 강렬했다. 한국에서 그를 만나 인터뷰도 했다. 호주에서는 잘 몰랐지만 그는 꽤 이름난 사진가였다. 1988년 호주를 방문한 다음부터 호주에 매료됐다고 한다.

"호주의 매력이 뭐라고 생각해요?"

"호주는 지구상에서 가장 오래된 땅이지요."

모터사이클을 타고 3개월 동안 1만 8천 킬로미터의 오지를 달려보기도 하고, 아웃백야생지역에서 머물기도 했다. 마사키는 사람에게도 희로애락이 있듯이 자연에도 감정이 있다고 했다. 나도 그런 감정들을 읽어낼 수 있을 것 같았다. 태즈메이니아는 동서로 315킬로미터, 남북으로 286킬로미터로 남한보다 조금 작은 면적에 인구는 50만 명이 채 안 된다. 그렇다 보니 붐비는 곳이 없다. 대지는 허허롭다. 인간의 발길이 닿지 않는 곳에서 풀은 스스로 경쟁하고 있었고, 나무들은 번개를 맞고 쓰러졌다. 부시 파이어너무 건조해서 자연발화 해 생긴 화재가 지나간 자리에 다시 풀들이 자랐다. 새까맣게 탄 나무들은 이정표처럼 서 있었다.

운 좋게 태즈메이니아를 두 번이나 방문했다. 첫 번째 방문길에는 너무나 많은 로드킬을 봤다. 도로 곳곳에 월러비캥거루과로 캥거루보다 몸집은 조금 작다와 포섬, 웜뱃이 죽어 있었다. 1킬로미터에 두어 마리가 넘는 동물들이 보였다. 나는 그 끔찍함과 핏자국에 몸서리를 쳤다. 그만큼 동물들이 많았다. 그때까지만 해도 한국에서는 그런 로드킬이 많지 않았다. 사람보다 백 배, 천 배는 많을 듯한 야생동물의 교통사고. 인간이 몹쓸 짓을 한다고 생각했다. 두 번째 방문길에서는 9만 평의 땅에 3천 마리의 양을 키우는 양치기 집을 찾기도 하고, 비를 맞으면서 오랫동안 사진을 찍기도 했다. 인구가 수백 명인 오래된 도시를 찾아가기도 했다. 이라크의 바그다드와 똑같은 이름을 가진 바그다드란 마을이 있었다. 바그다드 마을 사람들은 이렇게 얘기했다.

"미국이 이라크를 침공한 다음 우리 마을로 계속 편지가 와요. 전쟁에서 살아남으라고. 여기를 이라크의 바그다드로 알고 있는 거죠"

"왜 이름이 바그다드죠?"

"옛날 호주를 건설한 사람들은 영국의 노동자나 죄수들이었잖아요. 그들에게 주어진 책은 두개밖에 없었죠. 하나는 성경이고, 하나는 『아라비안 나이트』. 그 책을 보고 지은 마을 이름이 바그다드랍니다."

낮에는 사진을 찍고 밤에는 캐스케이드를 마셨다. 밤마다 필름을 정리하고, 카메라 배터리를 충전하면서 낮에 듣고 찍은 것들을 정리했다. 캐스케이드 한잔이 낮에는 그날의 쉼표였고, 밤에는 그날의 마침표였다.

서호주에서 또 하나 기억나는 맥주는 '인디언 패일 애일'과 '리틀 크리에이처'다. 프리맨틀의 유명한 술집 중 하나가 세일러스 앵커였다. 1800년대에 세워진 집으로 처음엔 여관이었다고 한다. 그 당시부터 맥주를 팔았는데 제법 인기가 좋았던 모양이다. 메뉴에 인디언 패일 애일이 있었다. 아시아에서 인디언 패일 애일을 만나기는 쉽지 않다. 거기서 나는 200년 전에 개발된 맥주를 마시고 기분 좋게 취했다. 패일 애일은 거칠고 톡 쏘는 바다 같은 술이었다. 선원들의 술이었던 것이다.

애일Ale은 맥주란 뜻이다. 정확하게 말하면 상면발효맥주다. 술통의 온도가 높으면 효모가 둥둥 떠서 수면 위에 모인다. 여기서 발효가 시작되는 게 바로 애일이다. 반대로 낮은 기온에서 숙성시키면 효모가 가라앉는다. 이렇게 만든 맥주는 라거Lager, 즉 하면발효맥주다. 라거는 맑고 깔끔하며, 애일은 거칠고 야성적이다. 라거는 차분한 도시를 떠올리게 하는 맥주고, 애일은 컨트리 보이 같은 맥주다. 애일은 남자, 라거는 여자다. 애일은 늙은 선원이며, 라거는 수줍은 아낙네다. 애일은 탁하다. 불투명하거나 반투명이다. 라거는 밝고 화사한 황금색이다.

'와바'의 맥주안내서 『What's Beer』

그런데 왜 인디언 패일 애일일까? *책을 뒤져보니 인도와 관련이 있다. 영국이 인도를 삼키려 동인도회사를 보냈던 18세기, 인도엔 맥주가 없었다. 너무 더워서 맥주를 만들기 힘들었다. 보관기술이 좋지 않아 영국에서 가져가면 쉽게 상했다. 런던에서 맥주 상자를 싣고 인도로 떠날 경우 아프리카 희망봉을 돌아 인도양을 가로질러 가야 한다. 인도까지는 6개월이 걸린다. 보관기술이 좋지 않았던 당시 맥주는 수송 도중 식

서호주의 퍼스에 가면 리틀 크리에이처를 마셔봐야 한다.

초가 되거나 상했다. 맥주 양조업자들은 어떻게 인도에 맥주를 보낼까 궁리하게 됐다. 그렇게 해서 개발에 성공한 맥주가 바로 인디언 패일 애일이다. 알코올 도수를 높이고 홉을 많이 넣었다. 맛은 강하고 썼지만 인디언 패일 애일은 대대적인 성공을 거뒀다. 즉 인디언 패일 애일은 맥주 브랜드라기보다는 맥주 스타일이다.

서호주의 퍼스에 가면 리틀 크리에이처를 마셔봐야 한다. 리틀 크리에이처는 바닷가에 있는 양조장의 이름이자 이 회사의 맥주 브랜드다. 맥주는 탁했다. 효모가 살아있는데, 자세히 보면 뿌연 것이 떠다닌다. 이게 바로 리틀 크리에이처Little Creature, 살아 있는 효모다. 고추를 첨가했다는데 물론 매콤하지는 않다. 사진을 찍겠다고 했더니 리틀 크리에이처에 모였던 술꾼들이 모두 엄지손가락을 치켜 올리며 포즈를 취해줬다. 마음씨 나쁜 술꾼은 없는 법이다.

나는 일본의 삿포로 맥주도 좋아한다. 90년대 초반 겨울 홋카이도를 처음 방문했다. 그때 일본 맥주 맛이 뛰어나다는 것을 알았다. 겨울이었고, 알파 토마무란 리조트는 훌륭한 스키리조트였다. 눈 내리는 날 파도풀에서 몸을 풀었다. 눈은 밤마다 내렸고, 너무 많이 내려서 호텔과 호텔 사이에 놓인 유리통로를 통해 걸어다녔다. 눈이 잔뜩 쌓인 리조트 내에 자그마한 십자가가 달린 교회가 있었다. 그게 바로 일본의 이름난 건축가 안도 다다오가 설계한 물의 교회였다.

눈과 맥주는 홋카이도에서의 추억을 더 즐겁게 해줬다. 이후 홋카이도를 서너 번 더 찾아갔다. 클럽 메드 사호로 리조트에서는 자판기 맥주의 신기함에 박수를 친 적이 있다. 자판기의 나라답게 자판기로 맥주가 나왔다. 맥주는 공짜였고, 삿포로 맥주가 아닌 '기린' 맥주였다. 그런데 놀라운 것은 맥주 거품이 첫잔이나 두 번째 잔이나 늘 일정하게 나온다는 거였다. 맥주는 거품이 중요하다. 서울에서 만난 브루스터는 맥주 거품은 '투 핑거스 팁'이 적당하다고 했다. 손가락 두 개 두께가 좋다는 것이다.

소설가 김영하도 일본 도쿄의 생맥주집 거품에 대해 썼다. 그는 『여행자 도쿄』에서 도쿄 사람들이 생맥주의 거품을 생맥주의 본질로 보는 것 같다고 했다. 김영하는 맥주를 섹스에도 비교하면서 "차가운 맥주가 섹스라면 풍성한 거품은 그 전희와도 같은 것"이라고 했다.

여행 중 맥주의 종류를 가려가며 마실 때도 있다. 맥주는 종류에 따라 술잔도 다르다. 게다가 잘 어울리는 안주도 따로 있다.

- 필스너: 홉 향이 좋다. 유럽적인 맥주다. 기분 좋을 때 많이 찾았다. 떠들썩한 분위기에서 많이 마셨다.
- 바이스비어: 밀로 만든 맥주다. 뮌헨에서는 소시지와 잘 어울린다. 맥주가 이런 맛이 있나 하고 도전하고 싶을 때 시작하면 좋다. 독일 바바리아 지방에 가면 꼭 마셔봐야 한다.
- 라거: 오래 숙성시킨 맥주다. 무난한 것을 좋아하는 사람에게 어울린다. 맑은 가을 하늘이 생각나는 맥주다.

- 애일: 좋은 음식보다 피시 앤 칩스 같은 안주와 잘 어울린다. 여행 일정이 김빠질 때 일부러 찾아 마신다. 애일은 지칠 때 마시면 약이 된다. 20세기 초 달리기 선수들은 경기 후 물 대신 맥주를 마셨다.
- 인디언 패일 애일: 아무 때나 마실 수 없는 맥주다. 메뉴에 인디언 패일 애일이 있으면 일단 한잔 하고 본다. 헤어진 여자 친구를 만난 듯한 기분이 든다.
- 포터: 영국의 짐꾼들이 많이 마셨다. 이런 맥주를 마실 때 세상이 평등하다고 믿게 된다.
- 스타우트: 도수가 세고, 검고 강하다. 한국에서 만든 스타우트가 조금 덜 달면 얼마나 좋을까. 남자들의 술을 여자들의 술로 만들어 놓다니!

그러나 맥주에 대해 아무것도 모르는데 뭘 마셔야 될까 고민할 필요는 없다. 맥주전문가인 자크 애버리는 맥주에 정도가 따로 없다고 말한다. 맥주를 놓고 와인처럼 격식을 얘기하는 것은 젠체하는 사람들의 이야기일 뿐이라고 했다. 그는 *가볍게 한잔하고 싶으면 밝은 빛깔에 도수 낮은 맥주를 고르고, 조금 더 깊은 맛을 원하면 어둡고 강한 맥주를 고르는 것이 비결이라고 덧붙였다. 또 맥주는 차다고 좋은 것만은 아니다. 라거는 시원한 곳에서 숙성했으니 차게, 애일은 빨리 숙성시켰으니 10~13도 정도면 좋다.

자크 애버리, 『500 Beers』

술집 순례를 하다 혹시 다른 나라에 폭탄주는 없을까 하는 궁금증이 생겼다. 지금까지 한 번도 폭탄주를 내놓는 술집을 직접 본 적은 없다.

그런데 얼마 전 영화 〈토르〉를 보니 맥주에 브랜디를 넣어 마시는 폭탄주가 등장했다. 영화 속에서는 '보일러'라는 이름으로 나온다. ✖폭탄주를 상품화한 곳은 아이슬란드였다. 거기 실제로 폭탄주가 있었다는 기록이 있다. 80년대에 맥주의 나라 독일에 유학 갔다 온 아이슬란드 학생 3명이 맥줏집을 열었다. 2.25% 맥주에 독주를 섞은 폭탄주였다. 아이슬란드 사람들은 이 술은 '검은 죽음'이라고 불렀다. 엄청난 히트를 했지만 당국은 폭탄주 판매를 금지했다. 아이슬란드 국회가 1988년 2.25%라는 맥주의 알코올 도수 제한을 없앤 뒤 폭탄주는 사라진 모양이다.

야콥 블루메,
『맥주, 세상을 들이켜다』

술집에선 그 나라 사람들의 밑바닥이 보인다. 거기선 사람들이 가면을 벗고 만난다. 맥주를 마신다는 것은 그들의 일상으로 들어가보는 것을 의미한다. 특히 유럽에서 맥주는 삶의 일부다. 시간표 중에 꼭 한 시간은 맥주 마시기가 들어가야 할 것 같은 곳이다.

세상에서 가장 많은 사람들이 마시는 술이 맥주다. 로컬 맥주 마시기는 여행 중 가장 큰 즐거움이다. 맥주 없는 여행은 지루하고 고단하다.

담배

"몇 년 전, 해외에 있을 때의 일이었다. 졸업하고 그리스로 떠나는 날 밤이었다.
그가 이렇게 말했다. '궐련을 끊게. 불을 붙여 반쯤 피우다 나머지를 내버리다
니……. 담배에 대한 자네 사랑은 고작 1분간이야. 창피한 노릇이지.
파이프로 피우는 게 좋을 걸세. 충실한 마누라 같거든. 자네가 집에 가면 거기
조용히 자넬 기다리고 있네. 거기 불을 붙이고 오르는 연기를 바라보면,
내 생각이 날걸세.'"

니코스 카잔차키스, 『그리스인 조르바』

가본 곳 중 담뱃값이 가장 싼 곳은 아프가니스탄의 카불이었다. 한 갑에 우리 돈 500원 정도여서, 밀수품이나 모조품이 아닐까 생각했다. 현지 NGO들도 가짜 담배일 것이라고 했다. 나중에 KT&G옛 한국담배인삼공사로부터 들은 바로는 수출품이라는 것이다. KT&G 직원은 그만큼 담뱃세가 비싸기 때문에 가능하다고 했다.

총알자국이 난 흙집 앞에서 남자들은 88담배를 물고 연기를 피워 올렸다. 담배는 비극과 잘 어울린다. 담배는 슬픔과 친구다. 화려한 몰디브나 타히티 보라보라 앞바다가 아니라 허허롭게 돌무더기만 남은 폐허, 증오와 갈등이 도사린 전쟁터에 앞에 설 때 숨이 턱 멎고 담배가 생각난다. 그런 곳에서는 폐에 니코틴 찌꺼기를 묻히는 데 별 두려움이 없어진

카불의 담배상인. 이곳에서 담배는 신경안정제다.

다. 삶 자체가 칼날 위에 서 있는데, 그깟 건강이 무슨 큰일이란 말인가. 이런 고단한 나라에선 담배가 신경안정제다.

아프간에 2주간 체류할 때 자살폭탄 테러가 두 번 일어났다. 여기저기서 포탄이 터졌다. 사람들은 초조해하지 않았다. 테러는 일상이고, 사람들은 죽음을 옆구리에 끼고 같이 걸었다. 아이들도 담배를 꺼내 물었다. 마치 담배가 사탕인 것처럼 자연스럽게 입술에 담배를 밀어 넣었다. 카불의 먼지 나는 시장에서 열 살쯤 돼 보이는 아이 하나가 담배를 달라고 했다.

"담배 한 갑 줄 수 있어?"

소년의 목소리는 가볍지 않았다. 목에 힘이 들어가 있었다. 어른의 얼굴을 한 아이였다. 전쟁은 아이들을 어른으로 만들어놓는다. 남만 속일 줄 아는 게 아니라 세상도 자신을 속인다는 것을 배운다. 전쟁 속에서 목숨을 이어가며 살아온 소년은 산전수전 다 겪었을 터였다. 소년의 10년 세월이 웬만한 어른들의 40~50년 세월보다 파란만장할 듯했다. 소년의 손에는 담배 자국 같은 것들이 몇 개 찍혀 있었다. 나중에 안 것이지만 그건 담배 자국이 아니라 주사 자국이었다. 아프간에 사는 파리 중 하나는 사람의 몸속에 알을 낳는다. 프랑스만 치료제를 가지고 있다. 주사는 고통스럽고 흉터를 남긴다.

아프간은 '모순' 그 자체였다. 중앙분리대에 박아놓은 쇠파이프는 포탄 껍데기였다. 공항 한 귀퉁이에 격추된 비행기가 아무렇게나 뒹굴고 있었다. 공원에도 부서진 탱크가 있었다. 주택가에 붙어 있는 거대한 공

전쟁은 아이들을 어른으로 만들어놓는다. 아프가니스탄 카불.

동묘지에서 아이들이 뛰놀았다. 돌비석만 가득한 묘지에서 아이들은 해처럼 환하게 웃었다. 한 귀퉁이에서는 슬픔의 장례가 계속되는데 아이들은 거기서 웃음을 터뜨렸던 것이다.

그곳에서 소년은 어른이 될 수밖에 없었다. 전쟁터에서 소년병은 에누리 없는 군인이다. 카불의 어린이는 보통 아이들과 달랐다. 이런 상황에서 아이가 담배를 피운다는 게 무슨 대수로운 일인가 하는 생각마저 들게 했다.

"담배를 끊어서 담배가 없는데……."

"그럼 돈이라도……."

"잔돈도 없는데……."

소년은 침을 '퉤' 뱉더니 뒤로 물러섰다. 그리고 욕을 해대며 사라져 갔다. 소년의 눈에는 증오가 서려 있었다. 아이의 얼굴에 어른의 눈동자를 가지고 있었다.

아프간 사람들은 자신의 몸을 태워버리고 싶어 했다. 모래폭풍 속에서 살아가기도 힘든데, 담배마저 몸에 안 좋으니 피우지 말라고 하면 그들은 웃어버리고 말 것이다. 삶과 죽음이 가른 선 위에서 한 발은 삶 쪽에 다른 발은 죽음 쪽에 놓고 걷는 사람들에게 건강 운운하는 것 자체가 어불성설이었다. 부조리 속에서 의지할 것은 중독성 있는 것들밖에 없다.

아프가니스탄에 가기 직전에는 인도 델리의 불가촉천민 마을을 방문했다. 그들은 사회 하층민으로 밑바닥 인생들이었다. 하지만 공동체를 이루고 똘똘 뭉치고 살아서 함부로 건드리면 꼭 복수를 한다는 것이었다. 그게 자신을 지키는 방법이었다. 해코지가 그들의 인생법칙이었다. 그들을 인터뷰 하려면 시장에서 과일이라도 한 바구니 사 가야 한다고 토박이 가이드가 충고했다. 조금 큰 아이가 작은 아이를 들쳐 업고 손을 내밀었다. 십대로 보이는 한 학생은 여봐란 듯이 담배를 피우기도 했다. 그들의 눈동자에는 경계와 불안이 서려 있었다. 친절하게 대했지만 눈빛은 매서웠다. 마을 어른들의 인터뷰 허가에도 불구하고 자신의 모습을 보여주기 싫어하는 한 젊은이는 노골적으로 나를 노려봤다. 그는 담배를 피웠고, 담배연기 속에서 번득번득 그의 눈이 빛났다. 눈 속에 칼을 담고 있었다. 독이 퍼져 나오는 눈빛이었다. 그런 눈빛으로 2~3분만 꽃을 보고 있으면 꽃도 시들어버릴 것 같았다. 이들에게 담배는 고통을 덜어주는 아스피린과 다를 바 없었다. 담배는 그들의 마지막 사치이자 유일한 사치였다. 극한 상황에서 살아가는 사람들은 자신을 학대하면서 고통을 잊는 법이다.

프리모 레비,
『이것이 인간인가』

아우슈비츠 수용소에서 살아남은 이탈리아 화학자이자 소설가인 프리모 레비는 ✖"부나아우슈비츠의 모노비츠 수용소에서는 빵이나 담배를 받고 팔기 위해 금니를 빼는 걸 주저하지 않는 사람이 있다"고 했다. 그들에게 담배는 몽환이었다. 마지막 남은 희망, 즉 살아나갈 수 있으리란 기대 속에서 한 대 피우는 것이다. 그들은 개나 돼지처럼 냄새가 났으나 담배를 피우며 고통을 잊었던 것이다.

억압적인 사회일수록 담배에 관대하다. 이란을 여행할 때였다. 이란의 차이하네이란의 카페에서는 어디에서나 사람들이 담배를 피웠다. 젊은이부터 노인들까지 하나같이 물담배Water Pipe를 물고 있었다. 재래시장에는 물담배를 파는 상가가 몰려 있었고, 그것은 멋을 내서 화려했다. 물담배도 다양했다. 체리 맛, 딸기 맛 등 종류가 20여 가지에 달했다. 거기서 데이트 중인 이란 젊은이들을 만났다. 대학생인데 사귄다고 했다. 이란에서 남녀가 사귄다는 것은 위험을 감수하는 것이다. 그들은 서로 물담배를 피우며 웃을 뿐이었다.

한때 테헤란은 '중동의 파리'라고 불렸다. 팔레비 국왕 시절만 해도 미니스커트를 입은 여성들을 테헤란에서 볼 수 있었다. 선글라스를 끼고 해변을 거닐기도 했다. 그러나 지금 그런 여성은 아예 찾을 수조차 없다. 이란의 여성들을 취재하기 위해 공무원에게 통사정을 했다. 그가 안내한 곳은 우리로 치면 백화점 문화교실 같은 곳이었다. 여성들 10여 명이 그림을 그리고 있었다. 그들은 거기서 얼굴을 드러내고 웃음을 지었다. 나이 든 여성 한 명은 준엄한 얼굴로 여자들이 있는데 외국인이 뭘 구경하느냐는 표정이었다. 내가 그들에게 "아름답다"고 했더니 "이미 결혼을 한 사람들이니 잊어버려라"라는 날카로운 대답이 돌아왔다. 그들을 만났던 시간은 딱 10분. 질문도 제대로 허용되지 않았다. 인사 몇 마디 나누고 나서 취재는 끝났다.

이란의 젊은 여성들은 담배를 많이 피운다고 했다. 낙이 별로 없어 보였다. 그나마 담배도 없다면 그들의 인생은 무료할 것이다. 과연 정치가 그들을 위로해줄 수 있을까? 아니면 종교가 그들에게 인생의 즐거움이 될 수 있을까? 정치와 종교는 멀리 있다. 신은 기도마다 즉각 답해주지 않는다. 행복은 손에 닿지 않고, 만져지는 것은 담배다. 가난한 자들도 마찬가지다. 그들에게 가장 위로를 주는 것은 담배다.

조지 오웰, 『나는 왜 쓰는가』

조지 오웰은 구빈원인 '스파이크' 체험기를 쓴 적이 있다. *이 체험기의 첫 장은 담배 얘기로 시작해서 담배 얘기로 끝난다. 그는 48명의 동료와 함께 한 끼 밥을 얻어먹기 위해 구빈원을 찾아갔다. 그곳에 들어가려면 담배도 모두 내놔야 했다. 하지만 담배마저 내던지고 밥을 구걸하기는 싫었던 모양이다. 그들은 담배꽁초를 숨기고 들어간다. 양말 속이나 신발 속에 숨기기도 한다. 심지어 발가락 밑에 숨겨 들어가기도 했다. 구빈원도 무릎 아래로는 뒤지지 않는 것이 불문율이었다. 부랑자들의 마지막 자존심은 발이었다. 냄새나는 양말 속에 그들의 알량한 자존심이 버티고 있었던 것이다. 스코티라는 키 작은 동료 하나가 구빈원 감독 앞에서 양말에 넣어놓은 담배꽁초가 든 깡통을 떨어뜨리는 바람에 담배를 빼앗기자 오웰이 그에게 담배를 건네준다. 그리고 구빈원에서 나오는 날, 스코티는 담배를 돌려받는다. 그 담배라는 것도 꽁초였다. 눅눅하고 다 썩어빠지고, 구질구질한 담배꽁초 4개였다.

담배는 절박한 상황에서 사람을 미치게 한다. 나는 광주에서 태어났다. 1980년 5.18 광주민주항쟁이 벌어지던 당시 중학교 3학년이었다. 그때 민주화라든지 시민혁명 같은 생각은 중3인 내 머릿속에는 없었다. "왜 공수부대가 광주까지 왔을까?" 하는 호기심뿐이었다.

계엄군은 무자비한 총칼로 광주를 장악했다. 공수부대원들은 탱크를 밀고 들어와 대학생들을 곤봉으로 내리쳤고, 많은 학생들이 피를 흘리며 죽었다. 화가 난 시민들은 파출소를 습격, 총기를 탈취했고 계엄군과 맞섰다. 광주는 군에 포위된 상태에서 시민군에 의해 통제됐다. 시민들은 은행을 털지 않았다. 가겟집에서 물건을 가져다 쓰지도 않았다. 문이 닫힌 약국에서 응급약품을 구하기 위해 출입문을 뜯고 들어간 적은 있지만 불상사는 없었다. 시민군을 위해 주민들이 쌀도 내놨고 밥도 지어줬다. 그런데 딱 하나, 나눌 수 없었던 것이 있었다. 바로 담배였다. 왜냐하면 광주는 담배공급이 완전히 차단돼 담배가 너무 빨리 떨어졌기 때문이다.

광주는 계엄군에 포위됐다. 언제 다시 계엄군이 쳐들어올까? 시민들은 하루하루 피를 말리는 긴장 속에 살았다. 방송에서 폭도들이 광주를 장악했다는 뉴스가 나오자 분노한 시민들은 광주 MBC로 쳐들어가 방송국을 불태워버렸다. 엉터리 뉴스가 방송을 타고 흘러나와 시민들은 답답했을 것이다. 하루에 담배 반 갑을 피웠던 사람이 담배 서너 갑을 피웠다. 며칠 지나지 않아 동네 어른들이 쓰레기통을 뒤지기 시작했다. 담배꽁초를 찾아 피우기 위해서였다. 뒷짐 지고 헛기침을 하던 어른들은 초조해졌다. 담배 앞에서 체면은 없었다. 당시 나는 아버지의 심부름으로 금남로를 떠돌며 담배를 사러 돌아다녔다. 아버지는 아무래도 금남로에는 담배가 있을지 모른다고 생각했던 것이다.

민주화, 시민항쟁, 계엄군……. 이런 것보다 5월의 그날을 생각하면 나는 담배 생각이 먼저 떠오른다. 금남로를 다 뒤져도 담배를 찾을 수 없었다. 하기야 담배가 남아날 리 없었을 것이다. 재떨이에서 3분의 2쯤 태웠던 꽁초를 다시 물던 어른들의 심경은 어땠을까. 니코틴은 이렇게 가끔 사람을 골탕 먹인다. 체면도 담배 앞에서 다 구겨졌다. 그래서 나는 농담 삼아 "세상에서 가장 무서운 것은 호랑이 곶감이 아니라 담배"라고 했다. 영화 〈화려한 휴가〉에서 도청을 지키던 시민군은 계엄군이 들이닥칠 때 마지막으로 담배 한 대를 나눠 핀다. 그러나 실제 상황은 달랐을 것이다. 왜냐하면 그때까지 담배가 남아나지 않았을 테니까.

니코스 카잔차키스, 『스페인 기행』

✖ 니코스 카잔차키스의 여행기를 읽다가 그와 비슷한 경험이 있는 당시 시민군의 모습을 보고 깜짝 놀랐다. 카잔차키스는 종군기자로 스페인 내전 현장을 취재했다. 당시 그는 공화국 군대에 의해 스페인 톨레도의 알카사르 성에 포위됐던 국민전선의 미겔 고메스 카스카하레스라는 남자를 인터뷰했다. 이 가운데 담배 이야기가 한 토막 들어 있다.

당시 알카사르 성에는 남자 1,100명, 여자 520명, 어린이 50명, 말 97마리, 노새 27마리가 있었다. 식량이 떨어지자 주민들은 하루에 말 4마리씩을 잡아서 나눠 먹었고 노새의 지방을 태워 초를 만들어 썼다. 식량은 부족했지만 참을 수 있었다. 그러나 항복하지 않으면 다 죽이겠다는 위협에도 불구하고 결사항전을 외쳤던 병사들은 담배 앞에서 이성을 잃었다. 담배가 떨어지자 담배 가게를 털기 위해 특공대를 조직해서 나갔던 것이다. 담배에 목숨 건다는 말이 허풍이 아니라 실화였다.

90년대 중반이었던가, 연세대 시위 진압에 관한 이런 얘기도 있다. 당시 화염병과 돌덩이로 무장한 학생 시위대는 백골단과 맞서 싸우면서도 물러서지 않을 정도로 강했다. 경찰도 함부로 진압할 수 없었다. 그런데 학생들의 강철대오를 무너뜨린 것은 담배였다. 기독교계 학교였던 연대에 당시 담뱃가게가 없었다는 것이다. 답답한 학생들이 결국은 담배 때문에 해산됐다는 우스갯소리다.

담배는 한나라의 경제 수준뿐 아니라 복지 수준을 들여다보는 잣대이기도 하다. 맥도널드 지수가 있듯이 타바코 지수도 만들 수 있다. 담배와 담뱃값, 흡연자의 권리 등을 통해 한 나라의 복지와 문화 수준을 알아볼 수 있는 것이다. 복지 수준이 높은 국가일수록 담뱃값이 비싸다. 흡연으로 인한 의료비 지출이 높기 때문이다. 담뱃값이 비싼 곳일수록 그 나라의 의료혜택은 높다고 보면 대충 맞는다. 담뱃값이 싼 나라들 중에는 담배 제조와 판매를 독점하고 수익과 담배 세금을 통해 재정수익을 확보하려고 했던 국가들이 많았다. 쉽게 말하면 국민의 건강을 담보로 잡고 일단 돈부터 당겨쓰고 보자는 심산이었다. 전매청 시절 한국도 비슷했을 것이다.

나라마다 흡연권도 천차만별이다. 유럽은 담뱃세는 높지만 흡연에 대해서는 비교적 관대하다. 네덜란드는 마리화나 카페도 있다. 네덜란드 사회의 폭넓은 관용성을 두고 더치 톨레랑스Dutch Tolerance라고 한다. 가장 역설적인 나라는 미국이었다. 사회보장제도는 유럽에 비해 한참 떨어져 있는 미국은 상대적으로 담뱃값은 싼 편이다. 하지만 흡연자의 천국도 아니다. 오히려 흡연자에게는 최악의 나라 중 하나다. 실내에서는 대부분 흡연이 금지돼 있다. 심지어 호텔도 마찬가지였다.

하와이의 오아후 섬 힐튼 리조트 현관에서 10미터쯤 떨어진 곳에 재떨이가 있었다. 물론 객실에서는 흡연금지였다. 담배를 피우면 수백 달러 벌금을 물린다는 경고문까지 붙어 있었다. 법적으로도 흡연이 금지돼 있지만 담배연기가 배면 다른 손님에게 방을 팔 수 없어 일종의 범칙금을 내야 한다는 것이다. 실제로 벌금을 물린 경우가 과연 있을까 싶지만 호텔의 경고를 무시했다가는 낭패를 볼 수도 있는 노릇. 그래서일까. 잘 차려입은 투숙객들이 호텔 입구에 서서 담배를 피우고 있었다. 그들은 사장님, 사모님 소리를 들을 만한 부유층으로 보였지만 담배를 물고 있는 모습은 초라했다. 담배 앞에서 미국인들은 평등했다.

함께 여행 간 동료는 이런 규칙을 늘 곧이곧대로 지키는 사람이어서 담배를 피울 때마다 이십 몇 층의 객실에서 내려왔다. 이왕 내려온 김에 한 대만 피우고 가면 다시 내려와야 할지 몰라서 두 대 정도는 피우고 갔다. 몸이 받아들이지 않을 때까지 담배연기를 힘껏 빨았다. 실내 금연 조치가 결국은 건강을 위한 것일까? 아니면 사회적 요구에 따른 조치일까? 하와이 고급 리조트 앞에서 관광객들이 서로의 얼굴을 외면한 채 담배만 빨고 있는 풍경은 씁쓸하기도 했다.

한때 출국심사를 마치면 곧바로 달려가던 곳이 면세점이었다. 거기서 담배 한 보루를 사놔야 여행이 안심이 됐다. 담배 없는 여행 일정은 마치

시한폭탄을 들고 가는 것처럼 불안했다. 담배는 적당하게 불량기 있던 청소년 시절 같은 것이다. 흡연은 하지 말라면 오히려 더 덤벼들고 싶은 사춘기 청소년의 행동과 비슷하다. 다행히 몹쓸 짓으로 밥벌이를 하지 않으면 그게 추억으로 남는다. 담배는 적당한 탈선이다.

5층쯤 되는 그리 높지 않은 객실, 발코니에 나와 팔꿈치를 난간에 기댄 채 담배 한 대를 피워 물고 태풍이 올 것 같은 젖은 바다를 바라보는 기분은 참 좋았다. 심상찮은 먹장구름이 수평선 가장자리에 층층이 쌓여 있고, 거세지 않은 바람이 머리카락을 슬그머니 들춰낼 때 피웠던 담배는 맛이 있었다.

흡연자들에게 담배는 짬이다. 숨 쉴 틈이다. 컴퓨터 자판을 두드리다 머리가 멍해질 때 그들에게는 담배가 필요하다. 담배는 생활의 '쉼표'다. 그러나 담배는 중독성이 있어서 한번 몸에 파고들면, 담배와 관련된 모든 행동은 조건반사가 된다. 산 정상에 오른 뒤 담배 한 대를 꺼내 무는 것은 신체가 기억하는 조건반사에 가깝다. 관광버스에서 내려 잠깐 화장실에 다녀올 때, 가이드 투어를 끝내고 버스에 올라서기 전에 담배를 떠올리는 것도 다 같은 반사작용이다.

여행과 담배는 어울리면서도 어울리지 않는 조합이다. 광활한 바다를 볼 때, 저물녘 모래까지 물들인 채 해가 저무는 사막에서, 고요하고 안개 낀 호수에서……. 흡연자들은 뭔가 말문이 터지지 않을 때는 담배를 입에 문다. 비행기 결항소식을 전하며 쓴웃음을 지어주는 외국인 여행자들을 만났을 때, 과거사를 놓고 일본인이나 중국인들과 한바탕 했을 때, 동양인을 무시하는 서양인들과 한바탕 싸우고 싶지만 영어가 짧아 쏘아붙이지도 못할 때……. 이런 상황에서도 담배 한 대는 위안이 된다.

하지만 니코틴의 지배를 받게 되면 여행이 고통스러울 때도 있다. 프랑스의 툴루즈 공항에서 소방대원들이 파업을 해서 비행기가 잇달아 취소됐다. 툴루즈에서 두어 시간 기다렸다가 겨우 비행기를 타고 파리까지 도착했을 때였다. 이리저리 뛰어서 게이트 앞에 도착했을 때 비행기는 이미 서서히 활주로 쪽으로 미끄러져 나가고 있었다. 틈만 나면 연착됐던 비행기가 그날따라 정각에 출발했다. 그래서 다음 비행기까지 꼬박 여덟 시간을 공항에서 기다려야 했다. 과거 파리에서 흡연은 마치 헌법이 인정해주는 권리처럼 어디서나 자유로웠다. 하지만 유럽연합이 출범하면서 공항마다 규정이 바뀌었다. 당시 공항에는 흡연실조차 마련되지 않은 상태였다. 흡연가인 동료는 힘들어했다. 비행기를 놓친 공항에서 흡연실을 찾아다니는 기분은 말로 표현하기 힘들다. 흡연이 자유로웠던 아일랜드의 펍에서도 금연이 시행됐다. 아일랜드의 주당들이 비가 줄줄 떨어지는 펍 처마 밑에 줄지어 서서 담배를 피우는 모습은 외신으로 전해져 한국의 신문에도 실린 적이 있다.

후배 기자 하나는 이런 경험이 있다. 공항에서 비행기 연결편을 기다리는 게 지루해서 담배를 피우러 입국절차를 받고 나갔다는 것이다. 출입국 담당 관리가 입국 이유를 물었을 때 그는 말했다.

"To smoke담배 피우러."

같은 공항에서 출입국 수속을 다 밟는 불편을 감수하고서라도 담배를 피우지 않으면 못 견딜 것 같아서였단다.

2000년 1월 정초 담배를 끊었다. "건강에도 안 좋고……"가 이유였다. 직접 볶고 갈아서 만든 원두를 음미하는 커피나, 찻그릇을 정갈하게 하고 예법을 갖춰 우려내는 녹차와는 달리 흡연에서 더 이상 아취와 품격을 찾지 못했던 탓이다. 불편하기도 했다. 담배를 끊으라고 권하는 칼럼도 썼다.

"아 옛날이여!"

그게 담배다.

걷기

발로, 다리로, 몸으로 걸으면서 인간은 자신의 실존에 대한 행복한 감정을 되찾는다.

"걷는다는 것은 자신을 세계로 열어놓는 것이다. 발로, 다리로, 몸으로 걸으면서

인간은 자신의 실존에 대한 행복한 감정을 되찾는다. 발로 걸어가는 인간은

모든 감각기관의 모공을 활짝 열어주는 능동적 형식의 명상으로 빠져든다."

다비드 르 브르통, 『걷기예찬』

첫 장부터 빠져들었다. 걷기에 대해, 걷기의 역사에 대해, 걷기의 철학에 대해 이렇게 간명하고 아름다운 문장으로 쓴 책은 없었다. 브르통의 『걷기예찬』은 숲 속에서 만난 샘물 같았다. 맑고 달았다. 책을 읽는 동안 내 머릿속으로 푸른 물이 뚝뚝 떨어지는 것 같았다. 책장을 넘길 때마다 발가락은 꼼지락거렸다. 뇌세포들은 통통 튀며 내 등을 밀었다. 답답한 집이나 사무실에서 좀 벗어나라고. 바람이 거세도 괜찮고, 빗방울 좀 맞아도 괜찮고, 햇살이 정수리를 쪼아도 괜찮고, 습한 안개로 구두 앞 축이 축축해져도 괜찮다고.

리드 한 줄, 문장 하나를 놓고 몇 시간씩 고민할 때 이 책이 떠올랐다. 그냥 좀 걸으면 좋아지겠다 싶어서. 위에 소개한 글은 이 책의 서문 첫

문장이다. 처음 연필을 들고 이 책을 읽었을 때 한 장 전체에 줄이 그어져 있었다. 한 줄 한 줄이 다 격언이었다.

브르통은 이 책에서 걷는다는 것은 잠시 동안 혹은 오랫동안 자신의 몸으로 사는 것이라고 표현했다. 사람들이 여행을 좋아하는 것은 여행이 본질적으로 '걷기'이기 때문이다. 나는 여행 중 늘 발을 위한 시간을 남겨둔다. 세상을 발로 보고 발로 만지는 것이다. 자동차를 타고 드라이브 하면서 훌쩍 바라보는 바다는 파도의 높이와 크기, 다가오는 속도조차 가슴 속에 남지 않는다. 백사장을 걸으며 발로 볼 때 바다는 다르다. 브르통에 따르면 걸을 때 경험의 주도권이 인간에게 온다는 것이다. 그래서 걷는 것은 차원이 다른 경험이라고 했다.

크로아티아의 두브로브니크에서였다. 이탈리아 반도에서 아드리아해를 건너면 크로아티아다. 크로아티아는 나무젓가락처럼 길쭉하게 생겼다. 아드리아 해변 끝자락, 그러니까 1천5백 킬로미터 해안도로의 끝머리에 두브로브니크가 있다. 나는 이 도시를 밤늦게까지 걸었다. 그냥 걸었다. 후미진 골목까지 샅샅이 찾아보았다. 오랜 역사를 가진 낡고 허름한 도시의 밤길을 걷는 것은 눈으로 보는 것보다 많은 감동을 주었다.

이 도시는 7세기에 세워졌다. 슬라브족이 침입하자 크로아티아인들이 이곳으로 피난해 터를 잡았다. 훈족의 침입으로 피난처를 찾아 수상도시를 만들었던 베네치아와 닮은꼴이다. 베네치아 시대인 13세기에 제대로 된 성곽을 쌓고 지금의 모습대로 도시의 틀이 만들어졌다. 도시의 거리에는 수백 년 된 박돌이 깔려 있다. 울퉁불퉁하지만 닳고 닳은 돌들의 굴곡이 느껴졌다. 중세 건축물들이 늘어선 거리 한가운데에 많은 관광객들이 노천카페에서 맥주를 마시고 있었다. 전력 사정이 안 좋아서였는지 1분 정도 정전이 됐다 다시 불이 들어왔다. 몸이 달아오른 연인들은 어둠 속에서 뜨겁게 입을 맞췄다. 열기가 배어 있는 여인들의 숨결이 어둠 속에서도 느껴졌다. 노부부도 손을 꼭 잡고 있었다.

크로아티아는 유고연방이 깨진 뒤 1990년 국민투표를 통해 독립하려 했다. 크로아티아의 독립운동을 못마땅하게 여긴 세르비아인들이 1991년 공격해왔다. 2년 동안 전쟁이 벌어졌다. 유고연방은 보스니아, 헤르체고비나, 크로아티아, 슬로베니아, 세르비아, 마케도니아 등으로 갈기갈기 찢겨졌다. 1992년 보스니아가 독립을 선포했다. 그들은 무슬림이었고, 여기에 크로아티아인 일부가 동조했다. 세르비아가 발끈했다. 세르비아는 보스니아를 침공했고, 인종청소가 일어났다. 발칸의 화약고라고 불리던 구 유고연방은 결국 종교 갈등으로 인해 참혹한 전쟁터로 변했다. 크로아티아 두브로브니크 사람들은 로마 가톨릭교도인데 세르비아인은 세르비아 정교도였다. 이들은 서로 살육했다. 이런 전쟁을 경험했던 노인들은 짧은 어둠도 불안했던 모양이다. 그들의 늙은 손에는 세월의 고통이 새겨져 있는 듯했다. 그들은 로컬 맥주 '오즈예스코'를 마시며 아드리아해를 바라보면서 핏물이 새겨진 흔적을 지우려고 애썼다.

가끔씩 아드리아해에서 바람이 불어왔는데, 부드럽고 간지러운 바람이었다. 바람이 불 때마다 피부의 숨구멍들이 열렸다. 뒷골목에는 작은 카페가 있었다. 큰 성당 골목 옆의 카페는 낡았다. 퍼커션과 첼로, 기타가 내는 소리는 거리의 바닥에 낙엽처럼 뒹굴며 돌아다녔다. 거리의 음악은 손깍지를 낀 연인들의 귓속까지도 파고들었다. 보스니아 청년을 거기서 만났다. 한국인을 처음 만났다며 담배를 권했다. 그는 자신도 세계를 걸어서 여행하고 싶다고 했다.

도시를 걸으면 발걸음의 속도로 세상을 기억한다. 혁명가이자 학자인 레지스 드브레는 ✖"발걸음의 문화는 덧없음의 고뇌를 진정시켜준다. 걸어서 하루에 30킬로미터를 갈 때 나는 내 시간을 일 년 단위로 계산하지만 비행기를 타고 3천 킬로미터를 날아갈 땐 나는 내 인생을 시간 단위로 계산한다"고 말했다. 인간은 순간에 많은 것을 잊어버릴 수는 있어도 많은 것을 한꺼번에 저장하지는 못하는 법이다. 걸음의 속도에 맞춰 세상을 보게 된다. 내가 걸음을 멈출 때마다 사람들의 표정이 보였고, 그들의 이야기가 들렸다.

다비드 르 브르통, 『걷기 예찬』

크리스토퍼 라무르는 『걷기의 철학』에서 걷는 사람은 자신과 세상의 맥박 사이의 일치를 추구한다고 했다. 걸을 때 세상과 내가 일치하게 되고 그들을 제대로 보게 된다는 의미다. 도시를 걷는다는 것은 그들의 표정을 엿보는 것이다. 표정이란 도시가 자라온 나이테다. 도시를 수백 년 넘게 자란 나무에 빗댄다면 어느 도시에나 옹이 하나는 박혀 있다. 옹이가 때로 전쟁일 수도 있고, 때로는 종교 갈등일 수도 있다. 가이드의 말 한마디로 그들의 옹이를 만져볼 수는 없다. 그들은 경험한 것이 아니라 외운 것을 얘기하기 때문이다. 두브로브니크의 한 주민은 내게 이렇게 말했다.

"이렇게 아름다운 도시에 50발의 폭탄이 떨어졌어요. 아이들이 죽고 여자들은 과부가 됐지요. 브랜디를 파는 여자들은 한때 그들을 지켜주던 듬직한 남편이 있었습니다. 정말 든든한 사람들이었지요."

크로아티아 전체에서 30만 명이 죽었다는 얘기를 카페에서 들었다. 그러고 보니 오래된 석조건물의 벽에 난 상처가 총알자국일 것이란 생각도 들었다. 걸으면서 그들의 슬픔을 찾아낼 수 있었다. 어느 집 옥상에서는 밤늦게까지 하얀 빨래가 펄럭였다. 브랜디를 팔다 지쳐 빨랫감을 그대로 놔둔 채로 잠이 든 젊은 과부의 집일지도 모른다.

크로아티아의 수도 자그레브에서는 수많은 사람들이 촛불을 하나씩 들고 줄을 지어 가는 것을 보았다. 그 모습이 너무도 기이해서 마치 홀린 듯이 그들을 따라갔다. 도착지는 바로 공동묘지였다. 목숨을 잃은 수많은 사람들이 묘지 위에서 사랑하는 사람들을 추모했다. 전 국가적인 슬픔이었고, 그 슬픔은 내 몸으로도 쉽게 스며들었다. 내 고향 광주에서 학살 현장을 직접 봤고 겪었기 때문이다. 프랑스 철학자 피에르 쌍소는 *길은 눈에 보이지 않는 표지판을 담고 있다고 했다. 크로아티아의 길들은 그런 슬픔의 흔적을 담고 있었다.

피에르 쌍소,
「느리게 산다는
것의 의미2」

걷기는 생각하기다. 많은 철학자들이 걸으면서 생각했다. 장 자크 루소는 『에밀』에서 우리의 첫 철학스승은 우리의 발이라고 썼다. 하이델베르크에서, 뮌헨에서, 삿포로에서, 도쿄에서, 마닐라에서, 케이프타운에서……. 어디서든 걸었다. 칸트처럼 걸으려고 했다. 칸트는 독일 쾨니히스부르크에서 나고 자랐다. 그는 늘 오후 5시에 걸었다. 그를 보고 사람들이 시계를 맞췄다고 한다. 칸트는 딱 두 번 걷는 시간을 놓쳤다는 일화가 있다. 한 번은 루소의 『에밀』을 읽다가, 두 번째는 프랑스혁명의 소식을 전해 듣고서였다. 칸트의 철학은 발에서 나왔다. 걸으면서 사색했고, 생각을 정리했다. 사람의 발은 뇌와 동기화 하는 게 틀림없다. 뇌세포와 공조한다. 함께 움직인다.

트레킹은 자연 속에서의 걷기다. 걷기를 하다 보면 동료들의 모습, 자연의 속내도 더 잘 들여다볼 수 있다. 사보닌이란 마을에서였다. 스위스는 걷기 코스가 세계에서 가장 잘 발달된 나라 중 하나다. 면적은 남한 절반만 하지만 걷기코스는 6만 킬로미터나 된다. 지구를 한 바퀴 반이나 돌 수 있는 거리다. 러시아인처럼 은색에 가까운 금발을 하고 붉은 빛이 돌지 않는 새하얀 피부의 스위스 관광청 여직원, 쉴 새 없이 떠들어대며 아무데나 풀썩 주저앉는 힙합 바지 차림의 미국인 청년 두 명, 남들이 뭘 하든 그냥 자신의 생각대로 밀고 나가는 인도인 신사 한 명과 함께 트레킹을 했다. 서로 잘 맞지 않을 것 같은 조합이었다. 코스는 한나절밖에 되지 않았지만 나는 그들과 걸으면서 그들이 어떤 사람인지를 알게 됐다. 물론 개인적인 판단이기는 하지만. 파티에서 만난 모습, 세미나에서 만난 모습이 아니라 걸으면서 본 그들의 모습이 내 기억 속에 새겨져 있다.

느린 걸음에 익숙지 않은 미국인 청년들은 늘 씩씩했다. 그들은 무릎 관절 사이에 스프링을 장착해놓은 것처럼 통통 튀듯 걸었다. 패스트푸드의 나라에서 온 젊은이들답게 발걸음이 빨랐다. 알프스의 봉우리와 초원 사이로 놓인 트레킹 코스는 마른 흙길이었는데, 젊은이들이 앞서갈 때마다 흙먼지가 일었다. 그들의 등산화는 경주마의 편자같이 먼지를 일으켰다. 걸음마다 힘이 있었고 소리가 났다. 한 발자국 한 발자국이 시끄러웠다. 그것은 사람의 몸무게와는 관계없는 소리였다. 늘 중간 쉼터에 먼저 도착해서 고향에서 쓰는 농담이 스위스의 산골에서 통할 거라는 듯이 실없는 소리를 했다. 그들이 걸을 때마다 배낭은 마치 미국인의 등으로부터 떨어지고 싶어 안달하는 것처럼 철렁거렸다. 청년들은 씩씩했으나 쉬 지루해했다. 그들은 걷기보다는 산악자전거를 타고 경주하기를 원했다. 그들은 발바닥으로 세상을 볼 줄 몰랐다.

금발의 스위스 관광청 여직원은 말이 없었다. 영어는 서툴고 걸음걸이에선 지루함이 느껴졌다. 그녀는 스위스 시계처럼 걸었다. 오르막길에서도 처지는 법이 없었고, 내리막길에서도 속도가 붙지 않았다. 적당한 거리를 걷다가 눈을 돌려 거리를 쟀다. 산을 바라보는 눈에는 즐거움이 없었다. 그녀는 아름다웠지만 우아하지는 않았다. 우연히 그녀가 허리를 굽히고 신발 끈을 맬 때 바지 속 팬티가 보였다. 영화에서나 보는 T자형 붉은 끈 팬티였다. 그녀는 걸으면서 뉴욕이나 파리를 꿈꿨을지 모른다. 산을 걷고 있지만 일주일 전 도회지 나이트클럽에서 남자친구와 춤을 췄던 생각을 떠올렸을지도 모른다. 그녀는 싹싹하지도 친절하지도 않았다. 스위스가 아니라 미국의 어느 지역 관광청에 속해 있다면 아마

하루하루 해고의 위험 속에서 살아야 할 것 같은 느낌을 주는 여자였다. 그녀는 웃음마저도 공짜로 던지는 법이 없었다. 그녀를 보면서 스위스 사람과 데이트 하는 것은 재미없다는 얘기를 떠올렸다. 누군가 스위스인은 남녀관계도 스위스 군용나이프처럼 단단하고 딱딱하게 갈라져 있다고 했다. 밥 먹고 내 돈 네 돈 가려낸단다. 이런 농담이 있다. 최고의 삶과 최악의 삶에 대한 농담이다. '이탈리아 남자 친구를 사귀고 프랑스 요리를 먹으며 독일차를 타고 미국인의 집에서 사는 것'이 최고다. 반면 최악은 '스위스 여자 친구를 사귀고 독일 음식을 먹으며 이탈리아 기차를 타는 것'이란다.

인도인은 말이 없었다. 그는 애초부터 걷기를 싫어하는 눈치였다. 투어 프로그램에 참여했으니 마지못해 따라간다는 투였다. 그는 적극적이지 않았지만 호기심은 있었다. 그는 키가 컸다. 검은 피부에 잘생겼으며 점잖았다. 귀족의 풍모가 느껴졌다. 하지만 마음은 벌써 호텔 욕조에 있는 듯했다. 그래서 그는 속도를 늦췄다가 갑자기 속도를 냈다. 말은 없었다. 남미에서 온 여인 한 명도 함께 걸었는데 그녀는 있는 듯 없는 듯했다. 낙오만 안 하면 된다는 생각 같았다.

걷는다는 것은 사람을 안다는 것이다. 그들의 속마음을 다 알 수는 없어도 성격은 눈치 챌 수 있었다. 만약 이들과 버스 투어만 하는 수준이었다면 그들에게 동료애보다는 핀잔을 주고 싶은 생각이 들었을 것이다. 사람은 자기도 모르게 자기의 저울 위에 다른 사람을 올려놓고 무게를 재는 버릇이 있다. 걷다 보니 엉성할 것만 같던 미국인 청년들이 속으로는 한없이 천진난만한 사람들이라는 것을 알 수 있었다.

걸으면서 보는 자연도 달랐다. 걷는다는 것은 발로 자연을 재는 것이다. 걷는다는 것은 이미 그림 속으로 들어가 있다는 의미다. 호수 하나도 거리와 각도에 따라 느낌이 달라진다. 사보닌 트레킹 코스에는 산정 호수가 있었는데, 길에 따라서 호수의 느낌이 달랐다. 한 지점에서 다른 지점으로 옮길 때 호수에 비친 산의 모습이 달라졌고, 어느 지점에서는 나무가 투영된 물그림자가 보이지 않는 곳도 있었다.

그래서 걷는다는 것은 시시각각 본다는 뜻이다. 한 번 보는 것이 아니라 각각의 움직임을 본다는 것이다. 걷는다는 것은 여행자가 각도기가 된다는 것이다. 한 발자국 들여다보고, 물러서서 보고, 옆에서 보고 다른 각도를 찾는 것이다. 세상은 다면체여서 천천히 봐야 된다. 시간을 들여서 봐야 질감까지 볼 수 있다. 걷다 보면 예상치 못한 아름다움도 발견하게 된다. 처음에는 캘린더 같은 풍경만 찾지만 나중에는 오히려 먹구름 드리운 하늘 아래 검은 대지가 주는 황량함이 좋아졌다. 늪과 습지도 나를 매료시켰다. 돌 틈이나 바윗돌 틈새에 피어난 꽃들에게도 사진기를 들이댔다. 초라한 것이 귀하게 보였다.

나미비아 모래사구를 걸을 때였다. 죽음과 가까운 사막이 그렇게 아름다운지 처음 깨달았다. 모래의 온도는 시시각각 달라졌다. 태양의 열기를 머리나 몸으로 느낀 것이 아니라 발바닥으로 느꼈다. 정오의 태양은 너무 뜨거워서 모래는 화상을 입을 정도인 60~70도까지 달궈진다. 그래서

걷기를 통해 황량함의 아름다움을 알게 되었다. 나미비아 나미브 사막.

사구를 오를 때 샌들 대신 양말과 신발을 신어야 한다. 겉에서 보기에 아름다운 모래 언덕은 걷다 보니 "이러다 죽는구나" 하는 생각이 퍼뜩 들 정도로 무서웠다. 걷는다는 것은 몸으로 느낀다는 것이다.

헨리 데이비드 소로는 『산책』에서 "바깥의 풍경이 황량할수록 나의 영혼은 확실히 고양된다"고 썼다. 걷게 되면서 황량한 것도 아름답다는 것을 알았다. 바닷가에 가면 일부러 맨발로 걸어본다. 발바닥이 손바닥보다, 눈동자보다 섬세할 때가 있다. 갯벌의 개흙이 발가락 사이로 빠져나가는 느낌, 햇살에 적당하게 덥혀진 모래가 주는 질감, 돌조각이 콕 발바닥을 파고드는 감촉……. 그냥 걸을 때보다 더 많은 감각으로 바다를 느낄 수 있었다. 발바닥은 섬세하다. 맨발은 속도를 내지 못하니 더 넓게 볼 수 있다. 여기저기 눈길을 주며 입체적으로 보게 된다. 맨발로 걸으면 나비 한 마리도 개미 한 마리도 주의하게 된다. 맨발은 약하다. 찢어지기 쉽다. 등산화는 뭉개고 가지만 맨발은 잠자리 한 마리도 피해 간다. 맨발은 온몸의 체중이 실리기 때문에 모래 알갱이 하나가 발바닥에 지그시 눌리는 것까지 느껴진다. 맨발로 걷는다는 것은 골수까지 체험할 수 있다는 뜻이다.

하이힐을 벗어 손에 들고 애인과 함께 백사장을 걷는 여자들의 뒷모습은 아름답다. 사랑이란 것은 함께 맨발로 걸을 수 있는 것이다. 아장아장 걷는 아이들과 함께 보폭을 맞춰 걷는 것도 행복이고 사랑이다. 걷는다는 것은 함께 본다는 것이고 한 길을 간다는 뜻이다. 걷기는 여행의 골수다.

열차

"미국에서 기차는 탈 수도 있고 안 탈 수도 있는 선택의 대상이 아니다.
기차는 프로테스탄트의 윤리와 자본주의 정신에 관한 막스 베버의 가르침을
무시하고 가난한 사람으로 남는 실수를 범한 죄에 대한 벌이다."

움베르토 에코, 『세상의 바보들에게 웃으면서 화내는 방법』

"한국인은 열차 여행을 로맨틱하다고 생각하기도 합니다. 그래서 나라는 작아도 철도 패스 판매량은 세계 최고 수준입니다."

유럽 내 철도를 연결하는 레일 유럽의 관계자에게 몇 해 전 들은 얘기다. 한국인에게 철도는 특별하다고 한다. 철도를 단순한 교통편으로 보지 않는다는 것이다. 실제로 철도여행은 여행의 추억과 재미를 증폭시키는 묘한 매력이 있다. 철도야말로 여행이 모험이거나 고행이 아닌 즐거움이란 것을 보여준 교통수단이었을 것이다. 철도가 여행을 산업으로 발전시켰다. 마차에 트렁크를 싣고 다니던 시대에는 마부도 필요했고, 역참에서 말도 쉬게 해야 했다. 여행은 심사숙고해야 할 큰일이었다. 그 시대에 '훌쩍 떠난다'는 말은 없었을 것이다.

철도는 여행이 모험이거나 고행이 아닌 즐거움이란 것을 보여주는 교통수단이다.
스위스 생모리츠.

열차여행이 가장 발달한 곳은 스위스다. 스위스 철도는 세계에서 가장 정확하다. 놀라울 정도로 시간을 맞춘다. 열차도 스위스 시계를 닮았다. 스위스 관광청의 초청으로 스위스를 방문할 때 어김없이 교통수단은 열차였다.

"오후 2시 35분에 도착해서 육교로 건너편으로 건너가 2시 53분 열차를 타면 됩니다."

관광청은 이런 식으로 안내한다. 스위스에서는 뭐든지 1분 단위로 맞춰서 여행할 수 있다. 스위스 철도는 스위스의 핏줄이다. 알프스 산자락 곳곳을 쉽게 파고들 만한 교통편은 열차가 최적이다. 산을 넘고 강을 건너고 굴을 통과하면서 달린다. 스위스 열차는 토착민이 척박한 환경과의 전쟁 끝에 얻은 성취다.

스위스는 태생적으로 초고속 열차와는 어울리지 않는다. 직선 구간이 길어야 열차가 속도를 내는 법인데, 스위스는 산악국가다. 지형을 보면 고속철도와는 당최 어울리지 않는다. 베르니나 익스프레스Bernina Express, 글래시어 익스프레스Glacier Express 등 여러 관광열차를 타봤지만 가장 기억에 남았던 것은 알불라-베르니나Albula-Bernina였다. 이 구간은 2008년 유네스코 세계유산으로 지정됐다. 그때 스위스 정부가 세계 각국의 기자들을 초청했다. 당시 스위스는 기차의 역사를 보여주려고 했다. 철길이 놓이기 시작했던 초기 증기기관차부터 천장이 반은 유리로 돼 있는 관광열차까지 모든 열차를 동원해서 기자들을 타보게 했다. 파티도 동굴 속에서 기차를 세워두고 했다. 관광청 직원 이야기로는 행사를 준비하는 데에만 1년이 걸렸다고 한다.

알불라-베르니나 라인은 투시스-생모리츠61.6킬로미터, 알불라 라인, 생모리츠-티라노60.6킬로미터, 베르니나 라인를 합친 122킬로미터 구간이다. 생모리츠를 출발한 기차는 산을 파고들었다. 목적지는 험한 산을 넘어야 갈 수 있는 마을 티라노였다. 기차는 계곡을 몇 번 건너고 터널을 여러 번 뚫고 달렸다. 한 굽이를 돌 때마다 알프스가 눈에 들어왔다. 때로는 소 떼가 풀을 뜯는 목가적인 풍경도 있었고, 철로 옆에서 갑자기 폭포가 쏟아지기도 했다. 속도는 느렸다. 기찻길이 휘어지고 굽어지니 실제로 속도를 내기 힘들다. 속도와 풍경은 반비례한다. 초고속열차에서 바라보는 창밖의 풍경은 솜씨 좋은 카드꾼의 손놀림처럼 어지럽다. 그러나 스위스 기차는 어수룩한 나무꾼처럼 산을 기어오른다. 스위스 기차는 등산하듯 알프스를 오른다. 기찻길이 통과하는 가장 높은 지점은 해발 2,253미터의 오스피지오 베르니나였다. 정상 일대는 안개가 자욱했다. 안개가 걷힐 때마다 빙하가 햇살을 받아 번득였다. 안개가 칼 같은 봉우리를 지웠다 토해냈다. '하얀 호수'란 뜻의 라고 블랑코Lago Blanco라고 불리는 산정 호수는 연옥색을 띠었다.

대체 한라산과 지리산 꼭대기보다 높은 곳에 어떻게 철길을 놓았을까? 투시스에 기차가 들어온 것은 1896년. 생모리츠는 1904년에 기찻길이 뚫렸다. 정상 오스피지오는 1910년에야 기차가 넘을 수 있었다. 베르니나는 오지마을을 연결하는 교통수단으로서뿐 아니라 관광 목적으로도 건설된 철도였다. 산업혁명 후 수많은 사람들이 스위스를 찾았다.

스위스는 유럽인들도 가보고 싶은 나라였다. 글래시어 익스프레스와 베르니나 익스프레스가 교차하는 생모리츠는 영국 귀족들의 휴양지였다.

베르니나 익스프레스는 스위스를 찾은 여행자에게 알프스의 구석구석을 보여주는 열차로 만들어졌다. 각반 차고 트위드 재킷 입고 산에 다니던 시절에 기차로 알프스를 구경시켜주겠다는 의도였다. 알프스를 달리려다 보니 다리와 굴도 많이 뚫었다. 알불라-베르니나 라인은 무려 196개의 다리를 지나고 20개의 도시, 55개의 터널을 지난다. 해발이 가장 낮은 티라노[429.3미터]와 가장 높은 오스피지오[2,253미터]의 표고 차는 1,823미터인데 두 역의 거리는 38.4킬로미터에 불과하다. 가파른 경사여서 열차가 직선으로 달리지 않고 타원형으로 돌아가게 다리를 놓았다. 베르니나 라인에만 무려 407번의 커브길이 있다. 1킬로미터에 7번 커브가 있는 셈이다. 마치 원처럼 열차가 빙 둘러가는 커브길도 있다. 가장 급하게 휘는 커브길은 반지름이 45미터에 불과하다. 우주에서 본다면 스위스의 기차라인은 테마파크의 청룡열차 같을 것이다. 이런 철도는 당연히 웅장할 수밖에 없다. 쌍소의 표현을 빌리자면 ✱지구 표면에 새겨놓은 문신 자국처럼 기이하고 아름답다. 장관이다. 기차가 교각을 징검다리처럼 밟으며 이 산에서 저 산으로 건너뛴다. 산과 계곡, 숲과 빙하를 함께 볼 수 있다.

✱ 피에르 쌍소, 「느리게 산다는 것의 의미2」

알불라-베르니나의 상징인 랜드바서 교각도 직접 찾아가봤다. 이 다리는 1902년에 만들어졌다. 해발 1,048미터 지점에 있는 산자락의 암반을 200미터 뚫어 터널을 만들고 다시 맞닥뜨린 절벽에 높이 65미터, 길

알프스의 산악지대까지 파고드는 기차. 스위스 알프 그룹 역(위),
세계문화유산인 랜드바서 가교를 건너고 있는 스위스 베르니나 익스프레스(아래).

UNESCO

이 136미터의 돌다리를 이어 붙였다. 다리 밑에서 철도를 보면서 얼마나 험한 공사였는지 짐작할 수 있었다.

쌍소는 과거에 기차는 짐마차보다 약간 빠른 속도로 달렸으며 약간 경사진 곳을 올라도 숨이 차서 헐떡거렸다고 썼다. 느린 기차여행의 묘미에 대해 그는 "건널목이 나올 때마다 잠시 멈춰 서서 구시렁대는가 하면, 기찻길 옆 가난한 집 아이들이나 풀 뜯는 송아지들의 호기심을 불러일으킬 때는 자못 흐뭇한지 거드름을 피우기도 했다"고 표현했다. 느림이란 여유이며, 여유야말로 여행의 본질이다.

신칸센이나 독일의 이체, 프랑스의 테제베 같은 특급열차는 이런 열차여행의 진수를 느낄 수 없다. 신칸센은 땅 위에서 달리는 비행기일 뿐이다. KTX는 과거의 통일호나 비둘기호가 주는 정겨움을 줄 수 없다. KTX는 속도로 여행을 얘기하지만 통일호나 비둘기호는 친구처럼 여행을 이야기한다. 낡은 선풍기가 붙어 있는 천장, 포장되지 않은 오징어를 파는 점원, 양손으로 집게처럼 생긴 고리를 잡고 힘껏, 그리고 균형 있게 올려야 열리던 창문……. 이런 정취는 스튜어디스 차림의 승무원이 배꼽에 손을 모으고 백화점식으로 인사하는 KTX에서는 느낄 수 없는 것이 당연하다. 그러나 지금은 속도에 너무 익숙해진 나머지, 느린 것을 못 참는 시대가 돼버렸다.

느린 기차여행도 처음에는 귀족여행이었을 것이다. 그걸 느낄 수 있는 호화열차는 지금도 운행된다. 남아공의 프레토리아와 케이프타운을 잇는 블루트레인Blue Train이란 열차다. 1박 2일 코스다. 블루트레인은 오리엔털 익스프레스Oriental Express, 유럽, 로보스Rovos, 남아공, 팔레스 온 휠Palace on Wheels, 인도과 함께 서양인들이 '꿈의 여행'이라고 꼽는 세계적인 호화열차다. 남아공에 호화열차가 2개나 있다는 게 신기하지만 원조는 블루트레인이다. 호화열차는 세계를 휘저으며 다녔던 식민지 시대를 그리워하는 서양인들을 겨냥해 만든 열차다. 1박 2일에 150만 원이 넘는 돈을 내고 황량한 아프리카의 대륙을 달리는데, 풍경보다는 유럽인들이 식민지 시대 아프리카를 지배했던 그 시절로 되돌아가는 느낌을 준다. 비싼 돈을 내는 사람들 역시 그걸 원한다. 대개 식민지에 세워진 열차는 자원을 약탈하기 위해 만들어졌다. 남아공도 그랬다.

케이프타운을 처음 개척한 사람은 바로 네덜란드인이다. 포르투갈 사람들이 희망봉을 발견한 뒤 17세기 중엽 네덜란드인들은 종교의 자유를 찾아 머나먼 아프리카로 넘어왔다. 가톨릭과 개신교가 피 튀기며 싸웠던 지긋지긋한 유럽을 피해서였다. 이들이 보어Boer인이다. '보어'란 말은 네덜란드어로 '농부'란 뜻이다. 이들이 세운 나라가 나탈, 트란스발 공화국, 오렌지 자유국이다. 보어인들은 원주민을 몰아내고 남아공 케이프타운을 식민 도시로 건설했다. 하지만 영국이 이 땅에 눈독을 들이면서 사정이 달라졌다. 케이프타운에서 멀지 않은 킴벌리에서 다이아몬드 광산이 발견되자 영국은 1889년 보어전쟁을 일으켰다. 보어인들은 당시 세계 최강국인 영국을 이길 수 없었다. 보어인은 결국 항복했고, 남아공은 영국에 합병됐다.

케이프 총독이었던 영국인 세실 존 로즈는 아프리카 대륙종단열차를 추진했다. 1887년 남아공에서 드비어즈DeBeers라는 이름난 다이아몬드 회사를 차려 억만장자가 된 로즈는 아프리카 종단열차를 꿈꾼다. 이집트 카이로에서 남아공 케이프타운까지 영국의 식민지를 연결하는 철도를 건설한다는 것이었다. 이 꿈은 아프리카 북부에서 남부로 영향력을 넓혀오던 영국의 식민지 정책을 그대로 반영한 것이다. 하지만 그의 꿈은 좌절됐다. 트란스발 공화국의 지도자인 보어인 크루거가 그에게 땅을 팔지 않았기 때문이다. 보어인을 몰아내려 폭동 계획까지 세웠지만 이것도 들통 났다.

그러나 철도가 완전히 무산된 것은 아니었다. 1901년 공사가 시작된다. 케이프타운에서 마제스폰타인, 킴벌리를 지나고 보츠와나로 빠져 짐바브웨의 블라와요를 거쳐 빅토리아 폭포에서 멈춘다. 여기가 끝이다. 사연 많은 철도는 1946년에야 개통식을 했다. 1947년에는 국왕 조지 6세의 의전열차로 지정되면서 호화열차로 유명세를 탔다. 블루트레인은 한 달에 3~4번 정도 운항한다. 코스는 4곳이지만 케이프타운-프레토리아 코스에 승객이 가장 많다.

호화열차는 '로맨스'와 '추억'이란 이름으로 포장됐다. 서양인들 중에는 평생 돈을 모았다가 블루트레인 등을 타러 오기도 한다. "왜 이렇게 비싼 열차를 타느냐"고 물었더니 영국에서 온 노신사는 "아름다운 추억을 위하여For beautiful memories"라고 했다.

여행도 그 시절 그 방식대로였다. 케이프타운 전용 역사에 도착하니 짐꾼들이 짐을 실어 날랐다. 승객은 대합실에서 차 한잔 마시고, 캡틴의 인사를 받고 열차에 오른다. 열차 한 량에 객실은 4개. 객실 하나에 2명이 정원이다. 객실이 모두 41개이니 아무리 많아도 82명 이상은 탈 수 없다. 승무원은 25명이다. 저녁은 풀코스 디너로 정장 차림만 가능했다. 객실마다 욕실과 화장실이 설치돼 있고, 전용 집사인 버틀러가 딸려 있었다. 버틀러를 불러 커피 한잔 시킬 수도 있고, 룸서비스를 부탁할 수도 있다. 내 버틀러의 이름은 마리아였다. 아름다운 흑인 아가씨였다. 사실 남을 부리는 데 익숙하지 않은 나로서는 그에게 딱히 부탁할 것이 없었다. 몇 발자국만 나가면 모든 음식을 공짜로 먹고 마실 수 있는 바가 있는데, 굳이 룸서비스를 시킬 일이 없었던 것이다. 바에서는 쿠바산 시가를 피울 수 있고, 맥주와 와인을 마음 놓고 마실 수도 있었다. 차창 밖으로는 아프리카 황무지가 펼쳐졌다. 그 다음은 양철지붕을 한 슬럼가, 다시 황무지, 작은 마을, 돌무더기만 널려 있는 황무지……. 열차는 남아공의 면면을 한 토막씩 보여주며 달렸다.

호화열차는 여행 목적지가 없다. 목적지가 없이 타는 것은 그냥 추억을 팔기 때문이다. 풍경이야 완행열차나 특급열차나 다를 바 없다. 아프리카의 풍경은 우리가 생각하는 것과는 차이가 있다. 기찻길 옆에 밀림이 있는 것도 아니고, 사자가 나타나거나 코끼리 떼를 볼 수 있는 것도 아니다. 블루트레인 코스에서 눈길을 끄는 것은 홍학이 머무는 저수지 하나뿐이었다. 그나마도 아득하게 멀리 떨어져 있었다. 거기를 빼놓고 대부분은 황무지를 달린다고 보면 된다.

마제스폰타인이란 옛 정거장은 철도 여행 중간에 내려서 둘러보는 마을이었다. 이곳은 블루트레인이 아니면 사람들이 찾지 않을 것 같은 세트장 같은 역이었다. 시골 역 답지 않게 깨끗했다. 역사 바로 뒤편에 전시관이 하나 있었는데, 사람이 사는 집은 아니었다. 텅 비어 있었고, 여행자들에게 보여주기 위한 집인 것 같았다.

기차가 도착해서 문이 열리자 어디서 나타났는지 아이들이 한꺼번에 달려들어 손을 내밀었다. 현지 가이드가 나팔을 불며 여관과 우체국, 선술집으로 안내한다. 선술집에서 술 한잔을 내놓는데 블루트레인이란 로고가 새겨진 술잔은 기념품으로 줬다. 그리고 역사가 어떻게 세워졌는지를 얘기한다. 유럽인들은 그들이 지배했던 땅을 다시 밟았다는 은근한 자부심을 느낄 수 있었겠지만, 아시아인들에게는 호화열차를 타봤다는 것 외에는 특별할 게 없었다. 열차는 때로 이렇게 승객을 끌고 역사 속으로 헤집고 들어간다. 어느 민족에게는 아프고, 또 다른 민족에게는 즐거움을 준다. 자신의 세계관에 따라 아파하고 기뻐한다.

열차는 지역에 따라 좋은 교통편, 나쁜 교통편이 되기도 한다. 유럽은 열차를 고급 여행 프로그램 중 하나로 본다. 물론 싼 열차도 있지만 열차 여행이 항공여행보다 싸지 않다. 웬만한 저가항공보다 열차가 더 비싸다. 미국은 다르다. 미국은 고속도로가 더 발달돼 있다. 그래서 유럽인들은 미국 열차여행을 그리 달갑게 생각하지 않는 모양이다. 사실 나도 미국에서는 한 번도 열차를 타본 적이 없다. 아마 에코의 글이 생각나서 탈

일이 있었어도 다른 교통편을 이용했을지 모른다. 에코는 미국 기차여행을 하고 나서 이렇게 비아냥거렸다. 미국의 열차는 핵전쟁 이후에 달라질 세상의 모습을 떠올리게 된다고.

움베르토 에코, 『세상의 바보들에게 웃으면서 화내는 방법』

✖"물론 열차가 가긴 간다. 문제는 평원을 가로지르다 갑자기 고장이 난 것도 아니면서 예닐곱 시간씩 늦게 도착한다는 데에 있다. 기차역은 또 어떤가. 거대하고 썰렁하고 휑뎅그렁하다. 술 한잔 마실 데도 없고 악당 같이 생긴 자들만 득실거린다. 이리저리 뚫린 지하통로는 영화 〈혹성탈출〉에 나오는 뉴욕의 지하철을 연상시킨다."

"호사스런 침대차량에서 끔찍한 범죄가 벌어지는 장면을 담은 영화들이 적지 않다. 그런 영화들을 보면 고상하게 생긴 백인여자들이 〈바람과 함께 사라지다〉에서 곧장 나온 듯한 흑인 웨이터가 따라주는 샴페인을 마신다. 이건 터무니없는 거짓이다. 현실은 이와 딴판이다. 미국 열차의 흑인 승객들은 마치 〈살아 있는 시체들의 밤〉에서 곧장 걸어 나온 사람들 같다. 그리고 백인 차장은 콜라 깡통과 아무렇게나 팽개쳐놓은 짐, 유전자에 매우 해롭다는 전자레인지의 극초단파에 쏘인 비닐 포장 샌드위치에서 비어져 나온 마요네즈를 잔뜩 묻혀 놓은 신문지 따위를 밟고 비틀거리면서 진절머리가 난다는 표정으로 통로를 성큼성큼 지나다닌다."

에코의 독설은 지나칠 정도로 신랄하다. 그런데 해학이 있어 그의 미국 기차여행기는 두고두고 기억에 남았다.

사실 미국의 철도는 수많은 피를 본 끝에 완성됐다. 인디언과의 전쟁에서 인디언들을 몰아내고 철도를 놨다. 하지만 이렇게 놓은 철도가 인기 없는 교통편이라니 안타깝기 그지없는 일이다.

택시와 버스

"택시는 최고의 사회학 관측소이다."

움베르토 에코, 『민주주의가 어떻게 민주주의를 해치는가』

택시 하면 지금도 기억나는 여행이 있다. 한국이 IMF 구제금융을 받아야 한다는 소식이 온통 거리를 휩쓸 무렵, 유럽 출장을 갔다. 환율은 천정부지로 하루하루 널뛰기를 했고, 한때 미국 달러가 2천 원까지 솟구쳤다. 재수 없게도 환전을 할 때는 주식으로 치면 환율의 상투를 잡은 꼴이었다. 가뜩이나 낮은 어깨에 돈 부담까지 얹혀 있으니 유럽 여행도 신이 나지 않았다.

취재원과의 약속 때문에 오스트리아 빈에서 택시를 타야 했다. 택시비가 당시 환율을 감안하면 우리 돈으로 15만 원 정도 나왔다. 숨이 턱 막혔다. 이후 유럽여행길에서 한 시간 정도의 거리는 늘 걸어다녔다. 길거리에서 파는 소시지가 들어간 핫도그 하나 살 때도 속셈을 했다. 남들보다 더 일찍 일어나 서둘렀고, 택시 대신 버스를 탔다. 택시를 두어 번만 더 탔다가는 여행 경비가 바닥날 지경이었다.

가난한 여행자에게 택시는 마지막 선택권이다. 물가가 비싼 유럽이나 일본에서 택시를 탔다가는 선물비용을 고스란히 날릴 수 있다. 택시는 마지막 수단이었다. 어쩔 수 없이 택시를 타게 될 때는 마음이 영 편하지 않았다. 택시를 타게 되면 늘 긴장을 해야 한다.

"내가 여행자인 걸 알고 혹시 빙빙 돌아가는 거 아냐……."

이런 쓸데없는 걱정이 앞섰다. 게다가 택시를 타면 택시 기사와 한마디 나눠야 한다. 으레 "처음 왔느냐?" "어디서 왔느냐?" "비행기로 열두 시간을 가야 하는 나라라고?" 이런 수다를 떨게 되는 것이다. 말을 하게 되면 아무리 가이드북 『론리플래닛』을 꿰고 온 사람이라 할지라도 금세 뜨내기라는 게 들통 나게 된다. 지역 물정 모르는 여행자인 줄 알게 되면 택시 기사가 엉뚱한 제의를 할 때도 있다.

"내가 잘 아는 쇼핑센터가 있는데 데려다 줄까?"

"가이드북에는 뭐라 나왔는지 모르지만 우리가 알기로는 술집은 여기가 좋아!"

그 말을 믿고 나섰다가 낭패를 당한 적도 있다.

파리에서였다. 동료와 함께 택시를 탔는데, 운전석 옆자리에 앉았다. 서울에선 흔히 혼자 타면 기사 옆에 앉는 경우도 있다. 그런데 택시 기사가 버럭 성질을 내더니 뒷자리로 옮겨 타라고 명령조로 얘기했다. 파리의 택시 기사는 20여 분 짧은 거리를 운행하면서도 쉴 새 없이 떠들어댔다. 간간이 뒤도 돌아보면서 말을 하거나, 운전석 앞 백미러를 통해 우리를 쳐다보며 얘기했다. 불어를 한 마디도 알지 못하는 나로서는 답답한 노릇이었지만 대강 눈칫밥으로 해석해보면 옆자리에 앉으면 안 된다는 거였다. 그건 택시 기사의 공간이라는 거다. 프랑스에 유학 갔다가 거기서 직장생활까지 하다 돌아온 동창에게 물어봤더니, 택시 앞좌석은 손님용이 아니란다. 그리고 부득이하게 앞좌석에 앉을 경우 웃돈을 내야 하는 경우도 있다는 것이다. 게다가 사람과는 별도로 짐은 짐대로 돈을 더 내야 한다. 택시 요금의 법칙은 세상 곳곳이 다 다르다.

유럽에서, 그리고 미국에서도 택시 기사는 그리 환영받는 직업은 아니다. 택시 운전은 대개 이민자들이 많이 한다. 택시 기사야말로 그 지역을 가장 많이 훑고 다니며 잘 아는 사람들일 텐데 그들 역시 그 사회의 신참인 것이다. 택시를 타면 기사의 국적을 알 수 있는 것은 라디오다. 라디오에서 어떤 음악을 듣느냐, 프로그램이 어떤 언어로 진행되느냐를 들으면 기사의 국적, 취향, 성격까지 알 수 있다. 움베르토 에코는 택시 기사에 대해 "그들 중 상당수는 언제나 변함없이 '자신의 라디오'와 연결되어 있는데, 때로는 '빌리지'에서 '센트럴 파크'까지 가는 것이 마치 카트만두로 여행하는 듯하다"고 썼다.

에코의 말대로 '택시는 사회학 관측소'다. 에코는 뉴욕의 택시 기사들을 보고 이런 글을 남겼다. 뉴욕의 택시 기사는 임시직이라고 했다. 그래서 대학생, 직장에서 쫓겨난 사람, 이민자들이 택시 운전을 한다는 거다. 그는 택시 기사가 커뮤니티에서 커뮤니티로 집단 계승된다고도 했다. 이를테면 어느 한 시기에는 파키스탄 사람들이 무더기로 택시 운전을 하다가 이들이 돈 좀 벌어 다른 직장으로 옮기면 그 다음에는 남미 이민자들이 다시 그 자리를 메운다는 뜻이다.

독일에서 택시를 탔다가 기사와 언쟁을 벌인 적이 있다. 나를 태운 기사는 터키인이었다. 발단은 그리스였다. 터키와 그리스인들은 사이가 안 좋기로 유명하다. 한일 관계, 이스라엘과 팔레스타인의 관계만큼이나 터키-그리스 관계도 묵은 원한이 있다.

오스만투르크 제국이 동로마제국을 멸망시킨 뒤 400년 동안 그리스는 사실상 터키의 지배를 받았다. 1820년대에 그리스인들이 독립운동을 벌였고 1830년대에 독립에 성공했다. 예전의 아름다운 에게해의 섬들은 그리스 영토가 아니라 바로 터키의 영토였던 셈이다. 게다가 키프로스 공화국은 그리스계와 터키계가 나눠서 지배하는 분단국가다. 키프로스에서 1970년대에 그리스계가 독립운동을 펼치자 터키는 군사로 억눌렀다. 그리스와 터키는 견원지간일 수밖에 없다.

그런 터키인에게 그리스가 참 아름답다고 했더니 터키인 기사가 발끈했다. 그의 자존심을 건드린 것이다. 터키인은 역사를 제대로 알지도 못하면서 그리스를 운운하지 말라고 흥분했고, 나는 영문도 모른 채 말싸움을 벌여야 했다. 급기야 그는 내가 묵는 호텔에서 한 블록 떨어진 곳에다 내려줬고, 잔돈도 거슬러주지 않고 사라져버렸다. 잔돈이야 많지 않았고 팁으로 줄 예정이었으니까 상관없었지만 기분이 팍 상했다. 택시가 늘 편안한 교통수단만은 아닌 것이다.

택시는 나라마다 다르다. 택시 기사들의 성향도, 서비스 방법도 다르다. 에코는 택시에 관한 칼럼을 두 번 이상 썼는데 나라별 택시 기사에 대한 얘기도 있다. 그는 *국적별로 택시 기사의 특징을 비교했다. 프랑스 파리의 아시아계 택시 기사의 경우 지극히 친절하지만 도시 이곳저곳을 빵빵이 돌다가 슬그머니 엉뚱한 데 내리라고 한다. 독일 택시 기사는 친절하고 예의 바르긴 하지만 속도를 높여 승객들을 두렵게 한다. 리우데자네이루의 택시 기사는 신호등에 빨간 불이 들어와도 달린다. 그들은 그래서 레이스를 펼쳐도 독일 택시 기사보다 빠를 것이라고 했다. 에코는 "잔돈을 일절 가지고 있지 않은 사람, 그가 바로 택시 기사"라고 유머 있게 표현했다.

*움베르토 에코, 『세상의 바보들에게 웃으면서 화내는 방법』

버스도 여행의 기분을 좌지우지한다. 버스 여행으로 기억에 남는 곳은 네팔과 중국 신장 지역이다. 네팔의 카트만두에서 포카라까지 비행기 대신 조그마한 미니버스를 탔다. 네팔의 버스들은 희한하게도 백미러가 없었다. 뒤차가 다가오는지를 살펴볼 만한 반사경이 없는 것이다. 그래서 네팔의 버스 기사들은 클랙슨으로 신호를 보냈다. 짐작컨대 이렇다. "오른쪽으로 간다. 뒤차는 조심해라" "뒤에서 진행 중이다. 함부로 끼어들지 마라." 버스 안에는 'Make Horn When You Want to Change Lane 차선 변경을 할 때는 클랙슨을 눌러주세요'라고 쓰여 있었다. "혹시 네팔에서는 깜박이도 옵션인가요?" 이렇게 묻고 싶어졌다.

그런 차들이 시속 백 킬로미터 가까이 되는 속도로 히말라야의 산허리로 난 길을 달렸다. 비포장 도로였고, 길 아래는 수백 미터 낭떠러지였다. 커브 길에서도 끊임없이 차들은 클랙슨을 눌렀고, 나는 여행 도중 반쯤 미칠 것 같았다. 사람이라도 나오면 툭 계곡 아래로 밀어버릴 듯이 달렸다. 그들이 만약 세계 버스 기사 콘테스트에 나갔다면 우승을 했을 것이다. 공포로 시작된 여행은 나중에는 제법 익숙해졌다. 사람이란 희한한 동물이어서 똑같은 자극이 반복되면 위험해도 무시하는 법이다. 러시안 룰렛을 돌릴 때 서너 번 운이 좋았다고 해서 다시 한 번 운이 좋다는 법이 없는데도 말이다.

두 번째 기억에 남는 버스는 신장 위구르 지방에서 탄 버스였다. 파미르 고원으로 향하는 길, 카라코람 하이웨이를 넘는 길이었다. 하이웨이란 말이 붙은 곳 중 그렇게 척박한 하이웨이는 처음 봤다. 오프로드라고 표현하는 것도 무리인 길이었다. 물줄기가 지나간 도로는 깊게 골이 패여 있었다. 랜드로버나 랜드크루저 같은 지프로 스릴을 즐길 만한 길을 버스로 오르는 거였다. 일 년 중 절반 이상은 눈 속에 묻혀 있어서 도로가 막히고 나머지 절반 중 날씨 좋은 날만 올라간다는 거였다.

"흙길인데 하이웨이라고 해도 되는 거야?"

속으로 짜증이 밀려왔다. 게다가 양치기들이 길을 막고 다녔고, 나귀를 몰고 가는 목동들도 보였다. 길은 속도를 낼 수 없었지만 심하게 요동쳤다. 밥 한 끼를 먹고 한 시간만 버스를 타면 소화가 될 것 같은 코스였다. 차도 시끄러웠다. 알고 보니 머플러Muffler, 소음기를 떼어낸 것이다.

"왜 머플러를 뗐지?"

"머플러가 있으면 길에 닿아서 어차피 못 가요!"

그런 길을 다니는 사람들이 울며 겨자 먹기로 버스를 타는 것은 아니다. 버스가 다니는 것만으로도 감사하는 사람들이었다. 그나마 버스도 없으면 말을 타고 달려야 한다. 그래서 버스 기사는 길이 험할수록 주민들로부터 존경을 받는다. 이유는 간단하다. 그가 아니면 갈 수 없는 길이기에. 기사가 버스를 세우면 서는 거고, 가면 가는 거다. 그리고 이곳의 기사들은 엔지니어나 다름없다. 언제 버스가 설지 모르기 때문에 만반의 준비를 하고 다닌다.

중국 실크로드 지역 타클라마칸 사막 지역을 횡단하는 고속도로에서였다. 이곳은 주변에 아무것도 없는 모래밭이었지만 다행히 도로는 놓여 있었다. 그런데 해가 뉘엿뉘엿 질 무렵 차가 섰다. 사람들은 놀라서 뛰쳐나왔다. 그 길은 다녀갔던 탐험가들이 모두 두려워했던 곳이다. 누란 유적을 발견한 스웨덴의 스벤 헤딘은 "세상에서 가장 위험한 최악의 사막"이라고 했고, 헝가리에서 태어나 영국을 제2의 조국으로 삼은 오렐 스타인은 "사하라 사막도 여기에 비하면 길들여진 것"이라고 말할 정도였다. 수많은 사람의 목숨을 가져간 사막이었다. 사막에서는 버스가 고장 나도 다른 버스로 쉽게 대체할 수 없다. 그 먼 길에 정류장도 별로 없다. 사실 사막의 실크로드 고도들은 대부분 폐허로 남아 있다. 도시도 죽었는데 버스 정류장이 살아 있을 이유가 없다. 버스 기사는 걱정하는 표정이었지만 금세 연장을 들고 버스 밑으로 들어갔다.

"왜 고장이 났죠?"

"모래폭풍이 많이 부는 지역은 오일 필터가 금방 망가지는데, 모래알이 연료노즐을 막은 모양입니다."

가이드의 설명을 들으니 가슴이 철렁했다.

운 좋게도 기사는 두어 시간 만에 결국 버스를 고쳤다. 이런 길에서 승객의 생명은 버스 기사에 달려 있다. 그래서 그들은 듣고 싶은 음악은 실컷 듣고, 승객은 아랑곳하지 않고 볼륨을 자기 마음대로 조절한다. 그래도 누구하나 대거리를 하거나 시비를 붙는 승객이 없다. 버스 기사는 그 동네에서 비교적 괜찮은 직업이고, 버스는 좋은 사업 밑천이다.

이렇듯 여행지의 교통수단은 양면성을 지닌다. 열차와 택시와 버스는 여행의 재미를 더해줄 수도 있고 망칠 수도 있는 중요한 요소다.

밤

마가렛 리버의 노을. 낮의 동물인 인간에게 밤은 신비롭고 아름다운 시간이다.

"밤은 더할 나위 없이 아늑하다. 시각이 쇠퇴할 때, 우리는 보다 내밀한 존재가
된다. 우리의 행동반경이 어둠 속에서 제약을 받을 때, 우리는 집에
틀어박히거나 자기 안으로 침잠한다. 밤과 함께 개인의 시간이 찾아든다.
저녁은 자기 성찰의 시간이며, 고즈넉한 분위기 속에서 다음날을 기대하는
시간이기도 하다. 밤은 잠과 꿈을 위한 은신처다. 또한 밤은 익명의 존재다.
그래서 밤이 되면 우리는 낮에 두려워서 못하던 일을 과감히 해보곤 한다.
밤은 사랑하는 연인들을 위한 낭만적 왕국이다.
햇빛보다는 달빛이 더 열정을 자극하는 법이다."

크리스토퍼 듀드니, 『밤으로의 여행』

서호주의 마가렛 리버를 여행할 때였다. 참 한적한 마을이었다. 주위는 온통 숲이었다. 숲 그늘 아래 틈틈이 와이너리가 숨어 있었다. 리조트는 숲 한가운데 있었다. 하루 일정을 마치고 리조트로 돌아가는 길. 키 크고 잘생긴 나무들이 일렬로 늘어선 숲길에서 가이드 제프가 갑자기 차를 세웠다.

"내려오세요!"

"갑자기 왜요?"

"그냥 한번 내려서 저길 봐요"

제프는 하늘을 가리켰다. 어둠이 내린 칠흑 같은 숲 속. 유칼립투스 나무들 너머로 밤하늘이 보였다. 별들이 참 많았다. 지구를 향해 빛 조각을

떨어뜨리고 있는 별이 빛나는 밤은 환상적이었다. 그렇게 별이 많은 밤하늘을 처음 봤다. 도시에 살다 보면 제일 먼저 잊히는 것이 별이다. 도시에선 땅만 보고 산다. 네온 등으로 치장된 도시의 밤은 너무 밝아서 별들이 보이지 않는다. 심하게 말하면, 도시에는 별밤이 없다. 도시에서는 별똥별도 볼 수 없다. 도시는 밤에도 낮이다.

마가렛 리버의 하늘은 장관이었다. 별들은 촘촘했고, 총총했다. 서호주의 조그마한 시골마을은 우주를 향해 열려 있었다. 이런 밤하늘의 진가를 알고 있는 가이드 제프는 여행을 제대로 즐길 줄 아는 사람이었다. 팁을 바라거나 업무처럼 가이드를 하는 사람들에게는 느낄 수 없는 여행에 대한 열정이 제프에게는 있었다. 대체 얼마나 여행을 좋아하는 사람일까.

그는 건축업자였다고 했다. 늘 무언가를 세우고 지었다. 돈도 많이 벌었다. 그런데 뭔가 늘 허전했다. 공사판에 사람 데려다 쓰는 것도 머리 아프고, 공사 자체도 스트레스였다고 한다. 2000년 그는 건설 회사를 접고 JUST 'U' ME & PERTH란 자그마한 여행사를 차렸다.

"건축업이 돈을 더 많이 벌 텐데요?"

"그렇긴 하지만 스트레스 받기 싫어서요. 이렇게 아름다운 지역을 돌아다니는 것이 행복합니다."

먼지 나는 공사판 생활을 청산한 그는 여행지에서도 인터넷이 되나 안 되나 걱정하는 '나 같은' 여행자를 보면 마음이 안타까웠던 모양이다.

"아무 생각 말고 그냥 즐겨봐요!"

그는 말끝마다 "뷰우우우우우우티풀!"을 연발했다. 남반구는 북반구보다 더 많은 별을 관측할 수 있다. 제프는 밤이 낮보다 더 화려하다는 것을 내게 알려주려고 했다. 노을 진 바닷가의 암벽에 올라서서 그는 그리스 신화에 나오는 주인공 같은 포즈를 취하기도 했다.

때로 낮보다 밤이 더 아름답다. 역설적이지만 인간은 낮의 동물이기 때문이다. 인간의 감각 중 가장 발달된 것은 눈이다. 인간의 눈은 카메라 렌즈를 닮았다(사실 카메라는 인간의 눈동자를 보고 만든 것이다). 〈007〉 영화를 보면 첫 장면에 총구가 나오는데 마치 카메라의 조리개처럼 동그랗게 오므렸다가 조여진다. 인간의 눈이 그렇게 생겼다. 인간의 눈은 낮을 위한 눈이다. 야행성 동물의 눈은 다르다. 고양이나 호랑이의 눈을 보면 세로로 눈동자가 길쭉하게 돼 있다. 왜? 빛을 빨리 차단하기 위해서다. 인간의 눈동자처럼 조리개를 조이려면 시간이 걸린다. 그렇지만 세로로 된 눈은 커튼 치듯이 조리개를 확 닫을 수 있다. 이런 동물의 눈은 빛을 빨리 받아들이고 빨리 차단한다.

과학자들에 의하면 눈은 진화의 결정체다. 지구에서 생명의 역사는 36억 년이나 되지만 생명체들이 눈을 가지게 된 것은 그리 오래되지 않았다. 영국의 생화학자이자 과학저술가 닉 레인에 따르면 *눈은 캄브리아기 시대인 약 5억 4천만 년 전에 생겨났다고 한다.

닉 레인, 『생명의 도약』

그때 동물들의 몸집이 커지기 시작했다. 시각이 발달하려면 큰 수정체와 넓은 망막이 필요하다. 들어온 정보를 해석하려면 뇌도 커야 했다. 몸집이 웬만큼 있지 않으면 눈이 발달할 수 없는 이유가 여기에 있다. 인간은 눈이 발달하기 좋은 몸을 가졌다. 인간의 시력은 잠자리보다 80배나 뛰어나다. 우리가 볼 수 있는 눈을 가진 최초의 동물 화석은 5억 4천만 년 전 삼엽충이다. 닉 레인은 "지질학적 시간으로 보면, 캄브리아기 대폭발은 눈 깜짝할 사이에 일어났다. 몇 백만 년도 채 걸리지 않았다. 그러나 진화론적 시간으로 보면 이는 긴 시간이다. 심지어 50만 년만 있어도 눈은 충분히 진화할 수 있다"고 말했다.

그럼 인간은 낮의 동물인데 왜 밤에 감동할까? 사람의 몸에는 희미하게나마 과거의 기억이 새겨져 있다. 우리는 자연, 즉 야생에서 나왔다. 야생이라고 하는 것은 밤의 세계다. 우주에서 태양은 희귀한 것이다. 삼라만상은 어두웠다. 태초는 암흑이었다. 인간도 만 년 전 문명생활을 시작하기 전에는 동물과 마찬가지로 야생에서 살아왔다. 몸은 진화의 시절, 문명 이전의 시절을 기억하고 있는 것이다.

두 번째로, 불과 얼마 전까지만 해도 우리는 밤에 진리가 있다고 믿고 살아왔다. 문명이 시작된 이래로 인간은 밤하늘을 보며 미래를 예측했다. 과학이라는 것의 큰 뿌리는 천체관측이다. 농사를 지으려면 기상을 알아야 하고, 기상을 알려면 태양과 달을 관측해야 한다. 수렵시대도 마찬가지다. 거대한 카리부 떼가 오는 시기, 들소 떼가 지나가는 시기는 계절과 관련이 있다. 계절은 기후와 연관이 있고, 이는 하늘을 보고 짐작할 수 있었던 것이다. 게다가 통치자와 권력자는 하늘을 대신해 백성을 다스렸다. 하늘을 읽는다는 것은 통치를 의미하기도 했다.

그런 역사는 근대까지도 이어져왔다. 밤하늘을 보는 것은 중요한 일이었다. 밤하늘을 보는 것은 과학이었다. 그래서 수많은 나라의 국기에는 별과 달들이 그려져 있다. 별과 달은 종교나 역사에 따라 다른 상징을 가지고 있지만 별을 미래, 또는 희망, 목적으로 봤던 것은 분명하다. 미국 국기에는 별이 50개, 이스라엘 국기에는 1개, 미얀마는 14개, 중국은 5개, 이라크는 3개가 있다. 일본, 우루과이, 말라위, 방글라데시, 대만의 국기에는 태양이 하나씩 그려져 있다. 브라질의 국기에는 천구가 그려져 있다. 오스트레일리아, 뉴질랜드와 파푸아뉴기니의 국기에는 모두 남십자성이 들어 있다. 이슬람 국가의 국기에는 초승달이 있다. 미국의 천문학자 칼 세이건은 *전 세계 국기의 절반 정도에 천문학적 상징물이 들어 있다고 했다.

칼 세이건, 「코스모스」

밤은 겨울과 궁합이 맞다. 겨울은 색이 죽는 시간이다. 색들은 봄에 일어나서 여름부터 죽어간다. 봄은 온갖 꽃들로 다양한 색을 만들어내지만 여름에는 푸른 쪽물로 세상이 뒤덮인다. 단색이다. 다시 가을이면 형형색색의 단풍으로 세상이 알록달록해지다가 겨울에는 다시 잿빛으로 변한다. 겨울은 흑과 백의 세계다. 흰 것은 눈이고, 검은 것은 땅이다. 심지어 추운 날은 바다도 검어 보인다. 겨울은 밤의 이미지를 품고 있다.

일본 니가타에서였다. 밤마다 눈이 내렸다. 검은 나무집들은 지붕마다 산더미 같은 눈을 이고 있었고, 마을 곳곳에서 눈의 무게가 느껴졌다. 설경은 장관이었다. 처음에는 시각적으로만 아름다웠다. 추웠으니까. 하지만 밤 풍경은 더 장관이었다. 아니, 장관이란 말 자체가 시각적인 의미인지라, 대단한 경험이었다는 게 더 옳을 듯하다. 눈 내리는 밤, 노천 온천에 누워 눈을 맞았다. 주위에 움직이는 것은 흐르는 온천수뿐이었다. 눈은 대지에 소복소복 쌓였다.

눈에도 여러 가지 소리가 있었다. 나뭇가지 하나에 마치 레고블록을 쌓듯 눈이 쌓였다. 그러다 바람이라도 불거나 가지가 눈의 무게를 이기지 못하고 훅 처지는 순간 톡 소리가 났다. 젖은 눈은 무거운 소리가 나지만 마른 눈은 바람 소리와 비슷했다. 삼나무 관을 통해 쏟아지는 온천수에서는 유황냄새가 났다. 눈들은 온천수에 닿자마자 녹아내렸다.

두 눈을 감았다. 5분쯤 누워 있으니 물소리, 새소리가 각각의 박자대로, 리듬대로 들려왔다. 함박눈은 콧등에, 어깨에 닿으면서 사라졌다. 온천욕 중 주인이 사케 한 병과 나무바가지를 들고 왔다. '유키미자케雪見酒'를 해보라는 것이다. 유키미자케는 온천욕 중 눈을 보며 술 한잔 하는 것이다. 오직 일본의 노천 온천에서만 느낄 수 있는 정취다. 사케를 온천 귀퉁이에 넣어뒀더니 적당하게 데워졌다. 온천수에 띄운 나무바가지 위에 술잔을 얹어 술을 따르고, 동료에게 바가지를 밀어 보냈다. 그렇게 주거니 받거니 술잔을 돌렸다.

"포석정鮑石亭에서도 이런 식으로 술잔을 돌렸을 텐데……."

사케가 온몸에 퍼져가면서 몸이 온천수처럼 달아올랐다. 천지사방이 눈 천지였다. 눈이 없는 밤에는 달을 보며 술을 마시기도 한다. 이건 '쓰키미자케月見酒'라 불렸다.

귀로 보는 세상, 냄새로 보는 세상은 뇌세포의 다른 부분과 연결된다. 눈을 감으면 상상력을 자극하는 뇌세포가 작동한다. 눈 대신 귀로 세상을 보고, 코로 세상의 냄새를 맡으면 이것이 시가 되고 문학이 된다.

니가타에서는 밤 트레킹을 했다. 눈밭에서 신는 신발인 설피를 신고 허리춤까지 빠지는 산길을 따라가는 것이다. 꽁꽁 얼어 있을 것 같은 개울은 눈 속에서도 졸졸 흐르고 있었다. 밤은 적막하지만은 않았다. 새들이 날갯짓을 하며 솟구치는 소리에 깜짝 놀랐다.

쉬는 시간에 가이드가 눈 속에 미리 박아놓은 사케 한 병을 꺼냈다. 눈밭에 누워서 별을 보면서 마시는 술 한잔의 기쁨은 경험해 보지 않은 사람은 모른다. 밤은 얽매임이 없었고, 해방감을 줬다. 낮은 타인의 시선을 의식해야 하지만 밤은 모든 사람에게 열려 있다. 눈으로는 사람을 판단해도 귀로 사람을 판단하지는 않는다. 청각은 시각과는 완전히 다른 감각이다. 제러미 리프킨은 『공감의 시대』에서 청각은 가장 내면화된 감각이라고 했다. 촉각, 후각, 미각도 존재의 내면을 침투하지만 청각만큼 강력한 경험은 못 된다는 것이다.

낮은 규율의 세상이며 법의 지배를 받는다. 밤은 일탈의 세상이며, 자연의 법칙에 지배받는다. 문화사적으로도 그렇다. 가끔 눈 오는 날이면 일본 니가타의 밤이 생각난다. 그 눈 내리던 날 밤, 온몸의 신경들이 온통 자연을 빨아들였다. 그런 정취는 서양에서는 찾아보기 힘들다.

밤은 로맨틱하기도 하다. 밤의 시작은 일몰부터다. 희한한 것은 밤의 시작점이 가장 시각적으로 화려하다는 것이다. 그래서 웬만한 바닷가에는 선셋 크루즈가 있다. 크리스토퍼 듀드니는 『밤으로의 여행』에서 일몰의 아름다움에 대해 "눈으로 보는 광시곡"이라고 설명했다.

듀드니에 따르면 일몰의 색깔은 보통 낮에 볼 수 없는 색으로 칠해진다. 일몰을 두고 사진작가들은 이렇게 말한다. 단 한 번도 지구상에 같은 일몰은 없다고. 그만큼 색이 다양하고 특이하다. 그래서 일몰 시간을 '매직아워'라고 부른다. 노을은 태양의 장엄한 죽음이다. 낮의 죽음과 밤의 시작이 눈에 아름다운 시간이라는 것은 역설적이다.

밤은 달이 지배한다. 달은 지구의 4분의 1이다. 이만한 몸집의 위성을 달고 있는 태양계 행성은 지구뿐이다. 지구와 달은 서로 무시할 수 없는 존재였던 것이다. 실제로 달은 우리에게 수많은 영감을 주었다. 태양이 남성이라면 달은 여성을 상징했다. 달은 빛으로 세상을 지배하는 게 아니라 그 존재 자체로 세상을 지배한다.

달은 바다를 관장한다. 밀물과 썰물이 달의 인력 때문에 일어난다. 달의 바다는 자궁처럼 수많은 것들을 생산한다. 달은 여성적이다. '달뜨게 한다'는 것은 가슴을 뛰게 한다는 말이다. 달은 가슴 속에 사랑을 돋운다. 함께 달을 본다는 것은 사랑한다는 의미다. 달은 한 달 주기로 차오르다 줄어든다. 태양은 똑바로 쳐다볼 수 없는 너무 먼 존재라면 달은 눈으로 보고 관찰할 수 있는 존재다. 달은 특별하다.

밤은 해방의 시간이기도 하다. 모든 축제의 하이라이트는 밤이다. 로저 에커치는 『밤의 문화사』에서 밤은 위험했으나 낮의 속박을 줄여줬다고 말

했다. 과거 밤은 규율로부터 헐거웠다. 밤은 자유로웠던 것이다. 대신 위험했다. 그래서 유혹적이었다. 과거 많은 나라의 정부가 밤에 돌아다니는 인간을 통제했다. 그러면서도 시민들이 모두 밤을 즐길 수 있는 날을 만들었다. 바로 축제다. 축제는 일탈을 경험하는 공식적인 제의祭儀다. 그래서 축제의 하이라이트는 낮 시간이 아니라 밤이다. 인도 델리와 자이푸르에서 인도인들의 최대 축제 중 하나라는 디왈리 축제를 본 적이 있다. 마을은 밤새 떠들썩했다. 집 안에 있던 모든 사람들이 밤마다 나와서 폭죽을 쏘아댔다. 마치 전쟁이라도 벌어진 것처럼 시끄러웠다. 디왈리 축제는 공인된 일탈이었다.

밤은 노동자들에게는 안락의 시간이자 해방감을 줄 수 있는 시간이었다. 총이나 방망이를 앞세운 경찰의 치안력으로도 밤을 완전히 장악하지 못했다. 사람의 야성은 밤에 살아나는 것이다.

밤은 무한하다. 밤은 색다른 즐거움이다. 밤을 좋아하게 된다는 것은 우주를 향해 마음을 열었다는 뜻이기도 하다. 우주는 밤에서 태어났다. 빛보다 어둠이 먼저 있었다. 우주는 밤이다. 우주가 유한했다면 우주는 환했을 것이다. 끊임없이 빛을 쏘는 태양의 빛으로 가득 찼을 것이다. 그러나 우주는 낮이 될 수 없었다. 우주는 무한하기 때문이다. 우주가 밤이라는 것은 인간도 밤의 지배를 받을 수밖에 없다는 뜻이다.

우리 몸속의 DNA에는 밤에 적응해온 역사가 기록돼 있을 것이다. 그것들을 찾아보는 즐거움, 내 몸의 더듬이들을 일으켜서 세상을 알아가

축제의 하이라이트는 밤이다. 밤을 알면 여행이 두 배로 즐거워진다. 이탈리아 코모 호수.

는 기쁨, 그것이 밤이 줄 수 있는 즐거움이다. 밤을 알면 여행이 두 배로 즐거워진다.

백야

"북쪽에서 누리는 자연의 혜택은 남쪽과는 약간 다릅니다.

이곳의 자연은 냉혹한 환경 속에서 잔뜩 몸을 움츠렸다가 기회를 엿봐 순식간에

흩어져버립니다. 몇 달씩 같은 계절이 반복되는 남쪽과는 달리

너무 짧기 때문에 더욱 매력적입니다."

호시노 미치오, 『여행하는 나무』

나는 시차 적응을 꽤 잘하는 편이다. 해 뜨면 일어나고, 해 지면 잔다. 올빼미 족처럼 밤새 컴퓨터를 붙들고 있거나 밤늦게까지 TV를 보지 못한다. 여행 중에도 그렇다. 낯선 이국땅에서 TV를 틀었을 때 불쑥 튀어나오는 포르노그래피는 여행자를 처량하게 만든다. 일찍 자고 이른 아침에 호텔 주변을 산책하는 게 오히려 즐겁다. 일찍 자고 일찍 일어나는 사람을 경영처세서에서는 '아침형 인간'이라고 하는데, 쉽게 말하면 '농부 체질'이다.

미국에서건 유럽에서건 낮밤이 바뀌어도 나는 무척 잘 적응해왔다. 그런데 이게 안 통하는 여행지가 있었다. 백야의 나라다. 백야를 체험해 보기 전까지만 해도 정말 근사하고 로맨틱할 것으로만 생각했다. 그러나

농부 체질인 나에게는 만만치가 않았다. 해가 지지 않으니 눈이 잘 안 감기고, 눈꺼풀은 무거운데 잠은 안 왔다. 잠을 잘 못 자니 늘 몽롱했다. 영화 〈인썸니아〉 속의 알 파치노처럼 말이다. 알래스카에서 10대 소녀 살인사건을 추적하는 형사 알 파치노처럼 불면증에 시달렸다.

몸은 힘들지만 백야의 나라는 아름다웠다. 알래스카나 핀란드같이 북극권을 끼고 있는 지역의 자연은 웅대했다. 알래스카의 강들은 깊지 않았다. 대지를 적시며 여기저기로 흘렀다. 알래스카의 강은 하류의 강이 아니라 상류의 강이었다. 강이 아직 땅을 깊이 파고들지 않았다. 강의 일생이 있다면 이제 막 태어나서 달리기 시작한 그런 강이었다. 강이 지표면을 훑고 흘러갔다. 사람들의 발길에 닳지 않은 산은 숲의 밀도가 높았다. 나무들로 빽빽했다. 이런 땅에서는 인간보다도 동물이 주인이었다. 북극권의 자연은 척박하고 매서워서 사람들이 터를 박고 살기 힘들다. 그러다 보니 자연스럽게 동물들이 많다. 북극권에서 인간은 왜소해질 수밖에 없다.

알래스카에는 아틱 서클Arctic Circle 투어가 있다. 아틱 서클은 북극권이란 뜻이다. 북극권을 위도로 정의하면 북위 66도 33분 이상의 지역이다. 왜 북위 66도 33분이 극지방이 되는가 하면 일 년 중 하루 이상은 해가 지지 않고, 일 년 중 하루 이상 해가 뜨지 않기 때문이다. 하지에는 해가 지지 않고, 동지에는 해를 볼 수 없다. 아틱 서클은 지구의 가장 광대한 황무지 중 하나다. 독특한 생태계를 지니고 있다. 아틱 서클의 겨울은 영하 50도 이하로 떨어지기도 해서 여행자들의 통행 자체가 불가능하다.

갈 수 있는 때는 여름뿐이다.

아틱 서클에서 한참 떨어진 페어뱅크스가 아틱 서클 관광의 전진기지쯤 된다. 알래스카의 6월은 천지사방이 환하다. 낮의 길이가 가장 긴 하지 무렵에는 밤에도 해가 지지 않는다. 페어뱅크스도 밤낮으로 환했다. 커튼 너머로 새어오는 불빛에 눈을 떠보면 새벽 2~3시. 북녘의 여름 해는 부지런했다. 드러눕지 않고 산 뒤에 웅크리고 있다가 다시 떴다. 오후 5시부터 눈앞에 보이는 해는 한밤중까지 그 자리에 떠 있었다.

태양은 두 가지 방식으로 인간을 지배한다. 적도의 태양은 열기로 사람을 다스린다. 그곳에선 숨이 막히는 열기가 세상을 지배한다. 열기는 온갖 나무와 식물들을 기르고 먹인다. 반면 극북極北의 태양은 열기는 약하지만 햇살을 비추는 시간으로 자연을 통치한다. 적도가 별의 나라라면 극북은 빛의 나라다. 적도의 해가 수직으로 뜨고 진다면 알래스카의 해는 수평으로 이동한다. 수평으로 움직이는 해는 햇빛으로 생명을 길러낸다.

알래스카의 여름 햇살은 여리지만 죽을 줄 모른다. 백야를 보면서 불사조라는 말이 북녘에서 나왔을 것이라고 생각했다. 해가 솟구치지 않으니 알래스카의 여름엔 장엄한 일출도 일몰도 드물다. 대신 온 세상은 빛으로 가득하다. 백야에 익숙하지 않은 여행자는 당혹스럽다. 태양으로부터 숨을 곳이 없기 때문이다. 하루가 밤낮으로 나뉘는 세계와 달리 북극권은 1년을 밤낮으로 나눈다. 인체 시계는 여기에 꼼짝 못한다. 북극을 가리키는 나침반처럼 몸을 북녘에 맞춰야 한다.

아틱 서클 항공투어. 알래스카의 강줄기는 오직 여름에만 흐른다.

알래스카에서 첫 번째로 떠올린 사람은 호시노 미치오였다. 그는 사진가이며 다큐멘터리 작가였다. 알래스카의 아름다움이 아시아에 본격적으로 알려지기 시작한 것은 그의 사진 때문일 것이다. 엄청난 이동을 하는 카리부 떼, 북극곰, 고래를 사냥하는 원주민들……. 극북의 자연과 사람을 그의 사진만큼 감동적으로 표현해낸 사람을 지금까지 보지 못했다. 그의 죽음은 비극적이었다. 1996년 북극곰 촬영을 위해 쿠릴 호반에서 텐트를 치고 자던 중 북극곰의 습격으로 사망했다.

미치오가 알래스카와 극북의 땅을 꿈꾸게 된 것은 열여덟 살 때였다. 헌책방들이 늘어선 도쿄 간다神田 거리의 서양원서 전문서점에 들렀다 알래스카의 사진을 보게 된 것이다. *그는 베링해로 떨어지는 석양에 비낀 아름다운 사진에 반했다고 썼다.

호시노 미치오, 『알래스카, 바람 같은 이야기』

미치오는 사진 캡션에서 '쉬스마레프'라고 쓰인 지명을 찾아내 그 마을에 편지를 보냈다. 'Mayor Shishmaref Alaska USA'. 정확한 번지수도 적어 넣지 않은 편지였다.

내용은 간단했다. 자신은 호시노 미치오라는 학생이다. 책에서 마을 사진을 봤다. 방문하고 싶다. 그런데 아는 사람이 없다. 혹시 초청해줄 수 있느냐. 반 년 만에 답장을 받았다. 그는 1971년 쉬스마레프 사람들의 초청을 받아 알래스카로 떠났고, 그게 인연이 돼 평생 극북의 사진을 찍게 된 것이다. 그러다 곰에게 물려 죽었다. 그의 안타까운 스토리가 알려지면서 그를 좋아하는 일본인들은 수없이 쉬스마레프를 찾았다. 몇 해 전에는 쉬스마레프에 토템폴Totem Pole이 세워졌다. '토템폴'이란 북아메리카 원주민들이 세워놓은 목각기둥이다. 마을의 역사를 동물이나 사람의 모습으로 새겨넣은 이 기둥을 주민들은 신성시한다. 미치오는 그 땅과 마을사람들의 일부가 됐으며 죽어서는 그 땅을 지키는 정령이 됐다고 볼 수 있다.

호시노 미치오, 『여행하는 나무』

그는 *오늘날 인간의 인식 속에서 자유로운 곳은 오직 알래스카뿐이라고 말했다. 사람의 인식보다 자유롭다는 것은 무슨 뜻일까. 알래스카를 향하는 비행기 속에서 나는 내내 그 생각을 했다.

아틱 서클로 가는 길에서 극북의 지형은 대체 어떻게 생겼을까 짐작조차 하지 못했다. 처음 만나는 북극의 표정은 나에게 어떤 미소를 지을까. 황량한 얼음바다를 떠올렸다. 그러나 길을 따라가는 동안 씁쓸해졌다. 길은 송유관을 따라 이어져 있었다. 마치 이라크의 유전지대나 다를 바 없는 그런 길이었다. 이라크 송유관이 사막을 통과한다면 알래스카 송유관은 툰드라 지역을 통과하는 것만 다를 뿐이었다.

아틱 서클로 가는 길의 이름은 달튼 하이웨이다. 페어뱅크스 북단 134킬로미터에서 시작돼 662킬로미터를 달려 데드호스에서 끝난다. 말이 하이웨이지 비포장도로가 대부분이었다. 울퉁불퉁했다. 여름이면 20도까지도 올라가고, 겨울에는 영하 40~50도 이하로 떨어진다. 팽창, 수축작용이 심하니 도로 포장을 해도 견뎌내질 못한다. 길이 편편할 수 없다. 길옆에 파이프라인이 이어져 있다. 파이프라인은 지그재그다. 비뚤비뚤하다. 800마일(1,287킬로미터)이나 되는 송유관 역시 한겨울엔 움츠러든다. 많게는 9.6킬로미터까지 오그라든다고 했다. 송유관이 늘었다 줄었다 하게 하려면 지그재그로 세워놓아야 했던 것이다. 미국 정부가 이 길을 닦은 것은 오로지 석유 때문이었다. 아니면 이런 극북의 땅에다 누가 도로를 건설하겠는가. 오로지 석유를 위해 길을 냈다. 석유가 아틱 서클을 여행지로 만들어준 것이다.

*1968년 알래스카 북단 프루도 베이에서 석유를 발굴했다. 이후 중동발 석유 위기가 터졌다. 미국은 석유 공급을 위해 서둘러 파이프라인을 만들어야 했다. 핵잠수함부터 항공기까지 다양하게 석유를 공급할 수 있는 방법을 찾았다. 결국 도로를 건설하자는 것으로 결론이 났다. 마치 전쟁을 치르듯 급박하게 도로 건설이 시작됐다. 도로는 5개월 만에 완공됐다. 그리고 1974년부터 파이프라인 공사를 시작, 1977년 완공했다. 1981년까지는 산업도로로만 쓰였고, 1994년부터 관광객들도 갈 수 있게 되었다. 달튼은 당시 파이프라인 건설에 참여했던 엔지니어의 이름이다.

남종영, 「북극곰은 걷고 싶다」

이 도로를 달렸던 사람들은 바로 트럭운전사들이다. 그들은 석유수송과 석유채굴현장에 온갖 장비와 음식을 나르는 사람들이다. 도로에서 차가 고장 나면 얼어 죽거나 굶어 죽을 수도 있다. 투어 팸플릿에는 도로 전 구간에 의료시설이 없고, 통신도 제대로 안 된다고 나와 있다. 따뜻한 옷, 구급약, 마실 물까지 준비해야 한다. 그들은 목숨을 걸고 이 길을 달렸다. 사람들은 이들을 '아이스 트러커'라고 불렀다. 도로는 베링해를 10여 킬로미터 남겨두고 끝난다. 더 이상 갈 수 없다.

북극으로 가는 길에서 본 나무들은 키가 작았다. 마치 조림을 한 지

얼마 안 된 것처럼 빽빽한 숲이 이어졌다. 가이드는 검은가문비나무들이라고 했다. 북극에서는 모든 것이 작았다. 큰 것은 북극곰과 동물뿐이다. 나무는 어른 키보다 조금 큰 정도였고, 조금 더 달리다 보면 그나마도 사라지고 황무지와 이끼 같은 초목이 펼쳐진 들판만 보였다. 이런 길이 끝없이 이어졌다. 그러나 햇빛은 얼음 위에서도 풀을 길러낸다. 도로 중간에 내려서 풀밭을 걸어보면 작은 웅덩이를 쉽게 발견할 수 있다.

"저 구멍에 손을 한번 넣어보세요"

토끼굴 같은 구멍을 가리키며 가이드가 웃었다.

"아마 야생동물의 둥지일 텐데……. 뭐가 살고 있을까?"

만져지는 것은 얼음이었다. 얼음 위로 50센티미터 두께의 풀이 자라고 있었다. 얼음에 꽃피운 꽃나무는 신기했다. 가이드는 '퍼머프로스트Permafrost, 영구동토'라고 했다. 아마 풀이 한 뼘 자라기 위해서 1년이나 2년의 세월이 필요할지도 모른다. 수백 년 수천 년을 살 수 있는 풀들이 있다 해도 이 땅에서는 키가 한 뼘밖에 될 수 없을 것이다. 북극권은 그렇게 독특했다. 환경은 가혹했지만 그래도 북극의 생명체들은 질겼다. 거기에서도 민들레꽃이 보였다. 얼음 위에서 꽃이 피고 생명이 자랐다.

북극권에서 가장 여행자를 괴롭게 하는 것은 북극곰일까? 쩍쩍 갈라진 얼음절벽이나 크레바스일까? 탐험가가 아닌 보통 여행자들을 괴롭게 한 것은 다름 아닌 모기였다.

"알래스카에 모기가 있어요?"

모기약을 준비해 오라는 가이드의 말에 반신반의했다. 그러나 여름의

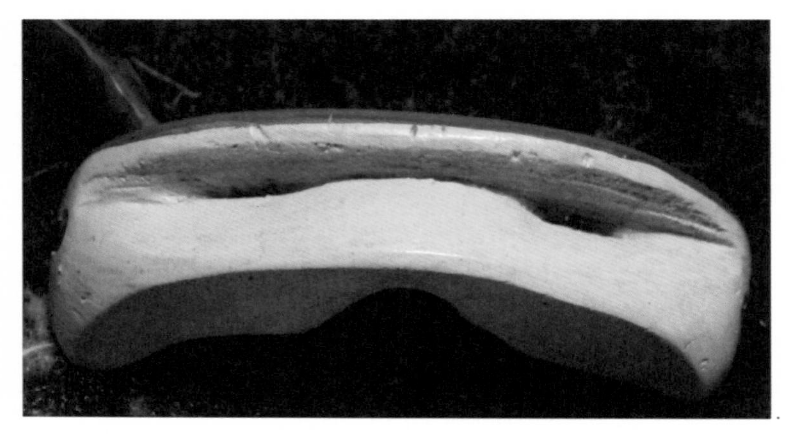

극지방 원주민들의 지혜가 돋보이는 선글라스.

알래스카를 지배하는 것은 모기다. 24시간 해가 뜨면 아무리 볕이 약해도 얼음이 녹는다. 작은 물웅덩이가 생기는데 여기서 모기가 자라는 것이다. 모기는 곰만큼이나 무섭다. 몇 달 살지 못하는 이놈들은 부드러운 살갗을 지닌 포유동물을 보면 미친 듯이 달려들었다.

경비행기를 타고 창공에서 알래스카를 내려다봤을 때, 여름의 알래스카가 물웅덩이의 나라라는 것을 실감했다. 말 그대로 알래스카는 녹는 중이었고, 물웅덩이는 개울로 변해 강으로 흘러들어 갔다. 강인지 웅덩이인지 모를 것 같은 하천도 있었다. 이 강줄기는 오직 여름에만 흘렀다.

여린 햇빛이 여행자들을 늘 피곤하게 했다. 사람은 태양 없이 존재할 수 없지만 태양이 24시간 떠 있는 공간에서도 살기 힘들다. 원주민들은 선글라스도 없이 어떻게 살아남았을까. 박물관에 갔다가 원주민들이 만든 묘한 물건을 하나 봤다. 바로 선글라스다. 나무를 깎아서 눈에 걸게 돼 있는데, 빛이 들어오는 부분을 굉장히 작게 뚫어놓았다. 빛이 없으면 사물을 볼 수 없지만 빛에 오랫동안 노출되면 실명한다. 히말라야를 등정하는 산악인들의 필수품이 바로 선글라스다. 눈에 반사된 빛을 보다 보면 눈이 멀 수 있다. 이걸 설맹雪盲이라고 한다. 북극권 여행에서도 가장 필요한 것 중 하나가 선글라스다. 원주민들은 얼음 벌판에서 눈을 보호하는 게 가장 어려웠을 것이다. 그래서 나무를 깎아 선글라스를 만들었다. 원주민들의 눈이 작고 째진 것은 될 수 있으면 빛을 적게 받아들이는 방향으로 진화했기 때문이다. 처음 원주민 선글라스를 보고 대체 무엇에 쓰는 물건인지 의아해했다. 척박한 환경에서 살아남았던 그들의 지혜가 놀랍다.

사실 북극권에 사는 사람들은 돌 하나 나무 하나도 소중하게 여긴다고 한다. 여행자들에게는 쓸모없어 보이는 것들이 원주민들에게는 다 도움이 된다. 아무것도 없는 설원에서는 돌덩어리 하나가 이정표가 되기 때문에 함부로 옮기지 않는다는 것이다. 유럽인들은 처음 원주민들을 보고 그들을 '에스키모'라고 불렀다. 에스키모는 '날것을 먹는다'는 뜻이다. 그들은 미개하다고 생각했을지 모르지만 거기에도 다 이유가 있다. 신선한 야채가 부족하면 비타민C를 섭취하기 힘들다. 비타민C가 부족하면 괴혈병에 걸리게 된다. 그런데 사냥감을 익히지 않고 먹을 때 바로 동물의 몸속에 들어 있는 비타민 등을 섭취할 수 있는 것이다.

알래스카의 명소 중 하나는 디날리 국립공원이다. 여기서는 극북의 동물들을 볼 수 있다. 알래스카가 사람의 땅이 아닌 야생동물의 천국이라는 것을 알 수 있는 곳이다. 관광청 직원 그레그는 "여기는 야생동물이 사람보다 많다"고 했다.

알래스카 전역에는 곰만 7만 마리 정도 된다고 했다. 7만 마리면 페어뱅크스 인구와 비슷하다. 페어뱅크스 인구는 8만 5천~9만 5천 명인데 이 중 40퍼센트가 군인이니 군인을 빼면 주민들보다 더 많다. 광활한 땅에 사람 수는 적으니 야생의 세계가 날것 그대로 살아 있다고 할 수 있다. 디날리는 북미 최고봉인 매킨리 산해발 6,194미터이 있는 곳이다. 국내 최초로 에베레스트를 등정했던 고상돈이 조난사했다.

디날리는 황량하다. 어찌 보면 적도의 사막지대와 묘하게 닮은 데가 있다. 척박하다. 키 작은 자작나무와 가문비나무가 있는 타이가 지대를 지나면 관목만 남아 있는 툰드라 지역으로 바뀐다. 여기서는 가문비나무와 자작나무만 눈에 띈다. 아틱 서클과 비슷하다. 봄 · 여름 · 가을이 4개월 정도고 나머지는 겨울이다. 그렇다 보니 나무들이 자라는 데 한계가 있다. 툰드라는 이끼 같은 풀과 관목만으로 이뤄진 땅이다. 여름이면 이런 땅에 블루베리들이 지천으로 열리고, 블루베리를 먹기 위해 곰이 몰려온다.

곰들이 블루베리를 먹는다고? 저 조그마한 블루베리를 얼마나 먹는데? 가이드는 곰 한 마리가 하루 20~25만 개의 블루베리를 따먹는다고 했다. 호시노 미치오는 블루베리를 정신없이 따먹다가 곰과 머리를 박치기 할 수 있다고 주의를 주는 원주민들도 있다고 말했다.

이곳에는 여우, 늑대, 산양도 산다. 미치오는 들판을 걷는 그리즐리Grizzly, 곰나 영하 50도의 혹한에서 지저귀는 박새에게 사람들이 눈길을 떼지 못하는 것에 대해, 곰이나 작은 새의 생명을 통해서 무의식적으로 우리 자신의 생명을 보고 있기 때문이라고 생각했다. 살아 있다는 것, 그것 자체가 극북에서는 신비라는 것이다. 생명이 신비 자체였다.

극북은 멀고 거칠고 황량하다. 아름다운 열대 바다나 울울창창한 초록숲과 단풍산이 주는 화려함은 없다. 하지만 거기엔 뭔가 가슴 뭉클한 게 있다. 생명붙이들이 태양과 어깨를 겯고 여름을 난다. *미치오는 백야의 땅 알래스카를 먼저 다녀간 사람들의 이야기를 들려준다. 그는 알래스카를 여행한 사람이 죽기 직전에, 젊은 시절에는 알래스카를 찾지 말라는 이야기를 남겼다고 했다. 인생의 마지막 고비라고 느껴질 때 그곳을 찾아야 한다는 것이다. 나이 지긋한 어른들로부터 젊은 것들은 젊음의 가치를 모른다는 얘기를 수도 없이 들었다. 같은 얘기지만 알래스카에선 그 말이 실감나게 다가왔다. 살아 있다는 것이 정말 행복했다는 것을 아는 것은 바로 죽기 직전일 것이다. 평범하고도 단순한 인생의 진리를, 생에 대한 진리를 알래스카에서 체득했던 것이다.

호시노 미치오,
「알래스카,
바람 같은 이야기」

알래스카의 백야와 다른 표정이 있는 곳이 북유럽이다. 핀란드 투르쿠에서였다. 노천카페에 앉아 술을 마시면서 하늘을 쳐다보고 있었다. 오후 6시쯤부터 맥주를 마시기 시작했는데 식사를 다 하고 나서도 바깥은 여전히 환했다. 오후 8시쯤 됐겠다 싶어 시계를 봤더니 오후 11시가 넘어 있었다. 백야는 햇살이 정수리 바로 위에서 반짝거리는 것이 아니라 오후 6시의 햇빛이 밤새도록 지속되는 것이다.

백야는 어둠과 비교해야 제대로 설명할 수 있다. 어둠과 백야는 동전의 양면과도 같다. 하나가 없으면 다른 하나도 존재하지 않는다. 한국 사람들은 왜 북유럽 사람들이 평소 햇빛만 보면 훌러덩 벗고 나와서 볕을 쪼이는지 굉장히 궁금해한다. 북유럽 사람들의 이런 모습을 보면 고대 잉카나 멕시코인들보다 더 열심히 태양을 숭배하는 것처럼 보인다. 북유럽 사람들이 태양을 이렇게나 그리워하는 이유는 바로 햇살이 그만큼 드물기 때문이다. 극권을 제외하고 핀란드의 헬싱키나 노르웨이의 오슬로 같은 곳에서도 한겨울에는 오전 10시쯤 해가 뜨고 오후 3~4시면 지기 시작한다. 더 북단으로 올라가면 하루도 해가 비치지 않는 곳도 있다. 그래서 북유럽에서는 햇빛이 바로 돈이다.

노르웨이의 피오르 투어 가이드에게 들은 얘기다. 노르웨이에서는 달동네가 가장 비싼 집이라고, 그래서 친구에게 겨울이면 놀러 오라고 전화를 한다는 것이다.

"우리 집에 햇살이 들어오고 있어, 놀러와!"

농담이냐고 물었더니 가이드는 사실이라고 진지하게 얘기했다. 노르웨이에는 햇살이 잘 드는 고지대에 부촌이 많단다. 다른 나라도 대부분 고지대에 부유층이 많이 살지만 대개 경관을 보기 위해서다. 그러나 노르웨이는 햇살이 한 줌이라도 더 들어오기 때문이다.

핀란드와 노르웨이에서 많이 팔리는 상품 중에 '브라이트 라이트Bright Light'라는 것이 있다. 브라이트 라이트는 빛이 발산되는 일종의 난로, 아니 '광로光爐'다. 밤이 계속되다 보니 사람들이 우울증에 걸리기 쉽다. 그래서 빛이 나오는 광로 앞에서 사람들은 하루에 20~30분씩이라도 빛을 쪼인다. 우울증 치료에도 도움이 된다는 것이다.

아르토 파실린나, 『기발한 자살여행』

핀란드 작가 아르토 파실린나는 그의 *소설의 첫머리에 우울증과 백야에 대해 쓰고 있다. 핀란드인에게 가장 중요한 축제는 성 요한절인데 우리로 치면 낮이 가장 긴 하지다. 극권에서는 하지가 축제일 수밖에 없다. 여름이 긴 날이 가장 찬양을 받을 만한 날인 것이다. 이날 사람들은 도심을 떠나 호숫가에 밤새도록 모닥불을 피우고 수영을 하고 뱃놀이를 하며 즐긴다. 성 요한절 축제는 핀란드 사람들에게 치열한 전투와 다름없다. 겨우내 해 보기 힘들 때 우울증에 걸리기 십상인데, 해가 나오면 전국민이 나와 이를 즐긴다는 의미다.

실제로 핀란드 사람들에게 가장 큰 질병은 우울증이다. 겨울이면 광로 같은 얄궂은 기계까지 가져다놓고 아침마다 비춘다. 태양의 땅, 지중해에서는 상상할 수도 없는 일이다.

핀란드에서 크루즈를 타고 에스토니아 탈린을 여행한 적이 있다. 발트해 크루즈는 세계에서도 이름난 크루즈 중 하나다. 이곳 크루즈는 피오르를 보거나 발트해 연안 탈린 같은 고도를 탐방하는 루트로 짜여 있다. 탈린은 한자동맹중세 유럽에서 한자(Hansa)라 불리던 상인단체를 중심으로 결성된 도시동맹 시절 이름을 떨쳤던 중세의 모습이 가장 잘 남아 있는 고도로 불린다. 탈린에 도착했을 때 봤던 면세점은 놀랍고도 우스웠다. 보통 면세점이라고 하면 루이비통이나 샤넬 같은 명품 매장이나 기념품 가게를 떠올리기 십상이다. 그런데 여긴 온통 리커숍Liquor Shop뿐이었다. 즉, 술만 팔고 있었다. 핀란드 내에서는 주세가 비싸기 때문에 주말에 두 시간 거리의 탈린에 와서 싹쓸이 술 쇼핑을 해가는 것이다.

사람들은 바퀴 달린 접이식 수레를 가져와 그 위에 술을 박스째 사간다. 그들의 겨울밤은 외롭다. 대신 백야가 있는 여름은 축제다. 한낮에 반쯤 벌거벗은 청년들이 햇살 아래서 이리저리 뒹군다. 축제란 일종의 성적 에너지를 발산하는 출구다. 잔디밭에 앉아 반바지만 입은 채 키스를 나누는 젊은이들은 백야의 계절이 사랑하기 좋은 계절이다.

백야의 땅에서는 문화도 독특해진다. 핀란드나 노르웨이에서는 명품 매장을 찾기 힘들다. 노르웨이를 여행했을 때 노르웨이는 1인당 GDP가 8만 달러를 넘는 것으로 나와 있었다. 룩셈부르크에 이어 세계 2위였다. 이렇게 부유한 사람들이 사는 나라에 희한하게도 명품 매장이 없었다.

대만 작가 황스자는 『북유럽의 매력』에서 명품을 입고 다니면 오히려 이상한 시선을 받을지 모른다고 썼다. 북유럽 사람들은 프랑스 남부의 햇살과 이탈리아의 찬란한 태양을 부러워하지만 루이비통이나 아르마니를 부러워하지 않는다. GDP가 그렇게 높은 노르웨이에서 루이비통 매장은 2006년 말에나 생겼다.

왜 그럴까? 밤이 길고 춥기 때문에 멋보다는 기능이 더 중요했을 것이다. 멋 내다가 얼어 죽는다는 말이 딱 맞는 곳이 바로 북유럽이다. 한여름에는 멋도 낼 수 있는 것 아닌가 궁금해하는 사람도 있을 것이다. 우습게도 한여름에는 최대한 햇살을 많이 쏘이려 하기 때문에 옷을 입는 것보다 벗는 데 더 관심이 있는 듯 보인다. 북유럽 디자인을 한마디로 표현하면 '심플'이다. 늘 실용적이고 간편한 것을 추구한다. 디자인을 보면 그들의 정신을 알 수 있다. 그들은 거추장스러운 것을 불편해한다. 어둠이 그들의 문화를 형성시켰다. 겉멋이 아니라 기능이 중요한 것으로.

핀란드 헬싱키에 가면 알바 알토가 디자인한 제품을 파는 가게가 있다. 알바 알토는 핀란드에서 가장 이름난 건축가다. 그는 가구도 디자인했다. 그 가게에 가면 30년 전의 테이블 다리와 지금 나오고 있는 테이블의 다리를 교환해서 쓸 수 있을 정도로 단순화 된 제품을 볼 수 있다. 그들은 단순함에서 멋을 찾았다. 장식적이지 않고 자연스럽다. 게다가 원목 같은 자연적 질감이 많이 나는 재료를 쓴다.

이토 다이스케는 핀란드 디자인을 다룬 책 『알바 알토』에서 여행자의 낭만주의가 북극에서는 통하지 않는다고 했다. 한 번 왔다 가는 사람들이야 낭만적이라고 느낄지 모르지만 거기에 뿌리를 박고 사는 사람들은 감상적으로는 살 수 없다는 것이다. 그래서 디자인과 건축이 기능주의적이 아니라 기능적일 때 낭만주의가 나타날 여지가 있을 수 있다고 했다. 그들은 햇살이 아까운 줄 안다. 백야에는 온통 야외로 뛰쳐나간다. 운동하고, 즐기고, 파티를 열며 사는 것이다. 그것이 그들에게 남겨진 태양이 주는 즐거움이다.

태양은 자기 방식으로 인간을 길들였다. 백야의 나라에서 마주하는 태양은 우리 땅의 산과 들녘에서 아침마다 뜨는 그 태양과 다르다. 거기서는 '로맨틱'이라는 말도 다른 차원의 매력이다. 눈부시게 환한 여름 햇살, 그게 로맨틱한 것이다. 그런 날 그들은 태양을 위해 벗는다. 태양의 축복을 받기 위해.

로맨스

"라라, 호르몬이 어떻게 늘 우리를 속일 수 있는지 알면 놀랄걸.

이 우주에서, 모든 것이 불안하고 무상한 우주에서, 개들의 사랑보다 더 쉽게

변색되는 것은 아무것도 없을걸."

알렉산드로 보파, 『넌 동물이야, 비스코비츠!』

여행자는 누구나 로맨스를 꿈꾼다. 우연히 아름다운 여인을 만나지 않을까? 마치 영화의 주인공처럼 말이다. 아내나 애인이 있는 사람들도 비슷하다. 영화를 보면 꼭 여행지에서 갑자기 아름다운 여인이 나타나 뭔가 이뤄지지 않는가. 물론 여자들도 마찬가지로 멋진 남자와의 로맨스를 꿈꾼다. 여행은 여행자의 마음을 확 풀어놓는 힘이 있다. 여행작가 빌 브라이슨도 그런 상상을 했다는데 결과는 늘 그의 뜻대로 되지 않았다. 그는 『발칙한 유럽산책』에서 여인은커녕 틈만 나면 자신에게 전도를 할 것처럼 기회를 노리는 광신자와 함께 자리를 앉은 경우를 유머러스하게 묘사하기도 했다.

아름다운 여인? 영화 같은 인연? 그러나 실제 상황은 반대일 경우가

더 많다. 미모의 여인이 비행기 옆자리에 앉을 확률은 로또 1등 당첨만큼이나 어렵다. 십수 년 여행 기자를 하면서 해외 출장을 많이 다녔지만 옆자리에 나와 비슷한 또래의 여성이 앉은 적도 드물다. 몸무게가 100킬로그램이 넘는 여성이 앉아서 코끼리 다리 같은 팔뚝으로 좁은 내 어깨를 압박하는 경우는 종종 있었지만 20~30대 미모의 여인은 없었다. 그래서 이런 엉뚱한 생각까지 들 정도였다.

"항공사 매뉴얼에는 남성과 여성 싱글 여행자를 함께 앉히는 것을 금지해놓은 것 아닌가. 남자는 남자대로, 여자는 여자대로가 국제항공규칙인가?"

나는 외국의 기자들과 함께 여행할 기회가 많았다. 외국 관광청이 세계 각국의 여행 기자를 초청해 자국의 관광지를 홍보하는 행사 때문이었다. 그 속에는 미모의 금발 미국 여기자도 있고, 지적이고 유머러스한 유럽 여기자도 있었다. 홀딱 반할 만한 미모의 관광청 직원이나 가이드와 1주일씩 동행하기도 했다. 그러나 여러 번 이들과 다녔지만 다행스럽게도(?) 스캔들은커녕 "얘들이 나를 무시하고 있는 거 아냐, 아니면 내가 '왕따' 당하고 있는 건가" 하는 생각이 들 때가 훨씬 많았다.

아시아 남자 기자는 그들에게 별로 매력적이지도 않고 인기도 없는 편이다. 가장 인기 없는 아시아 기자의 국적을 꼽으면 한국, 중국, 일본 즉 동아시아 3개국이다. 인도네시아나 필리핀 기자보다 인기가 없다. 1인당 GDP나 소득수준을 놓고 사람을 평가하기 십상인 한국 기자는 이런 상황을 잘 이해할 수 없었다. 나도 그랬다.

프랑스에서였다. 인도네시아에서 왔다는 젊은 남자 기자가 남미와 프랑스 여기자들과 잘도 어울렸다. 인도네시아의 부유층 자제쯤으로 보였는데, 한국 기자의 관점에서 보면 도저히 기자 냄새가 안 나는 녀석이었다. 그런데 녀석은 이 사람 저 사람 쫓아다니면서 농담도 잘했고, 친절했다. 다국적 기자 그룹 내에서도 꽤 인기가 있었다. 반면 동아시아 3국 기자는 인기는커녕 꿔다놓은 보릿자루 같았다.

중국과 일본 기자가 인기 없는 이유는 대충 짐작할 수 있다. 대부분의 중국 기자는 자존심이 무척 강했다. 이들은 세계의 중심은 중국이라는 확고한 신념이 있는 듯했다. '차이니스 스탠더드중국 표준'를 '월드 스탠더드세계 표준'로 여기는 것 같았다. 이런 문화의 차이로 당황스러울 때가 있었다. 스위스에서였다. 중국 TV 방송국의 한 기자가 다가오더니 내 목에 걸려 있는 이름표를 손으로 끌어당겨 앞뒤로 들춰보더니 중국말로 뭐라고 속사포처럼 쏟아댔다. "실례합니다"라거나 "헬로"란 인사는 없었다. 일면식도 없는 사람이었다. 황당하고 어이없었다. 첫 만남에서 내 이름을 훑어보고 혼자 중국어로 떠드는데 마음이 편치 않았다. 옆에 있던 유럽 기자가 나보다 더 놀랐다. 어리둥절하고 있는 사이에 그들은 당당하게 사라져버렸다. 그러고 보면 중국인들은 미국 · 유럽인에게 '왕따' 당하는 것이 아니라 오히려 그들을 '왕따' 시킨다. 중국인은 유럽인이든 미국인이든 다 무시하고 만다.

반면 일본인은 부끄럼 많이 타는 사춘기 소년 같다. 이들은 늘 조용조용하며 예의바르다(물론 예의 없는 젊은이들도 있다). 이들로부터 듣는 말은 '하이예'와 '스미마셍미안합니다' 등 몇 마디 안 된다. 일본인들은 일본인들끼리 뭉친다. 그들은 약속시간도 칼같이 지키고 칼같이 사라진다. 함께 왔다가 함께 떠난다. "난 사람 사귀는 데 관심 없어!" 하는 것 같다. 외국인과 잘 어울리려 들지 않는다. 일본 기자들은 교과서만 들고 다니는 모범생같이 조용하고, 취재 후에는 제 방에서 논다.

다음은 한국의 남자다. 잘 어울리려 하고 농담도 던져보고 사귀어보려고 하지만 결국 인기는 없다. 5명의 여기자와 5명의 남자 기자가 한 그룹에 있다고 치자. 중국, 일본인들을 제외하면 제일 인기 없는 기자가 바로 한국 남자 기자(여성은 인기 높다. 아시아에서든 유럽에서든 한국 여인들은 예쁘다는 이야기를 많이 듣는다)일 가능성이 높다. 왜 그럴까? 나중에 조금 친해진 외국인들로부터 이런 핀잔을 듣고 나서 알았다.

"왜 한국인들은 자기 이야기를 하지 않고 자기 나라 이야기만 해?"

정말 그렇다. 해외여행 가면 외국인들과 만나서 30분을 못 넘기고 꼭 이런 얘기를 꺼낸다.

"우린 1인당 GDP가 2만 달러를 넘는데, 너희는?"

"몰라. 난 경제부 기자가 아니라 여행 담당 기자라서……."

유럽 기자들 중 자기 나라 GDP에 대해 아는 사람은 거의 없었다.

"삼성, LG는 일본 기업이 아니라 한국 기업이야. 휴대전화, TV 저거 다 한국 제품이야."

"그래, 삼성, LG는 유럽에서 인기야…."

그들의 대답은 무덤덤했다. 마음속으로는 '그래서 뭐 어쩌라고?' 했을 것이다. 어차피 요즘 대기업은 다국적 투자를 받고 있다. '메이드인 코리아'든 '메이드인 재팬'이든 그들에게는 별 차이가 없다. 마치 어린아이 장난감 자랑하는 것처럼 보일 것이다.

한국 사람들은 올림픽이나 월드컵에 나온 국가대표 선수 같다. 우리나라, 우리나라 제품 자랑에 열을 올린다. 누가 먼저 이야기를 꺼내지 않는 한 독일인들이 BMW나 벤츠 자랑하는 것을 못 봤다. 스위스 사람들은 누가 먼저 스위스 시계에 대해 묻기 전에 스위스 시계의 우수성에 대해 열변을 토하지 않는다.

왜 한국인들은 '우리나라'를 입에 달고 살까? 삼성, LG, 현대자동차에 다니지 않는 사람도 삼성, LG, 현대자동차를 들먹인다. 결론은 그렇게 배워왔기 때문이다. 박정희 정권 때 초등학생들에게도 〈국민교육헌장〉을 외우게 했다. 암기력이 동급생보다 떨어졌던 터라 많이 얻어터지면서 외웠다. 그런 교육을 받았으니 습관적으로 '민족중흥과 역사적 사명감'에 불타서 우리나라 얘기로 빠지는 것이다(게다가 〈국민교육헌장〉은 일본 메이지 시대의 메이지 교육칙어를 그대로 따왔다는 비판을 받았다). 만약 내 아이들에게 "아빠는 민족중흥의 역사적 사명이란 짐을 지고 태어났단다"라고 하면 틀림없이 '피식' 웃으며 이렇게 대답할지 모른다.

"민족중흥과 인류공영이라니 아빠가 무슨 〈매트릭스〉의 네오예요!"

지금 생각해보면 웃음이 나오는 일이지만 그때는 정말 그랬다. "너는 행복하게 잘살기 위해 태어났단다"라고 말해주는 선생님도 교과서도 없었다. 개인은 집단을 위해 희생해야 한다고 배웠다. 개인의 희생이 국가에 대한 충성이고 국민의 의무라고 말이다. 그러니 나라가 하는 일에는 꼬치꼬치 따지면 빨갱이가 되고 나쁜 놈이 되는 거였다. 해외여행을 가서는 올림픽 국가대표 선수로 나서야 한다는 강박관념을 가질 필요가 없다. 조국과 민족도 잠시 잊어도 된다.

캐나다 정부는 자국의 관광지를 홍보하기 위해 매년 세계 각국의 기자들을 모아 행사를 벌인다. 기자들이 여행하고 싶은 지역에 대해 설문조사를 받은 뒤 5~6명 단위로 10~20개 정도의 팀을 만들어 여행한다. 여행이 끝나면 모두 한자리에 모여 컨퍼런스를 연다. 내가 속한 팀에는 캐나다 여기자, 호주의 여자 사진가, 독일 남자 기자와 여기자가 있었다. 캐나다 여기자는 꽤 아름다웠다. 호주 사진가 역시 미인이었다. 키는 165센티미터 정도 됐는데, 그녀는 이혼했다고 말했다. 독일 여기자는 30대 초반 정도였는데 세계적인 모델 클라우디아 쉬퍼를 연상시켰다. 키는 180센티미터 안팎으로 늘씬했다. 게다가 눈부신 금발이었다. 이런 미모의 여기자 그룹에서 한국인이 인기가 있을 리 없다. 영어 짧고 숫기도 없는데다가 평범하게 생긴 내가 그들과 잘 어울릴 수 있을까 걱정까지 됐다.

그런데 수없이 많은 여행에서 인기 없는 외톨이였지만 희한하게도 나는 그 그룹에서 꽤 인기가 좋았다. 물론 그때가 처음이자 마지막이었다. 이유는 별 거 없다. 국가대표로 나서지 않았던 것이다. 민족과 국가 대신 사소하고 시시한 것들만 이야기했다.

"음악에서 '홍키통크'라는 것을 도대체 모르겠더라, 무슨 뜻이야?"

"초이, 그건 돌리 파튼의 노래 같은 것이라고 생각하면 돼"

"네 사진은 달라 보여. 너무 아름다워. 나는 같은 눈을 달고도 왜 너 같은 사진을 못 찍지?"

"초이, 그냥 네 생각대로 찍어. 나와 같이 다녀볼까."

외국 여기자들과 나는 죽이 잘 맞았다. 며칠 이들과 여행한 뒤 밴쿠버에서 다른 한국 기자와 관광청 직원들과도 만났다. 한국 기자들과 함께 앉아 있는 테이블에 호주 사진가가 여러 번 찾아와서 "코리안 그룹과만 있지 말고 자기 테이블로 오라"고 재촉했다. 밤에 네다섯 명의 기자들이 캐나다 여기자의 침실에 모여 수다를 떨기도 했다. 영어가 짧아서 농담에도 해석이 필요했지만 그들은 10년쯤 만난 동창처럼 챙겨줬다. 펍에서는 캐나다 여행사 여사장을 만나 얘기를 나누기도 했다. 그는 사업에 자신이 없다며 왈칵 눈물을 쏟아내 나를 당황스럽게 했다. 동료 한국 기자들은 오히려 이상하게 생각했다.

"한국 기자가 어떻게 외국인 백인 금발 여자와 어울릴 수 있지?"

영어 짧고 똥배 나왔어도 잘 어울릴 수 있는 방법은 '역사적 사명감'을 떨쳐버리는 것이다, '지구는 내가 지켜야 한다'는 신념도 버려야 한다. 학회 세미나에서나 할 얘기도 하지 말자.

"천안함과 연평도 사건으로 미뤄 보아 남북관계는 상당한 긴장관계를 유지할 것 같고. 한국은 동북아에서 미국과 일본, 중국, 러시아 등의 세력권도 무시할 수 없고……."

"세계 경제위기 속에서 유럽은 수출 상황이 어떻습니까. 한국은 부동산 값이 비싸 버블이 올지도 모르는데……."

"아프가니스탄 전쟁에서 많은 군인들이 죽었고 민간인 학살도 일어났는데 너희 나라 여론은……."

"아랍의 민주화가 유럽에 미치는 영향은 어떤 겁니까. 혹시 난민들이 넘어오거나 극우파가 득세하지는 않을까요……."

소개팅 나가서 이런 얘기를 꺼냈다가는 '재미없고 지루한 사람'이라 낙인 찍히고 애프터 신청을 해도 퇴짜 맞을 게 뻔하다. 마찬가지다. 외국인들에게도 엉뚱하고 너무 진지한 사람으로 보일 것이다. "삼성과 LG가 노키아를 곧 능가할 수 있고……" 이런 얘기에 대한 반응 역시 뻔하다. 옆에 OX를 알리는 부저가 있다면 "땡! 당신은 X입니다"라는 평가를 받을 것이다.

미인의 기준도 나라마다 다르다. 가끔 외국인들이 아름답다고 하는 아시아인들을 보면 우리 기준과는 약간 달라 보인다. 째진 눈, 튀어나온 광대뼈……. 물론 개인마다 취향이 다를 수는 있다. 우디 앨런이 순이 프레빈의 성격과 늘씬한 몸매에 빠졌다면 이해가 간다. 그런데 만약 "순이 프레빈의 얼굴이 예뻐서"라고 한다면? 고개를 갸웃거릴 것이다. 아프리카의 족속은 귀를 크게 뚫는 것을 미인이라고 하고, 미얀마의 밀림 부족은 목에 많은 목걸이를 끼운 여인이 미인이라는 너무 먼 나라의 이야기는 미뤄두자. 극단적인 미에 대한 시각을 제외하더라도 유럽과 미국에서도 남녀를 보는 시각이 달랐다.

한국 여기자들과 함께 유럽에 갔을 때였다. 여기자 중 하나가 짧은 반바지에 긴팔 후드티를 입고 나왔다. 처음에는 눈치 채지 못했지만 현지 가이드 중 하나가 그녀를 이상한 눈으로 봤다. '혹시 이놈들이 응큼하게 여기자에게 마음이 있는 것 아냐?'

그래서 슬그머니 물어봤다.

"그 여자 참 예쁘게 생겼지?"

"그렇긴 한데 패션이 참 독특해?"

"무슨 소리지?"

유럽인들은 그런 '과감한' 옷차림을 안 한단다.

"무슨 소리야. 가슴 다 드러내 보이며 다니는 여자들도 숱하게 많던데, 반바지가 뭐 어떻다고?"

"글쎄, 우린 그렇게 입으면 다른 사람들로부터 오해를 살 수 있어."

의문은 프랑스 소설가 미셸 투르니에의 책에서 풀렸다.

투르니에는 『예찬』에서 미국 스타들은 풍만한 젖가슴을 강조하는 반면 프랑스는 캉캉 춤에서 알 수 있듯이 하체의 섹시함을 강조한다고 했다. 미국과 캐나다 등에서는 남자들이 여성의 가슴에서 섹시함을 느끼고, 유럽에서는 골반과 다리에서 성적 매력을 느낀다는 것이다. 이 해석은 맞다, 틀리다를 떠나서 재밌다. 유럽 사람들이 짧은 반바지 여기자를 두고 거리의 여자 같은 과감한 패션이라고 생각한 것도 이 때문일 것이다.

유럽에 가면 엉덩이와 미끈한 다리를 가진 여자가 더 미인 대접을 받고, 미국에 가면 가슴 큰 여자가 더 섹시한 것으로 인정받는다고 해석할 수 있다. 아무 생각 없이 짧은 반바지에 긴 소매 옷을 입고 나간다면 남자들을 유혹하려고 나온 여자로 오해받을 수도 있다.

투르니에의 관점에 비춰보면 한국은 미국의 영향을 받은 것 같다. '글래머Glamour'는 영어로는 화려함, 부유함을 나타낸다. 불어로는 성적 매력을 뜻한다. 한국에서는 가슴 큰 여자를 의미한다. 한국인도 가슴에 집착한다. 최근에는 '베이글'이란 말도 나왔다. '얼굴은 베이비, 가슴은 글래머' 뭐 이런 뜻이란다. 그래서 젖가슴 수술을 하는 사람도 많다. 젖가슴을 향한 남자의 성적 욕망이 다리를 향한 성적 욕망보다 강한 것 같다.

그렇다면 여자가 보기에 남자들은 어떨까. 여성에게 가장 인기 있는 남성은 대개 매너 좋은 남성이다. 캐나다 여행 도중 외국인들이 이구동성으로 멋있다고 생각하는 기자가 있었다. 그는 10여 명의 여인들에 둘러싸여 대화를 나누고 있었다. 우리 팀에 그를 아는 여기자가 그는 매너 좋은 남자라고 했다. 여자들이 끌리는 남자는 대개 예의 바른 남자다(나쁜 남자 이야기는 뒤에 하자).

사회문화적으로 수많은 해석이 있을 수 있겠지만 진화학자들의 해석은 이렇다. 여성은 한 사람이 평생 300~500개 정도의 난자를 생산한다. 남자는 하룻밤에 1억 개의 정자를 만들어낸다. 여성은 자신의 성세포 하나하나에 더 많은 투자를 한다. 여성이 평생 만들어낼 수 있는 난자 300~500개 중 많아야 20개 정도 수정할 수 있다. 갓난아이를 키우는

사랑에도 과학의 법칙이 작용한다. 일본 시가고겐.

데도 여자는 엄청난 희생을 치러야 한다. 나이가 찰 때까지 기르고 그 후에도 보살피는 데 10여 년 이상 걸린다.

동물의 세계도 마찬가지다. 학자들은 어차피 번식의 목표는 후세에 자신의 DNA를 전달하는 것으로 본다. 그러니 수컷은 유전자를 전달하려면 그야말로 무조건 씨를 많이 뿌려야 한다. 그러나 암컷의 사정은 다르다. 암컷이 섹스에 주저하는 것은 수컷과 달리 희생이 클 수밖에 없기 때문이다. 그리고 한 마리를 키우는 것도 어려운데 여러 마리를 한꺼번에 키운다면 모두 강한 새끼로 키우기 어렵다. 약육강식의 정글에서 도태될 것이다. 그래서 터울을 자연스럽게 조정하게 되고 '수컷이 진지하게 새끼를 기르는 데 도움을 줄 만한 놈인가 아닌가'를 보는 것이다. 사람의 성생활도 마찬가지다. 여자는 남자를 볼 때 본능적으로 믿을 만한 수컷인가, 단물만 빼먹고 내빼지는 않을까 고민하게 된다. '얼마나 나를 지켜줄 수 있고 성실한가'를 보게 된다. 매너 좋은 남자를 좋아하는 것, 자신에게 '올인' 해줄 수 있는 남자를 원하는 것은 여자의 동물적 본능이다. 여기에 이런 반발도 있을 수 있다.

"매너는 무슨……. 실제로는 돈 많은 남자에게 끌리는 거 아닙니까?"

여기에 대해서도 과학자들은 이렇게 설명한다. 아무리 착한 놈이라도 능력이 없으면 새끼를 먹여 살리지 못한다. 여자가 남자에게 원하는 것은 처자식을 먹여 살릴 수 있는 능력이다. 동물세계도 마찬가지다. *애스트리드 코드릭 브라운과 제임스 브라운은 수사슴의 뿔을 들어 설명했다. 수사슴의 뿔은 엄청난 양의 칼슘, 인, 열량을 투자한 결과물이다. 그런데 수사슴은 해마다 이 뿔을 갈아 치운다. 영양 상태가 아주 좋은 수컷만 이렇게 할 수 있다. 성숙하고, 사회적으로 지배적 위치에 있으며 기생충이 없는 수컷만이 좋은 뿔을 가질 수 있다. 인간 세계에는 이렇게 적용할 수 있다. 포르셰나 벤츠를 타고 명품 옷을 입고 있다면 자본주의 사회에서 성공한 수컷으로 볼 수 있다. 그들은 그만한 능력이 있다. 그러니 여자들이 끌리는 것이다.

재래드 다이아몬드, 『섹스의 진화』

그럼 미남에게 끌리는 것도 과학적으로 설명이 가능할까. 거기에 대해서는 이런 해석들이 나온다. 먼 선사시대에 얼굴에 흉터가 있거나 일그러진 얼굴을 가진 사람은 질병에 잘 걸리거나, 제 자신을 제대로 돌

볼 줄 모르는 사람으로 보였다. 당시에는 한 번 아프면 일어서기 힘들었을지도 모른다. 멀쩡하고 허우대 좋고 잘생겼다는 것은 먼 옛날에는 우수한 종자라는 뜻이며, 남자의 DNA를 받아들여도 무방하다는 뜻이다.

섹스의 세계는 오묘하다. 머리로도 본능으로도 다 알 수 없다. 늘 궁금했던 것 중 하나는 '여자들도 포르노를 좋아하는가'였다. 네덜란드에 가면 한밤중에 포르노에 가까운 영화가 흘러나올 때가 있다. 비행기를 놓치고 암스테르담 공항에 있는 호텔에서 하루를 묵었는데 참 야한 영화가 나오고 있었다. 포르노에 가까웠다.

"여자들도 저런 걸 볼까? 그런 걸 누구에게 물어볼 수도 없고……."

남성은 여성의 몸에 더 자극적으로 반응한다. 여성도 남성의 몸에 대한 성적 반응이 남성과 같을까. 《플레이보이》같이 여성의 누드를 실은 잡지는 있어도 남성이 벗고 나오는 누드잡지는 드물다. 그건 여자들은 남자들과는 다르다는 뜻이 아닐까.

도널드 시몬스는 『섹슈얼리티의 진화』에서 남자의 누드잡지의 주요 소비자는 동성연애자라고 썼다. 여성의 누드를 보여주는 사진에 남자들의 52%는 성적자극을 받았지만, 남성의 누드를 보여주는 사진에 여성들은 12%만 성적자극을 받았다는 여론조사 결과도 있다. 결국 여자의 마음을 얻으려면 매너가 좋아야 한다는 것이 과학적인 진리인 셈이다.

물론 나쁜 남자도 좋아할 수 있다. 그렇다면 드라마에서 보는 나쁜 남자에게 여자는 왜 끌리는 걸까. 정확하게 표현하면 강한 남자라는 의미가 맞다. 사자 사회에서 수컷은 아무 일도 하지 않고 암컷들을 보호하고 새끼만 낳으며 집단의 우두머리로 살아간다. 그러니까 다른 집단으로부터 보호해줄 수 있는 강한 남자도 원하게 되는 것이다. 현대 사회에서 강한 남자는 어떤 남자일까. 돈 많고 권력 있는 사람들이 아닐까. 어쩌면 돈과 권력에 여자들이 꼬이는 것도 이런 원시적인 생존본능 때문이라고 할 수 있다. 드라마 〈시크릿 가든〉의 현빈이 '까도남까칠한 도시 남자'이지만 매력이 있는 것은 그의 재력과 한 여자에 올인 하는 부분 때문이다. 여자들은 그런 남자를 좋아하게 진화했다. 그게 정글의 법칙이자 야생의 법칙이었다. 드라마에서 능력 없는 남자가 한 여자에게 올인 하는 모습은 그리 아름답게 그려지지 않는다. 왜, 여자들에게 호소력이 없기 때문이다.

마지막으로 섹스에 대한 재밌는 관점 하나. 사람들은 모든 기준을 우리 눈에만 둔다. 그런데 과학자 출신의 소설가 알렉산드로 보파는 『넌 동물이야, 비스코비츠!』에서 동물의 관점에서 섹스를 이야기한다. 만약 당신이 수사슴의 우두머리라면 모든 종족이 보는 앞에서 섹스를 해야 한다. 왜냐하면 그들의 우두머리로 그들을 지켜야 하기 때문이다(하긴 빅토리아 시대 때만 해도 하인들이 침대맡을 지키고 있는데 귀족들은 섹스를 했다). 만약 사마귀라면 즐겁게 섹스를 한 다음에 부인에게 자신의 몸을 내줘야 한다. 암사마귀는 교미 후 수사마귀를 머리부터 아삭아삭 씹어먹을 것이다. 수사마귀는 새끼에게 좋은 양분이 되는 걸로 장엄한 최후를 맞는다. 다시 번식을 시도하는 것보다 자신의 몸을 암컷이 먹게 해 자식에게 영양분을 공급해주는 것이 유전자를 다음 세대에 전달하는 데 진화학적으로 더 이득이다.

가장 재미있는 것은 달팽이의 섹스 장면이다. 달팽이는 암수 한몸이다. 자신의 몸에 남녀가 함께 있는 까닭에 자신의 몸을 스스로 애무하고 섹스 한다. 스스로에게 반하고 스스로 오르가슴을 느낀다. 자위행위가 아닌 실제 행위를 스스로 하는 것이다. 달팽이는 그리스 신화에 나오는 나르시스다. 자신을 보고 자신에게 반하는 것이다. 그래서 거울을 보고 "나 정말 괜찮지 않아?"라고 말하는 여자들은 암수동체인 달팽이 과라고 말할 수 있다. 그럴 때 맞장구를 쳐줘야 한다. 트집을 잡았다가는 눈치 없는 남자가 되기 십상이다.

세상에는 정말 많은 로맨스가 있다. 그리고 많은 섹스가 있다. 인간들이여! 좁은 눈으로 보고 그게 세상의 전부라고 생각하지 말지어다. 여행자들이여! 로맨스에 대한 헛된 꿈을 꾸지 말지어다.

에티켓

"포크를 이용한 식사는 우스꽝스러울 정도로 까다로운, 그리고 남자답지 못한 것으로 여겨졌다. 나아가서 포크는 위험한 것으로 여겨졌다. 처음에는 2개의 날카로운 날만 있었기 때문에 자칫하면 입술이나 혀를 찔릴 위험이 컸으며 술을 마신 까닭에 조준능력이 떨어지는 사람들의 경우에는 더욱 그러했다."

빌 브라이슨, 『거의 모든 사생활의 역사』

해외출장을 갈 때마다 꼭 현지에 물어보는 게 있다.

"혹시 드레스코드Dress Code가 있는 행사가 있나요?"

드레스코드란 복장 규정이다. 출장 여행은 어김없이 관광청 관계자와 디너가 있다거나 공연 프로그램이 끼어 있다. 이런 자리에서는 아무래도 예의를 지켜줘야 한다. 다른 비즈니스와 달리 여행 관련 업무는 특성상 엄격하게 정장을 요구하는 곳은 없다. 드물게 넥타이에 정장을 요구하는 곳도 있지만 대개는 비즈니스 캐주얼 정도면 된다. 비즈니스 캐주얼이란 면바지에 재킷 정도 입으면 된다는 뜻이다.

캐나다의 '캘거리 스탬피드Calgary Stampede'를 취재할 때였다. 캘거리 스탬피드는 북미대륙에서 가장 큰 로데오 경기 중 하나다.

"드레스코드는 뭐죠?"

"청바지에 목깃 있는 면 셔츠 정도면 됩니다. 카우보이 모자는 거기서 줄 거예요."

드레스코드가 청바지라는 얘기를 들으니 불안해졌다. 주로 댄스파티에나 드레스코드가 청바지이기 때문이다. 이런 파티에서는 블루, 옐로처럼 색깔을 드레스코드로 내세우는 경우도 있다. 나 같은 몸치에겐 댄스파티는 부담스럽다. 게다가 청바지도 없었다.

"차라리 정장이 낫지……."

관광청은 댄스파티 때문은 아니고, 축제 참가자들이 대부분 카우보이 모자에 가죽부츠, 청바지 차림을 한다고 했다. 흥미로웠다.

축제 하루 전날 캘거리에 도착하고 나서 깜짝 놀랐다. 호텔 로비의 호텔리어들도 모두 카우보이 모자에 청바지 차림이었다. 식당에서 서빙하는 종업원들도 마찬가지였다. 거리에는 이미 카우보이들이 넘쳐났다. 취재진도 카우보이 모자를 써야 했다. 길거리 소시지 가게 상인들도 카우보이였고, 나이 든 노인들도 카우보이 모자를 쓰고 거리를 활보했다. 어린아이들도 밀짚모자에 장난감 권총을 차고 나왔다. 관광객들도 야구모자를 쓰고 돌아다니면 알게 모르게 눈총을 받을 것 같았다. 미처 준비해오지 못한 관광객이나 어쭙잖은 방문객을 위해 시내 곳곳에 카우보이 모자 파는 가게, 버클을 파는 노점이 있었다. 관광객들이 기념품 삼아 20달러 정도를 주고 모자를 사서 쓰는 게 보였다.

축제 기간 동안 캘거리 시내는 200년쯤 시계를 돌려 카우보이 시대

Presented by
CALGARY WEST
CHARTERED 1967
www.calgarywestrotaryclub.org

WESTJET
BURNCO

로 돌아간 듯했다. 캘거리 관광청은 시민들이 집집마다 카우보이 모자와 부츠를 갖고 있다고 했다. 캘거리 시내에서 사상 최대의 카우보이 코스프레가 벌어지는 것처럼 느껴졌다.

"설날이나 추석날 한복을 입으라면 입을까."

알고 보니 시 당국이 축제가 열리기 두 달 전부터 복장 등의 문제에 대해 대대적인 홍보를 펼친다고 했다. 같은 옷, 같은 차림이면 동류의식을 느낄 수 있고 축제에 몰입하기 좋기 때문이다. 두 달이나 열심히 홍보를 하기 때문에 아이스크림 상인, 솜사탕을 파는 젊은이는 물론 유학생들까지도 카우보이 모자를 쓰고 나오는 것이다. 멋쟁이들은 은근히 패션 경쟁을 벌였다. 번쩍거리는 버클의 허리띠로 포인트를 주기도 했고, 귀퉁이가 잘 말려 올라간 모자를 쓰기도 했다.

축제 열기는 뜨거웠다. 축제는 퍼레이드로 시작됐다. 관람객들은 전날 밤부터 의자를 놓고 밤을 샜다. 중심가의 교통은 대부분 통제됐다. 축제 여러 달 전부터 시민들은 커뮤니티 별로 퍼레이드 참가 연습을 한다. 소방서와 경찰, 군인, 참전용사, 기업체도 참여한다. 캘거리는 다민족 이민 사회다. 퍼레이드에는 영국계, 프랑스계 캐나다인은 물론 중국인, 파키스탄 인들도 보였다. 이슬람 단체까지도 나온다. 파룬궁 회원들도 퍼레이드에 참가했다. 이날 퍼레이드에 명함을 내밀지 않으면 커뮤니티에 끼지 못하는 사람처럼 생각됐을 정도다. 어쨌든 스탬피드는 도시 전체를 들썩거리게 했다.

캘거리 스탬피드의 드레스코드는 청바지에 목깃 있는 면 셔츠, 그리고 카우보이 모자였다.

사실 드레스코드란 귀족들을 위한 옷차림이었을 것이다. 평민들에게 드레스코드란 게 있을 리 없다. 격식은 상류층 사이에서 필요했다. 까놓고 말하면 "우린 다르다"는 것이다. 종교적 의례, 왕실과 귀족의 행사에서만 그런 것이 아니다. 그냥 놀고 즐기는 곳에서도 그랬다. 유럽에서 열리는 주요 경마대회에는 잘 차려입고 가야만 한다. 욕설이 난무하거나 소리를 지르는 그런 대회가 아니다. 영국의 로열 애스콧 경마대회는 역사가 300년이나 된다. 이 경마대회는 여왕까지 참관하러 오는데 이런 날 참가자들의 복장을 보면 마치 영국 영화에 나오는 모습 그대로다. 남자들은 검은 모자를 쓰고 지팡이를 들고 조끼까지 차려입는다. 여자들 역시 챙 넓은 모자를 쓰고 우아한 드레스를 입는다. 패션쇼에 가깝다.

드레스코드를 따로 공지하지 않아도 공연장이나 최고급 식당은 대부분 수트를 입어야 입장이 가능하다. 웬만한 식당도 운동화나 샌들을 신으면 입장하기 어렵다. 한 신혼여행객이 샌들을 신고 식당에 갔다가 쫓겨났다며 여행사에 그런 정보조차 주지 않았다고 불평했다는 기사를 본 적이 있다. 저녁 식사에 샌들에 반바지 차림을 허용하는 고급 식당은 드물다. 유럽에서는 제대로 된 고급 식당이라면 반바지에 샌들차림은 자리가 있어도 없다고 할 게 분명하다. 예약을 했더라도 화장실 옆자리, 혹은 사람들 눈에 띄지 않는 곳으로 안내한다. 그만큼 푸대접을 받는다.

물론 에티켓도 변한다. 요즘은 반바지가 예의 없는 것으로 보이지만 근세 초만 해도 프랑스에서는 귀족이 반바지를, 노동자들은 긴바지를 입었다. 불과 200~300년 전 귀족들의 정장은 반바지였다. 공연장도 비슷

미슐랭가이드에서 별 세 개의 평가를 받은 이탈리아 구알티에로 마르케시의 식당.
손님도 직원도 격식 있는 옷차림을 하고 있다.

하다. 빌 브라이슨은 『거의 모든 사생활의 역사』에서 셰익스피어를 배출한 영국의 극장도 18세기에는 난장판이었다고 했다. 귀족이 하인들을 시켜서 극장의 자리를 잡아놓게 했고, 술까지 마시고 극장에 나왔단다. 연극판이 난장판이 되기 일쑤였다.

또 하나 신경이 쓰이는 에티켓은 식사 예절이다. 일본 니가타의 한 스키장에서 호주 출신 스키 강사를 만났다. 일본의 동북부는 세계적인 대설지역이다. 태평양의 거센 눈바람이 에치고 산맥에 부딪히면서 엄청난 눈이 내린다. 그래서 꽤 많은 호주의 젊은이들이 일본에 스키를 즐기러 온다. 편편한 대륙인 호주와는 달리 산이 높은 풍경에 이들은 감동한다. 게다가 설질도 좋아서 스키 타기가 좋다.

스키를 탄 뒤 현지 관광청 직원 및 호주 강사와 함께 소바[메밀국수]집에 갔다. 호주 청년은 메밀을 뚝뚝 끊어서 오물오물 씹어 먹었다. 일본인들이 보기에 이렇게 먹는 것은 메밀국수를 '맛없게' 먹는 법이다. 소바와 우동은 면 가락이 목 안의 목젖 부분을 툭 칠 정도로 면을 한번에 빨아들이면서 먹는 것이 일본식이다. 이때 "후루룩" 소리가 자연스럽게 나게 된다. 매사 점잖고 남을 배려하는 일본인들이지만 적어도 면류는 그렇게 먹는 게 맛있다고 생각한다. 그러나 서양은 반대다. 소리 내서 음식 먹는 것을 가장 무례하고 야만적이라고 생각한다.

짓궂게 호주 청년에게 물었다. 후루룩 하고 빨아 들어보라고 했다. 그게 일본에서 메밀 먹는 방법이라고 했다. 그는 당황해하며 손사레를 쳤다. 서울 밀레니엄 힐튼 호텔의 양식당 지배인은 내게 이렇게 얘기한 적이 있다.

"서양에선 음식 먹을 때 쩝쩝 소리를 내는 것은 '당신과 나는 오늘로 마지막이다'란 경고로까지 보일 수 있습니다."

중국에서 태어나 미국에서 공부를 했던 철학자 린위탕은 『생활의 발견』에서 서양식 식사 예법을 슬그머니 비꼬기도 했다. 소리 안 내고 조용하게 먹는 것이 요리법의 진보를 막아버린 이유일 것이라고 일침을 놓은 것이다.

나는 외국에서 온 관광청 직원들과 호텔에서 식사를 할 때면 가끔 긴장하게 된다. 대개 호텔 컨벤션 룸의 테이블은 원탁. 여기에 6~8명이 앉다 보니 포크와 나이프는 물론 물 컵이 다닥다닥 붙은 채 놓여 있다. 포크 나이프야 쉽게 자신의 것을 찾지만 빵은 오른쪽 접시를 먹어야 하는지, 왼쪽 접시에 있는 것을 먹어야 하는지 헷갈린다. 네모난 테이블에서는 눈치라도 보면 되는데 원탁에선 그것도 어렵다. 주의를 해도 실수는 일어났다. 생각 없이 오른쪽에 놓인 빵을 집어먹었다. 옆자리에 앉은 외국인이 어색한 미소를 지을 때에야 알아차렸다. 얼굴이 화끈거렸다. 호텔 매너 교실에서 가장 먼저 가르치는 것이 '빵은 왼쪽, 물(술)은 오른쪽'이다. 이것이 바로 '좌빵우물'의 법칙이다.

빵만 헷갈리는 것이 아니고 와인글라스도 비슷하게 생겼다. 대체로 큰 것은 레드와인, 작은 것은 화이트와인이다. 레드는 더 볼록하고 화이트는 조금 더 날렵하다. 시험관처럼 길쭉한 잔이 있다면 샴페인 잔이다.

레드와인 잔의 허리가 둥글고 입구가 오목한 것은 향을 맡기 위해서다. 화이트와인이 작은 것은 보통 차게 마시기 때문에 많이 따라놓으면 온도가 올라가 맛이 떨어지기 때문이다.

다른 실수도 했다. 유럽에서 오목한 그릇에 레몬을 띄워놓은 물그릇을 보고 한 잔 마신 적이 있다. 물은 미지근했는데, 앞자리에 앉은 외국인은 난감한 표정을 지었다. 알고 보니 그 물은 손 씻는 물이었다. 물 컵이 아니라 핑거볼Finger Bowl이었던 것이다.

식탁 예절은 복잡하다. 나라별로 다르다. 이탈리아 식당에서는 수프와 파스타는 '동급'처럼 대우받는다. 둘 다 전채 요리로 먹는다. 인도의 난과 커리는 손으로 먹는다. 레스토랑에서 정식, 특히 만찬을 할 경우 프랑스인들은 웨이터를 여러 번 부르며 와인과 음식에 대해 시시콜콜 이야기한다. 주문하는 데만 보통 20~30분 이상, 식사는 대략 세 시간 정도 걸린다. 그래서 프랑스에 출장 가서 손님이라도 만나면 밤 12시까지는 꼼짝없이 앉아 있어야 한다고 생각하면 된다.

나라마다 예절이 다르고, 문화가 다르니 실수를 했다고 크게 타박하지는 않는다. 사실 중세 때만 해도 유럽의 가정에서는 식탁 옆에서 바닥에다 '퉤' 하고 침을 뱉었다. 지금 이런 광경을 보면 까무러칠 일이지만 실은 불과 수백 년 전만 해도 그들의 예의범절은 지금과 너무도 달랐던 것이다. 그때는 그야말로 야만인 수준이었다.

컵라면을 먹고 난 다음 외국인을 만났다가 그가 동료들과 험담을 하는 것을 들은 적도 있다. 한국인 기자들에게서 마늘 냄새가 난다는 것이다. 실제로 컵라면이 의외로 냄새가 많이 나서 식당에서 꺼내 먹다 보면 외국인들의 시선이 꽂힌다. 민망해진다.

"이라도 닦고 나올걸……."

후회했지만 주눅 들 필요는 없다. 어차피 사람들은 냄새로 자기 국적을 표현하는 법이다. 알게 모르게 우리에게 김치와 마늘 냄새가 나듯이 인도인에게는 향신료 냄새가 배어 있다.

냄새는 문화다. 익숙하지 않은 냄새에 사람들은 불쾌해한다. 마치 치즈 맛을 모르는 사람들이 냄새나는 치즈를 보면 고개를 돌리는 것이나, 태국에서 고수 냄새가 나는 풀에 질색을 하는 것과 똑같다.

유럽인은 청결하고 아시아인은 냄새난다는 것도 편견이다. 백여 년 전만 해도 유럽인들은 지독하게 냄새나는 사람들이었다. 그들은 오히려 아시아인(일본인)을 깨끗하다고 부러워했다. 『1984년』을 쓴 작가 조지 오웰은 당시 탄광촌을 돌며 『위건 부두로 가는 길』이라는 르포 기사를 쓴 적이 있다. 이 글을 읽다 보면 놀랍게도 서구인들이 스스로를 냄새 나는 인간이라고 한탄하는 모습이 드러난다. 냄새가 나는 것은 노동자들이 씻을 여유와 시간이 없기 때문이다. 그러면서도 오웰은 백 년쯤 뒤면 유럽인도 일본인처럼 깨끗해질 것이라고 희망한다. 당시 오웰은 적어도 청결에 대해서는 일본인들이 가장 선진적이라고 생각했던 모양이다.

잘못 알고 있는 것들도 많다. 유럽에서 만난 60대 남자는 "조선 놈은 예절을 차리다 망했다"는 얘기를 쉴 새 없이 했다. "외국은 실용적인데 우리는 지금도 예절 타령이나 하고 있다"고 한탄했다. 우리 주변에서 흔히 들을 수 있는 얘기지만 실제로는 그렇지 않다. 중세에는 유럽의 귀족 역시 조선시대 양반만큼 예의가 까다로웠다.

네덜란드의 역사가 호이징가는 『중세의 가을』에서 중세인들은 조금만 범절을 어기면 치명적인 모욕으로 받아들였다고 했다. 이를테면 서로 길을 양보하는 데만 30분씩 실랑이를 벌였다는 얘기다. 과례의 예로 흔히 드는 것이 조선시대에 효종이 죽은 뒤 계모인 자의대비가 상복을 1년 입어야 하느냐, 3년 입어야 하느냐 했던 상복논쟁이다. 한국에서만 있는 일 같지만 서양도 그렇게 까다로웠다. 호이징가는 프랑스에서 왕비는 자기 남편의 죽음을 전해 들은 그 방에서 1년 동안이나 바깥출입을 하지 않는다고 썼다. 제후의 부인들에게는 칩거 기간이 6개월로 정해져 있었다.

여행자를 가장 불쾌하게 하는 것은 인종 편견을 에티켓으로 위장하는 토박이들이다. 독일 베를린의 트래블 마켓에서 만난 독일 기자는 은근히 인종적 우월감을 자랑했다. 점잖게 행동했지만 그의 말 속에는 인종주의가 뼛속 깊숙이 파고들어 있었다.

"문화가 각기 다르지만 사실 유럽이 아시아를 일깨워서 경제 성장에 도움을 주기도 했죠. 과거 유럽의 식민정책이 부정적인 것만은 아닙니다."

"지금도 반쯤 발가벗고 사는 사람들이 많이 있잖습니까. 미개한 지역으로 여행을 가면 비용은 적을지 몰라도 정신적으로는 피곤하죠."

반대로 타민족에 대한 한국인의 편견도 강한 편이다. 태국 칸차나부리 지역의 소수민족 마을을 둘러볼 때였다. 맨발로 돌아다니는 소수민족들은 꽤 예의 바르고 관광객들에게도 잘 대했지만 거드름을 피우는 50대 남자가 쉴 새 없이 궁시렁댔다.

"원래 열등한 민족들은 이렇게 가난하게 살 수밖에 없다니까."

"문명이 조금 덜 발달한 나라들은 아예 식민지로 사는 것이 더 편해!"

한 나라의 민족이 '열등하다, 우수하다'고 우열을 가리는 문제는 논의할 가치조차 없다. 클로드 레비스트로스는 남아메리카의 원주민들을 연구했다. 그는 『슬픈 열대』를 통해 "완전히 발가벗고 사는 사람들은 우리들이 이른바 '수치'라고 부르는 감정을 모른다. 그들은 그 경계를 다른 곳으로 옮겨다 놓은 사람들"이라고 말했다.

에티켓을 모른다고 두려워할 필요는 없다. 에티켓이란 사람을 대하는 태도이며 배려다. 망신을 당하지 않기 위해 지키는 것은 아니다. 요즘은 나만의 에티켓을 지킨다. 호텔에 내 옷가지는 침대에 놓아두고 나가지 않기, 타월은 여러 번 쓰기, 될 수 있으면 현지 가이드 이용하기 등등이다.

나름대로의 여행 수칙을 정한 것은 공정여행에 대해 알게 되면서부터다. 흔히 여행자들이 다른 나라를 방문하면 그 나라 여행 산업에 많은 보탬이 될 것이라고 생각한다. 그런데 수익구조를 들여다보면 꼭 그렇지만도 않다. 임영신과 이혜영은 공정여행 안내서 『희망을 여행하라』에서 여행 경비가 백만 원일 때 40만 원은 비행기에, 20만 원은 여행사에 나머지 20만 원은 호텔에 쓴다고 했다. 현지의 공동체에 돌아가는 것은 단지 1~2%뿐이라고 했다. 대신 여행자들이 버려두고 가는 것은 많다.

"하루 평균 3.5킬로그램의 쓰레기를 남기고, 사하라 남부 아프리카 주민 30명이 쓰는 전기를 소비하고, 고급 호텔 객실 하나에서는 평균 1.5톤의 물이 사용된다."

그들도 돕고, 환경도 돕는 것이 중요하다. 현지 가이드를 쓰는 것은 그 나라 사람의 시각으로 그 나라를 볼 수 있는 기회를 제공해줄 뿐만 아니라 그 나라 경제에 조금 더 보탬이 된다. 하루에도 객실 수십 개의 리넨을 갈아야 하고 청소를 해야 하는 호텔의 청소부는 침대 위에 옷가지를 놔두지 않는 것만으로도 도움이 된다. 집에서처럼 타월을 여러 번 쓰면 어떠랴. 내 양심에 대한 예의, 나는 이것이 진정한 에티켓이라고 생각한다.

패스트푸드

"우리가 먹는 음식은 다름 아니라 세상의 몸이다."

마이클 폴란, 『잡식동물의 딜레마』

에코투어리즘Eco-Tourism, 생태관광을 주제로 미국의 샌프란시스코를 여행할 때였다. 에너지를 절약하는 호텔에서 자고, 온실가스를 덜 배출하는 하이브리드 차를 탔으며, 유기농 식자재를 이용한 음식을 만들어내는 식당에서 밥을 먹었다. 친환경, 친환경, 친환경, 친환경 코스만 돌아다녔다. 한데 자꾸 눈에 들어오는 것은 '비만'이었다. 버스 안에서 2개의 좌석을 모두 차지할 만한 엉덩이, 무릎 관절이 몸을 버틸 수 있을까 싶을 정도로 큰 상체, 한발 한발 코끼리처럼 발걸음을 내딛는 사람들…….

"대체 누가 이들을 이렇게 고통스럽게 만든 거야?"

에코투어를 하는데 역설적으로 자꾸 비만의 고통에 힘겨워하는 사람들이 눈에 밟히는 것이다. 엉덩이가 풍선처럼 부풀어 오른 모습은 안쓰러워 보였다. 웬만한 팔걸이 의자에는 앉을 수도 없을 것 같은, 스모 선수 같은 몸집의 시민들에게는 뭔가 슬픔이 느껴졌다. 이들이 정말 강인하게 단련된 미국 인디언들의 땅을 훔친 바로 그 자들의 후손이란 말인가? 인체를 가지고 '좋다, 나쁘다, 뚱보다, 홀쭉하다'고 얘기하는 것은 조심스럽다. 그러나 몸매를 통해 한 사람의 인간성과 상품성을 판단하자는 게 아니라 왜 그렇게 됐는지, 사회적인 문제점은 무엇이었는지 나는 자꾸 곱씹어보게 됐다.

실은 오래전부터 궁금했다. 하와이, 괌, 사이판의 원주민들 중에도 비대한 몸집의 원주민들이 많다. 이 지역은 미크로네시안 같은 원주민들이 아직도 많이 살고 있는 지역이다. 대개 어업을 하는 섬 주민의 몸은 잘 다듬어져 있다. 체육관에서 만들어낸 근육과 달리 불필요한 군살을 뺀 날렵한 몸을 가지고 있다. 호리호리하면서도 어느 곳 하나 쓸데없는 비계 주머니를 달고 있지 않았다. 그런데 막상 현지 원주민들 중에서도 비만으로 고통 받는 사람이 많았다. 조상으로부터 물려받은 돌고래같이 미끈한 체형을 왜 잃어버렸을까. 물론 더 이상 고기잡이배를 타지 않고 뭍에서 관광가이드를 하면서 먹고 사는 사람들이 대부분이지만 뭔가 애처로워 보였다.

서울에서는 조금 비만처럼 보이는 사람도 미국에서는 건장해 보일 정도다. 왜 비만이 이 나라를 점령한 걸까. 패스트푸드, 즉 정크푸드 때문이다. 선조들은 생선에서 단백질을 얻었을지 모르지만 지금은 아니다. 지금은 햄버거와 피자와 코카콜라를 입에 달고 사는 사람들을 어디서든 볼 수 있다. 미국에 가장 위협적인 것은 핵 경쟁을 해왔던 러시아도 아니고, 알 카에다 같은 이슬람 원리주의도 아니다. 패스트푸드다.

증거는 있는 건가? 세계적인 동물학자이면서 채식주의자인 제인 구달은 확실히 "맞다"고 공언한다. 구달은 *미국 어린이와 10대 청소년의 16%가 과체중인 것은 정크푸드와 패스트푸드의 소비 증가와 관련이 있다고 설명했다. 일 년 중 어느 날을 꼽아도 네 살에서 열아홉 살까지의 미국 아이들 중 30퍼센트는 패스트푸드를 먹는다고 했다. 패스트푸드는 담배와 같은 중독성이 있다고 구달은 주장했다.

제인 구달, 「희망의 밥상」

패스트푸드는 아이러니다. 미국 여행의 최대 장점은 소시지나 햄버거 하나로 끼니를 때울 수 있어 좋다는 것이다. 그럼 단점은? 역시 햄버거 같은 패스트푸드에 의존하게 된다는 것이다. 싸니까 좋은가? 절대 아니다. 음식은 여행의 가장 큰 즐거움이다. 일본에 가면 가이세키 같은 정식 요리나 고급 사케는 못 먹고 마시더라도 그 나라 특유의 음식을 맛본다는 기대가 있다. 일본에는 스시, 낫토, 덴푸라, 오뎅, 라멘에 대한 기대가 있고, 베트남 하면 쌀국수와 똠양꿍 같은 전통음식을 찾아다니는 맛이 있다. 그걸 기대하고 찾아가는 재미가 있다.

미국에서는 실은 맘만 먹으면 전 세계 모든 음식을 다 맛볼 수 있다. 미국만큼 다양한 종류의 식당이 있는 나라는 드물다. 중국 식당, 베트남 식당, 인도 식당 등 수없이 다양한 식당들을 찾을 수 있는 나라가 미국이다. 그런데도 미국 하면 가장 먼저 떠오르는 음식의 이미지는 패스트푸드다. 이유는, 많기 때문이다. 가장 흔하게 볼 수 있는 식당이 패스트푸드점이며, 미국인들이 가장 많이 찾는 식당 역시 패스트푸드점이다. 미국 여성 3명 중 1명, 남성 4명 중 1명은 비만이다.

패스트푸드를 찾는 이유는 싸기 때문이다. 샌프란시스코 오차드 가든 호텔의 총지배인 슈테판 밀러는 "미국인은 수입의 8%를 음식에 쓰지만 이탈리아는 26%를 쓴다"고 했다(여기에는 팁 문화도 한몫한다. 식당에 가면 15%의 팁은 기본이다. 유럽보다 훨씬 많은 팁을 내야 한다).

미국 음식의 특징은 푸짐하다. 여기서 '사이즈의 역설'이 나온다. 미국은 크다. 나라도 크고, 자동차도 크고, 집도 크다. 물론 음식량도 많다. 피자 크기는 한국의 피자집에서 파는 것의 두 배는 될 듯하고, 햄버거 속 고기 패티의 두께도 만만치 않다. 식당에 들어가 립이나 스테이크라도 시키면 배가 터질 정도로 나온다. 온스별로 스테이크를 파는데 작은 걸 먹어도 배가 부를 정도다. 미국은 사실 음식뿐 아니라 모든 면에서 빅사이즈다. 엑스트라 라지다. 모든 면에서 풍요롭다. 프랑스 철학자 앙리 레비는 미국을 여행하면서 이곳을 *비만의 나라로 정의했다. 신체적 비만을 넘어서 사회적 비만을 꼬집었다. 도시도 비만이며, 쇼핑몰도 비만이며, 교회도 비만이라고 했다. 미국에서는 큰 것이 아름답다고 여겨진다고 비꼬았다.

베르나르 앙리 레비, 『아메리칸 버티고』

음식의 양은 개인의 행복을 조절한다. 과식은 즐겁지만 사람들은 과식에 대해 마음에 부담을 느낀다. 버트란트 러셀은 *"행복한 사람은 적당한 식욕을 느끼고 적당한 양의 음식을 맛있게 먹는 사람과 비슷하다"고 썼다.

버트란드 러셀, 『행복의 정복』

미국 여행의 최대 장점이자 단점은 어딜 가나 패스트푸드를 먹을 수 있다는 것이다.

물론 미국에도 건강한 식당이 있다. 미국에서 나는 샌프란시스코의 소울푸드Soul Food 식당을 찾아갔다. 소울푸드는 어려서부터 내 몸에 각인된, 조상대대로 내려온, 할머니의 손맛이 배어 있는 그런 음식쯤으로 정의할 수 있다. 청국장, 시골 된장찌개 같은 것이 소울푸드다. 샌프란시스코의 파머 브라운Farmer Brown이란 식당이었는데, 참 소박했다. 미국 흑인들이 집에서 먹었던 음식이다. 물컵과 술잔은 모두 잼이나 피클 같은 것을 담았던 유리병을 재활용했다. 한국에도 오거닉 푸드Organic Food라고 해서 '목에 힘주는 식당'이 많고, 친환경을 유행이나 패션처럼 접근하는 소비자들도 있는데 파머브라운은 시골 같아서 좋았다.

이 집의 가장 큰 장점은 인근의 농장에서 친환경 재료를 가져다 쓴다는 것이다. 쉽게 말해 로컬푸드Local Food다. 실은 이게 가장 중요하다. 만약 수천 킬로미터 떨어진 곳에서 유기농 재료를 가져다 쓴다고 하면, 운반 과정에서 많은 석유를 낭비하고 수송과정에서 온실가스를 배출할 것이다. 결국 '폼으로 먹는' 이탈리아에서 가져온 친환경 식품, 남미에서 가져온 청정음료는 오히려 반환경적이 될 수 있다. 한국에서 재배되지 않는 것이라면 당연히 수입하겠지만 한국에서 나는 것을 해외에서 가져다 쓰는 것은 친환경 제품이라고 할지라도 친환경적이라고 할 수 없다. 마이클 폴란은 *친환경 음식이라 할지라도 수송에 많은 에너지가 들어간다면 별 의미가 없다고 지적한다. 그는 미국인들의 식탁에 놓인 음식은 평균 1천5백 마일2천4백 킬로미터을 여행한다고 했다.

마이클 폴란, 『잡식동물의 딜레마』

제인 구달은 *하와이 커피숍의 각설탕을 예로 들어 설명했다. 하와이의 한 커피숍에 앉아 커피 잔에 일회용으로 포장된 하얀 정백당을 넣었다고 치자. 설탕을 처음 가공한 곳은 길 건너의 공장이다. 여기서 나온 설탕은 원래 갈색이기 때문에 샌프란시스코 외곽으로 보내져 눈처럼 하얗게 가공된다. 이 설탕은 뉴욕으로 보내져 예쁜 포장지에 넣어진다. 이 설탕이 다시 하와이의 커피숍으로 돌아온다. 이렇게 설탕 한 봉지가 커피 잔으로 돌아오기까지 거리는 자그마치 1만 마일1만 6천 킬로미터. 참고로 인천~뉴욕은 편도 6,882마일이다.

제인 구달, 『희망의 밥상』

정크푸드는 이렇게 사회적 비용으로 돌아오게 마련이다. 마이클 폴란의 말대로 "패스트푸드의 가격은 싼 것처럼 보이지만 정확한 비용은 숨겨져 있다. 이 비용은 자연이나 공중보건, 공적자금, 그리고 미래가 부담하게 된다."

슬로푸드

"우리는 로디를 지나 포 강의 섬에 들르는 나룻배를 타기 위해 걸어가야 했다. 한낮이었기 때문에 우리 일행은 섬에서 오랫동안 머물렀는데, 이때부터 우리의 여정은 한가로운 시골여행으로 변했다. 이 섬의 한 식당에서는 코닐리오 알라 카차토라토끼로 만든 스튜와 맛있는 샐러드 그리고 환상적인 치즈를 내놓았다. 반들반들하고 통통한 구더기들이 치즈 밖으로 튀어나와 접시 위로 기어다니던, 그처럼 맛있는 치즈는 그날 이후로 먹어보지 못했다."

엘레나 코스튜코비치, 『왜 이탈리아 사람들은 음식 이야기를 좋아할까』

1942년 레지스탕스 조르조 아멘돌라가 남긴 이야기다. 만약 이탈리아 여행 중 당신의 식탁에 놓인 치즈에서 구더기 한 마리가 튀어나온다면 나이프로 구더기만 슬쩍 밀어두고 향을 음미하며 치즈를 먹을 수 있을까? 아무래도 쉽지는 않을 것 같다. 음식은 생활이고 전통이다. 어려서부터 이런 경험이 없다면 힘들 것이다.

이탈리아인들은 음식에 대한 자부심이 대단하다. 굳이 슬로푸드, 패스트푸드 구분할 필요조차 없지만, 이탈리아 음식이란 대개 슬로푸드다. 영국 사람들이 늘 날씨를 이야기하는 것처럼 이탈리아 사람들은 음식 이야기를 달고 산다. 그만큼 음식에 관심이 많아서 이탈리아에서 이름난 요리사는 스타 대접을 받는다. 요리사가 되는 길은 해병대원이 되는 것과 비슷하다. 이탈리아에서 요리를 공부하고 시칠리아에서 요리사로 일했던 박찬일은 ✻"서구사회는 폭력에 대해 엄격한데 유별나게도 어느 정도의 폭력이 허용되는 곳이 주방"이라고 했다. 주방 군기가 해병대 군기 못지않다.

박찬일, 『지중해, 태양의 요리사』

운이 좋게 이탈리아에서 가장 유명한 요리사의 음식을 맛본 적이 있다. 밀라노에서 조금 떨어진 프란차코르타의 앨베르타 호텔 내 식당인데, 이 집의 요리사가 바로 구알티에로 마르케시다. 구알티에로 마르케시는 이탈리아에서는 굉장히 유명한 요리사다. 이탈리아에서 최초로 미슐랭 3스타를 받았다. 미슐랭 스타는 백 년이 넘는 역사를 가지고 있다. 미슐랭(미쉘린) 타이어 회사가 고객들을 위해 만든 가이드북에 오르는 것인데, 엄격한 평가 때문에 권위를 인정받고 있다. 처음에는 그냥 맛보고 가고 두 번째 와서 평가를 한다는데, 그 권위가 얼마나 대단한지 별이 하나 추락한 레스토랑 주방장이 좌절감에 자살한 사례도 있었다. 더구나 별 3개를 받는 레스토랑은 전 세계에서 20~30여 곳에 지나지 않아서 이 정도 등급을 받은 식당은 가문의 영광이 아니라 국가의 영광이라고 한다. 매년 수가 다르긴 하지만 미슐랭 3스타 레스토랑은 프랑스에도 6~8개 정도, 이탈리아에는 두어 개 정도밖에 되지 않는다. 그러니 자부심을 가질 수밖에 없다.

마르케시는 자존심이 센 사람이었다. 마르케시에게 슬그머니 세계적으로 이름난 미슐랭 스타 레스토랑 주방장들의 이름을 꺼냈다. 한국에서도 유명한 피에르 가니에르, 페란 아드리아 같은 스타 주방장을 얘기했더니 코웃음을 쳤다.

"나는 더 이상 미슐랭 같은 거 연연 안 합니다. 나는 내 요리를 합니다."

자존심으로 똘똘 뭉친 사람이었다.

잘생긴 이탈리아 청년들이 검은 색 정장을 입고 서빙을 했다. 그가 추천한 음식은 닭요리. 실은 한국 여행자들이 메뉴도 잘 볼 줄 모르고, 뭐가 그의 특기 요리인지도 모르니 그의 의견을 따를 수밖에 없었다.

마르케시는 자신의 요리를 설명하면서 피아노 건반이 그려진 블라인드를 걷어 올렸다. 유리창 너머로 조리실이 보였다. 번쩍번쩍 닦아놓은 구리냄비에 소스를 끓이는 보조주방장부터 20여 명이 제각각 뭔가를 만들고 있었다. 마르케시는 책을 읽으면서 영감을 얻는다고 했다. 음식은 문화와 기후 모두 중요한데 가장 중요한 것은 식재료라는 것이다. 무조건 원산지 것을 쓴다. 나는 그가 닭요리를 추천한 이유에 대해서 물어봤다.

"지금이 가장 맛있는 계절이기 때문입니다."

이유는 하나였다. 제철이기 때문이란다. 닭도 먹는 철이 있단다. 이름난 식당의 메뉴에 어김없이 붙어 있는 단어가 바로 '제철Seasonal'에 난 재료를 쓴다는 것이다. 비닐하우스에서 따오지 않고, 제 시기에 햇살과 바람을 제대로 맞고 자란 식재료로 만든 음식이 좋다. 그게 슬로푸드의 정신이다.

미슐랭 별 두 개를 받은 미국 나파 밸리의 레스토랑 '프렌치 론드리'

미슐랭 스타 레스토랑 프렌치 론드리의 요리사가 식당 뒤 텃밭에서 야채를 따고 있다.
캘리포니아 나파 밸리.

를 찾아갔을 때였다. 이 식당에서 가장 흥미로운 것은 바로 식당 뒤 텃밭이었다. 이 식당의 요리사들이 가꾸는 텃밭으로, 지배인은 싱싱한 야채를 이 밭에서 가져다 쓴다는 것을 자랑했다. 그 지역에서 나온 재료를 쓰는 요리가 좋다. 음식은 향토성이 중요하다. 요리사는 음식 재료의 특성을 잘 알아야 한다. 아무리 이름난 서양 요리사라 할지라도 열갈이 김치를 어떻게 담아야 하는지에 대해선 전라도 해남의 할머니보다 못한 법이다.

그래서 나는 역설적으로 한국에 오는 미슐랭 스타 주방장들의 요리는 제 맛을 100%로 살릴 수 없다고 생각해왔다. 그들의 음식에 대한 열정을 폄하하려거나, 한국과 외국의 음식문화의 차이가 크다는 뜻이 아니다. 식재료를 비행기로 운반해 오는 데도 시간이 걸리고, 미리 따서 저장도 해둬야 한다. 제 아무리 이름난 유럽의 요리사라 할지라도 한국산 식재료에 대해서 제대로 알 리 없다. 그러니 호텔 식당에서 미슐랭 이벤트를 한다고 해서 굳이 좇아갈 이유가 없다. 그들의 실력 중 70% 정도가 발휘될지 모른다. 같은 주방장이라 할지라도 그 나라에서 만든 음식과 한국에서 만든 요리는 다를 수밖에 없다.

어쨌든 그의 닭요리는 맛있었다. 백 유로나 될 정도로 비쌌지만 돈보다 입을 생각하는 고급 고객들로 그의 식당은 늘 붐빈다. 마르케시는 음식을 얘기할 때마다 음악에 빗댔다. 요리사란 오케스트라 지휘자 같은 것이라고 했다. 엘레나 코스튜코비치도 본질적으로 음악은 요리의 예술성과 동일한 메커니즘이라고 했다. 음악과 요리라는 이 두 예술은 어떻게 연출하느냐에 따라 성공 여부가 좌우된다는 것이다. 사실 코스튜코비치는 러시아인이다. 이탈리아에서 수십 년을 살면서 움베르토 에코의 책만 전문적으로 번역해왔다. 그가 이탈리아 음식문화에 대해 책을 썼을 때 서문은 에코가 썼다.

한 나라를 경험한다는 것은 음식을 맛보는 것이다. 이탈리아 하면 떠오르는 것은 파스타와 피자, 아이스크림이다. 이탈리아에서 처음 파스타를 먹었을 때였다. 국수가 완전히 덜 익은 듯 심이 씹혔다.

"한국 촌놈이라고 덜 익은 국수를 내놓은 것 아냐?"

알고 보니 그게 이탈리아 스타일이란다. 박찬일은 『지중해, 태양의 요리사』에서 스빠게티(책에 스빠게티로 나와 있다)에 대해 썼다. 스빠게티에는 도대체 '알 덴떼Al Dente, 씹히는 질감을 살려서 삶기'의 기준이 따로 없다는 것이다. 그래서 일부 이름난 식당은 알 덴떼로 제공한다고 메뉴판에 써놓기까지 한단다. 이런 스파게티에 익숙하지 않은 관광객들이 더 익혀달라고 하면 그냥 10분 20분씩 처박아놓아 퍼지게 만든다고 한다. 그러니 이탈리아에선 찍소리 말고 먹자.

이탈리아 음식이 좋기는 한데, 처음에는 조금 짜다고 느꼈다. 가끔은 "소금을 너무 많이 친 거 아니야?"라는 생각이 들 정도로 짭짤한 음식도 많다. 그래서 여행 중 한번 물어봤다. 짠 게 몸에도 안 좋다는데 왜 짜게 먹느냐? 답은 원래 그게 제대로 된 맛이라는 거였다. 사실 유럽에서 소금은 권력이었다. 짜게 먹는 사람이 권력자였던 것이다. 이에 대한 코스튜코비치의 해석은 이렇다. “이탈리아에서 짠맛에 대한 열정은 단맛에 대한 열정보다 강하다. 소금은 곧 권력이었다. 소금이라는 말은 주로 찬사를 보낼 때 쓰인다.”

이탈리아 피자도 궁금했다. 이탈리아 정통 피자는 뭐가 다른가. 두께와 요리법이 따로 있나? 의외로 피자의 역사는 짧았다. 피자 비슷한 음식은 다른 나라에도 많다. 터키와 그리스, 중동, 서아시아에 가면 편편하게 펴놓은 빵에다 야채와 고기를 놓고 싸먹는 피자와 유사한 음식들이 많다. 멕시코의 토르티야, 아랍의 피타, 인도의 차파티와 난 등도 비슷하다. 한국의 밀쌈이나 베트남 쌈도 이런 종류라고 할 수 있다.

토마토소스를 얹고 치즈를 뿌린 이탈리안 피자는 19세기에 탄생했다. 로마시대 때부터 만들어 먹었을 것 같지만 그렇지 않다. 처음 만든 사람의 이름까지 역사의 기록에 나온다. 그래서 파스타의 종류는 무려 700가지가 넘지만 전통 피자의 종류는 10가지밖에 안 된다.

1889년 나폴리의 유명한 식당 브란디의 주인인 돈 라파엘레 에스포시토가 사보이 왕가의 여왕 마르게리타를 생각하며 요리를 개발했다. 그는 여왕 앞에서 애국심을 강조하는 이탈리아 음식을 만들어보고 싶었다. 그래서 이탈리아 국기의 세 가지 색으로 장식한 피자를 개발했다. 이탈리아 국기는 초록, 하양, 빨강 삼색으로 돼 있다. 워낙 음식을 좋아하니 이탈리아 국기를 두고 이탈리아 사람들은 초록은 바질, 흰색은 모차렐라 치즈, 빨강은 토마토를 상징한다고 우스개처럼 이야기한다. 원래의 의미는 자유, 평등, 박애를 뜻한다. 여왕은 이 음식에 아주 흡족해했고,

그때부터 이 피자를 마르게리타라는 이름으로 불렀다. 따라서 피자는 마르게리타 피자가 원조다. 하지만 당시에는 남부의 특별요리였을 뿐이다.

음식이 한 나라에 뿌리를 내리면 그 나라의 삶 속으로 파고들어 문화가 된다. 그 과정에서 특색에 맞춰 발달하게 된다. 이런 과정에서 원칙이 만들어진다. 피자도 마찬가지였다. 파차이올로피자 만드는 사람가 만드는 피자는 3밀리미터 두께를 넘어서는 안 되고 직경은 35센티미터를 넘으면 안 된다. 오븐의 온도는 485도여야 한다. 장작불에 굽는다. 피자는 그래서 집에서 먹을 수 없다. 장작 가마가 있어야 하기 때문에 밖에서 먹어야 한다. 피자는 식당음식인 것이다.

미국에서 만나는 큰 피자에 대해 이탈리아 사람들은 우리 식이 아니라고 우습게 본다. 요즘 대형 할인매장에서 파는 저가 피자는 이런 의미에서 이탈리아식이 아니다. 코스튜코비치는 자신의 책에서 1999년 유럽연합 국가들이 피자를 굽는 장작불 오븐의 온도를 250도로 제한하는 법안을 마련했을 때 이탈리아 전역에서 폭동에 가까운 반발이 있었다고 덧붙이기도 했다. 슬로푸드란 바로 전통에 대한 집착이다.

이탈리아 요리는 프랑스와 다른 점이 한 가지 있다. 이탈리아 요리는 장식이 화려하지 않다. 오로지 원재료에 신경을 쓴다. 그래서 질감을 그대로 살려낸다. 재료 맛을 가장 잘 살리는 요리가 바로 이탈리아 요리다. 그럼 프랑스 요리는 어떻게 다를까. 프랑스도 제철요리를, 제철재료를 중시한다. 하지만 프랑스 요리의 장점은 실험정신이며 아름답다는 것이다. 프랑스 요리는 그 자체가 예술이다. 이탈리아 요리가 투박한 시골밥상 같다면 프랑스 요리는 깔끔한 한정식 같은 것이다.

프랑스에서 미슐랭 스타 레스토랑을 여럿 돌아다녔다. 프랑스 남부 나르본에 미슐랭 별 하나 레스토랑이 있었다. 그의 아버지 역시 미슐랭 스타 주방장이었다고 한다. 그에게 요리는 무엇이냐고 물었더니 그는 그림이라고 말했다. 실제로 요리를 만들기 전에 그는 먼저 그림을 그려본다고 했다. 그는 요리는 보기에도 아름다워야 한다고 했다. 보기 좋은 떡이 먹기도 좋다는 말이다. 그래서 그의 요리 중에는 립스틱 모양으로 생긴 음식도 있다. 그는 끊임없이 실험했다. 그는 접시에 음식으로 그림을 그렸다.

서울 롯데호텔에 피에르 가니에르의 식당이 오픈했을 때 가니에르가 직접 요리를 해줬다. 그 역시 미슐랭 별 셋 주방장으로 분자요리의 대가다. 분자요리가 무엇인가? 음식을 '분자 단위까지 쪼개서 만든 요리'라는 뜻이다. 분자요리는 들여다보면 과학이다. 직화로 빨리 스테이크를 구울 때와 비닐에 싸서 끓는 물에 오래 익힐 때 맛이 같을 리 없다. 요리하는 방법에 따라 식재료에서 분자의 변화가 일어난다. 이런 식으로 한 재료를 구성하고 있는 분자 단위의 변화까지 생각해서 요리를 만든다(스페인의 레스토랑 '엘 불리'의 페란 아드리아도 분자 요리로 유명하다. 안타깝게도 아드리아는 2011년 7월 엘 불리를 폐업했다. 미슐랭 별 셋에 뉴욕타임스 등 전 세계 언론으로부터 '세계 최고의 레스토랑'으로 선정됐던 엘 불리의 폐업 결정은 미식가들에게 큰 충격을 줬다. 요리사 페란 아드리아는 연중 6개월

이탈리아 요리가 투박한 시골밥상 같다면 프랑스 요리는 깔끔한 한정식 같은 것이다.

만 문을 열었다. 음식 값이 최소 200유로로 우리 돈으로 치면 30만 원이 넘지만 예약하려면 무려 2년을 기다려야 하는 식당이다. 아드리아가 밝힌 폐업 이유는 최고의 식재료를 쓰다 보면 적자를 보기 때문이란다).

카르카손의 고성 호텔에 있는 미슐랭 별 하나짜리 식당을 찾을 때였다. 이 집에서는 프랑스식의 우아한 격식을 볼 수 있었다. 영화에서 요리 위에 스테인레스 돔 같은 뚜껑을 덮어놓았다가 여는 모습을 본 적이 있을 것이다. 거기에도 격식이 있다. 절대 먼저 열어서는 안 된다. 웨이터가 한꺼번에 동시에 열어주는 것이다. 다섯 명이 음식을 먹는다면 다섯 명이 기다렸다가 동시에 뚜껑을 여는 것이다. 프랑스 요리는 탐미적이다. 예쁘다. 요리사의 집착이 음식에 나타난다. 식당에서 저녁식사를 한 번 하는 것 자체가 파티다.

또 하나 프랑스 요리가 세계 최고의 요리로 꼽히는 이유는 소스와 디저트의 다양함이다. 한 일주일 정도 출장을 가서 식당을 돌아다니다 보면 디저트가 매 끼니마다 다르게 나온다. 물론 플람베 같은 흔한 디저트도 있지만 디저트 하나에도 온갖 신경을 쓴다.

프랑스 하면 또 하나 떠오르는 것이 바로 빵, 바게트다. 유럽을 빵으로 나누면 밀 빵을 먹는 나라와 호밀 빵을 먹는 나라로 나눌 수 있다. 프랑스의 빵은 희다. 밀로 만든다. 러시아와 영국, 독일의 빵은 호밀로 만든다. 밀은 로마시대 이후 가장 귀한 곡식이었지만 상대적으로 비옥하지 못했던 일부 유럽 국가는 제대로 된 밀을 맛볼 수 없었다. 1792년 프로이센 군대에 참가해 프랑스에서 벌어진 전투에 출전했던 괴테는 프랑하인리히. 야콥, 『빵의 역사』

스에 진군하면서 *"검은 빵과 흰 피부의 여자들이 있는 마을을 지나 오늘 프랑스로 들어오니 여자들은 검은데 빵은 희다"고 썼다.

종교도 빵에 영향을 미쳤다. 하인리히 야콥은 이슬람과 유대교는 빵부터 다르다고 했다. 유대인은 발효되지 않은 빵 무교병을 신에게 바쳤다. 발효라는 것은 곧 썩는다는 것을 의미하기 때문이다. 이에 반해 이슬람교도는 발효 빵을 더 좋아했다. 마호메트가 몸소 케피르우유 발효음료 만드는 법을 가르쳐주었다.

재밌는 사실도 있다. 동서양을 막론하고 방앗간은 밀회의 장소였다. 이효석의 『메밀꽃 필 무렵』에도 허 생원이 성 서방네 처녀와의 방앗간 추억을 이야기하는 장면이 나온다. 서양에서도 비슷했다. 중세 유럽인들은 방앗간 하면 빵만 떠올린 게 아니라 은밀한 섹스도 떠올렸다. 먹는다는 것은 곧 번식한다는 의미다. 먹는다는 것은 세상을 받아들인다는 것이다. 문화를 받아들인다는 것이다.

종교

"인간은 필연적으로 미친 존재다.

미치지 않은 것은 결국 다른 형태로 미쳤다는 점에서 역시 미친 짓이다."

블레즈 파스칼, 『팡세』

1500년 전에 만들어진 성당이자 모스크는 지금도 그 위엄으로 관람객들을 지배하고 있었다. 어떻게 그 시절에 저렇게 엄청난 돔을 세울 수 있었을까. 그저 성당이 지금까지 서 있는 것이 고마웠다. 게다가 거기에는 기독교와 이슬람교가 함께 있었다. 그리스 시대에는 '비잔티움'이었던 이 도시는 동로마제국 시대에 '콘스탄티노플'로 변했고, 무슬림 주인이 왔을 때는 다시 '이스탄불'이란 새 이름을 갖게 됐다. 주인이 바뀌었을 때 성당은 모스크가 됐고, 세월이 흘러서 지금은 두 가지 모습을 모두 볼 수 있다. 이스탄불의 아야 소피아는 세계를 지배하는 양대 종교의 성지였다. 종교의 역사를 몸으로 직접 겪은 건축물이다.

아야 소피아는 AD 360년 동로마제국의 수도인 콘스탄티노플에 세워졌으나 화재로 불탔고, 유스티니아누스 1세 때인 AD 537년 완공됐다. 이 성당이 세워졌을 때 황제는 얼마나 자랑스러웠던지 "솔로몬이여, 내가 이겼노라!"라고 외쳤다고 한다. 고대 이스라엘 왕국의 왕 솔로몬의 신전을 능가하는 교회를 세웠다는 뜻이었다. 성당은 그만큼 크고 웅장했다. 아야 소피아의 건설은 교회건축사에 한 획을 긋는 역사적인 사건이었다.

그런데 이 교회는 나중에 무슬림들의 모스크가 됐다. 오스만투르크가 동로마제국을 멸망시켰기 때문이다. 오스만투르크의 메흐메드 2세가 1453년 5월 콘스탄티노플을 함락시켰다. 성당은 어떻게 할까? 그들도 고민이 많았을 것이다. 당시만 해도 황제들은 신의 가호로 전쟁에서 승전했다고 믿었다. 실제로는 자신의 힘으로 승리했을지라도 신전에 승리를 봉헌했다. 메흐메드 2세는 새 모스크를 짓는 대신 성당을 알라에게 바쳤다. 당시 이슬람의 술탄이 보기에도 이렇게 웅장한 성당을 파괴하는 것은 무모한 짓이라고 여겼을지 모른다.

그가 취한 조치는 간단했다. 성당의 십자가를 떼어내고 성화에 회벽칠을 하고 미나레트첨탑를 세운 것이다. 이슬람은 엄격하게 성화를 금지한다. 눈에 보이는 것을 섬겨서는 안 된다는 교리 때문이다. 성화는 하얗게 칠해졌다. 다시금 성화를 볼 수 있게 된 것은 1923년 오스만 제국이 무너지고 난 다음이었다. 서방에서는 아야 소피아의 반환을 요구했다. 콘스탄티노플의 패망은 이슬람이 기독교를 이겼다는 점에서 기독교인들에게는 트라우마였다. 그래서 오스만 제국이 무너졌을 때 모스크를

기독교와 이슬람교 모두의 경배를 받고 있는 아야 소피아 성당 내부.

다시 성당으로 만들고 싶었던 것이다.

터키 지도자들 역시 고민에 고민을 거듭했을 것이다. 다시 성당으로 환원시키면 이슬람 국가로서 체면이 말이 아닐 것이고, 그렇다고 서방의 요구를 무시하기도 어려웠다. 고민 끝에 터키 정부는 아야 소피아에서 기독교든 이슬람이든 종교행사를 금지하기로 했다. 아야 소피아를 이슬람 문명이나 기독교 문명의 재산이 아니라 인류의 재산으로 남기기로 했다. 명분은 그럴싸했다. 복원 작업도 이뤄졌다. 석회를 떼어내니 고대의 성화가 다시 나타났다.

이렇게 아야 소피아는 기독교와 이슬람교 모두의 경배를 받고 있다.

기독교 유산이며 이슬람의 유산이다. 성당의 벽에는 붓글씨 같은 캘리그래피가 쓰여진 8개의 원판이 붙어 있다. 캘리그래피는 마치 서예의 초서체처럼 독특했다. 가이드는 그것이 술탄의 이름이라고 했다. 주변에 있는 4개의 미나레트도 이슬람 사원의 양식이다. 보통 2개 정도 되는데, 여기는 4개나 된다. 보통 미나레트에서는 목청 좋은 무슬림이 이슬람식 노래로 예배시간을 알린다. "알라는 크시다. 알라 외에 다른 신이 없음을 맹세하노라. 예배하러 오너라. 구제하러 오너라. 알라는 지극히 크시다." 이런 내용이지만, 지금은 종교의식이 거행되지 않아 볼 수는 없었다. 아야 소피아가 살아남은 것은 다행스런 일이다. 당대만 하더라도 문화유적에 대한 보존 개념조차 없었다. 바티칸의 성 베드로 성당을 지을 때 사람들은 로마유적에서 대리석을 떼어다 썼다.

그러나 오스만투르크가 다른 종교에 대해 관대하기만 했던 것은 결코 아니었던 것 같다. 1880년대 말 터키의 전신인 오스만투르크 제국에는 약 250만 명의 아르메니아인이 살고 있었다. 제국의 동부는 이란, 아르메니아와 국경을 맞대고 있었다. 이들은 기독교도였다. 국력은 쇠퇴하고 러시아의 부추김을 받은 아르메니아인들은 오스만투르크 제국에서 독립운동을 펼쳤다. 이들 중 일부는 이스탄불의 오스만 은행을 점거하고 버텼다. 오스만투르크는 잔혹하게 탄압했다. 약 5만 명이 학살됐다. 제1차 세계대전 중 러시아와 오스만투르크는 대립관계였다. 아르메니아인들은 다시 러시아 편에 섰고 군대를 조직했다. 오스만투르크 제국은 175만 명의 아르메니아인을 추방했고, 60만 명이 사막에서 굶어 죽었다고 한다. 20세기 초에 터키에 학살된 아르메니아인의 규모는 150만 정도로 추정된다. 이 학살사건을 놓고 지금도 터키와 유럽은 서로를 비난한다.

다만 터키에서는 이슬람이라 해도 종교적 엄숙주의는 별로 느끼지 못한다. 철저한 정교분리 정책 때문이다. 터키의 초대 대통령이 된 무스타파 케말은 '아타튀르크國父'로 불리는데 그의 가장 큰 업적은 철저하게 정치와 종교를 분리시켰다는 점일 것이다. 그래서 터키에 가면 젊은이들이 키스를 나누는 모습도 볼 수 있다. 그들의 모습은 서구의 여느 나라와 별다를 바가 없다. 주변에 히잡을 쓰고 다니는 늙은 여성들이 있다는 것 외에는. 만약 아프가니스탄이었다면 이들은 돌팔매를 맞았을 게 분명하다.

아르메니아인들을 만난 것은 이란에서였다. 테헤란에서 아르메니아 국경까지 자동차를 타고 횡단했다. 넓고 광활한 이란은 사막이 아니었다. 들판은 넓어서 내 눈으로는 폭을 잴 수 없었다. 햇살은 좋았고 바람은 상쾌했다. 차에서 내려 만져본 흙은 고슬고슬했다. 테헤란의 바자르에서 산 과일이 당도가 높은 것은 햇살 좋고 땅도 기름지기 때문일 것이다. 막연하게 상상한 나라들의 모습은 현실과 완전히 달랐다. 이란은 식량도 거의 자급자족할 정도라고 한다. 우리가 생각하는 기름만 팔아서 먹고 사는 그런 나라가 아니었다. 테헤란의 산비탈에는 눈이 내려 있었다. 한 이란인은 겨울이면 가끔 스키를 타러 간다고 했다. 물론 이란의 스키장에 말이다.

하루 종일 달려 도착한 곳은 이란, 아제르바이잔, 아르메니아 3개국의 국경과 가까운 조르파란 마을이었다. 이란은 이슬람 국가지만 이곳에는 성당도 있다. 하지만 마을 성당은 입구가 굳게 잠겨 있었고, 문을 두드리자 늙은 남자가 한 명 나왔다. 한국에서 왔다고 했더니 조심스럽게 주위를 둘러보더니 문을 열어줬다. 천여 년이 넘은 성당은 낡고 낡아서 무너질 것 같았다. 성당은 이란에게도 문화적 자산이지만 아무래도 기독교 유산은 뒷전이었던 모양이다. 그래서 성당의 문짝은 삐걱거렸고, 인근에는 마을 흔적도 없었다. 두어 시간 이상 머물렀지만 성당을 찾은 사람은 나와 동료들밖에 없었다.

아르메니아인들은 공고한 이슬람의 나라에 갇혀 있는 듯했다. 그들은 자신들의 종교를 지키고 있었다. 그들의 종교는 기독교의 분파인 아르메니아 정교였다. 탄압의 역사를 아버지로부터 들어온 이들은 극도로 조심스러워했다. 그들은 내게 종교가 있는지부터 물었다. 내가 무슬림이 아니라는 얘기를 듣고 나서야 자신들의 이야기를 시작했다. 터키에는 원한이 없고, 그저 편안하게 살아가고 싶다고 했다. 언제부터 그들은 기독교인이 됐을까.

이란인의 조상인 페르시아는 이 지역의 맹주였다. 인근의 소국을 진압했다. 아르메니아는 페르시아와의 전쟁에서 졌다. 이들이 기독교도가 된 것은 AD 3~4세기쯤의 일이다. 로마가 기독교를 인정했을 무렵이다. 이들의 역사는 박해받는 역사였다. 한때 쿠르드족과도 대결했다. 쿠르드 족은 이라크와 이란, 터키에서 찬밥 신세지만 약소민족끼리도 갈등했던 것이다.

그들이 원하는 것은 하나였다.

"우리는 우리의 신앙대로 그저 편안하게 살기만 하면 됩니다. 다른 것을 원하지 않아요. 독립하겠다는 것도 아니거든요."

인근에는 카파도키아에서 본 것과 비슷한 토굴집들이 있었다. 그들도 기독교인들인가 궁금했지만 무슬림이었다. 사람들이 바위벽에 굴을 뚫어 만든 집에서 살았다. 세계 최대의 암굴도시인 카파도키아처럼 그들은 바위 속에, 암굴 속에 집을 지었다. 마을에는 150여 가구가 살았다. 한 가구에 대여섯 명 정도 살았다. 이란인들은 가끔 찾는 관광지라지만 외국인들은 거의 없었다. 카메라를 메고 마을로 들어서는 순간 모든 주민들의 눈길이 꽂히는 게 느껴질 정도였다. 아이들은 짧은 영어로 '헬로'를 외쳐댔고, 나귀와 노새를 끌고 나와 마치 BMW라도 되는 듯이 자랑했다. 마을은 야트막한 계곡에 들어앉아 있었다. 넓은 들판이 바로 주위에 펼쳐져 있는데 왜 사람들은 이곳에 숨어 살기 시작했을까? 그들 역시 외국군의 침입을 피하기 위해서라고 했다.

마을 사람들이 토굴집을 지은 것은 800년 전이라고 한다. 주민들은 몽골인들이 침입해오자 숨었다는 것이다. 종교박해는 아니었지만 종교보다 더 무서웠던 외국군, 바로 몽골의 침입이었다. 몽골군은 실크로드의 고대도시 부하라 주민들이 투항하지 않자 고양이 한 마리까지 모두 살해했다. 그만큼 악명이 높았다. 전쟁은 이렇게 삶의 표정까지 바꿔놓는다.

그러나 기독교도도 역시 잔인하긴 마찬가지였다. 고대와 중세에는 '칼과 코란'이라는 말보다 '칼과 성서'라는 말이 더 어울렸을 법하다. 십자군 원정은 정의나 종교적 목적을 앞세웠지만 내용을 보면 약탈과 방화와 파괴였다. 그들은 이슬람교도만 죽이고 학살한 것이 아니라 같은 기독교도도 죽였다. 당시의 십자군도 세계 최대 규모의 석불을 파괴했던 탈레반과 별 차이가 없었다.

프랑스 남부 랑그독 지방의 베지에란 마을에서는 기독교에 의해 저질러진 종교학살의 흔적을 찾을 수 있었다. 이곳은 스페인 무슬림과 프랑스 가톨릭의 영향을 골고루 받은 지역이다. 푸르른 초여름이었다. 연인들은 노천카페에서 와인 한 병을 두고 사랑의 밀어를 나눴고, 나이 지긋한 프랑스인들은 손을 잡고 춤을 췄다.

이 마을의 가장 큰 기념일 중 하나는 800년 전 십자군에 의해 마을 사람들이 학살당한 사건의 기념일이었다. 세월이 그만큼 흘렀지만 아버지와 어머니가 아들과 딸들에게 그때 기억을 물려줬다. 가이드는 차분하게 당시의 이야기를 전했다.

10세기 후반부터 프랑스의 알비란 도시를 중심으로 알비니즘이란 신앙이 퍼져나갔다. 알비니즘이란 우리말로 하면 순결파다. 이 교파는 무슬림의 영향을 받은 것으로 보인다. 무슬림들은 철저하게 성상숭배를 거부했는데, 이 지역의 교파도 그들의 신앙이 맞다고 생각했다. 교회에서 성상을 없애버려야 하며 눈에 보이는 것보다 영적인 교감이 더 중요하다고 생각했다. 그런데 성상 제작은 교황의 자금줄이었다. 이들의 신앙을 전해들은 교황은 발끈했다. 교황 이노센트 3세는 프랑스 왕에게 십자군을 일으켜 이들을 정벌하라고 했다.

1209년 7월 22일 베지에에 도착한 십자군은 주민들에게 항복을 요구했다. 항복하지 않자 칼을 빼들었다. 하룻밤 사이 인구의 절반인 6천 명이 넘는 사람이 죽었다. 성당에 어른아이 할 것 없이 가둬두고 불을 질렀다. 보이는 사람은 모두 찌르고 베었다. 그 성당은 언덕배기에 있다. 들녘이 한눈에 내려다보이는 자리였다. 지금은 우뚝하고 자랑스러운 성당이지만 당대에는 피비린내 나는 전쟁터였다. 주민들은 아이들에게 그 시절 얘기를 생생하게 전해준다. 머나먼 한국 땅에서 온 내게도 당시를 잊지 않고 살고 있다고 했다. 그 자리에서 나는 *종교지도자들은 과거에 단 한 번 계시됐던 불변의 진리를 등에 업고 지적 도덕적 진보의 반대자로 변한다고 비판했던 버트란트 러셀을 생각했다.

버트란트 러셀, 「나는 왜 기독교인이 아닌가」

종교가 광기에 사로잡힐 때는 근본주의에 휩싸일 때다. 근본주의자들은 그들의 눈으로 천국으로 갈 사람과 지옥으로 갈 사람을 판단한다. 광기의 역사를 가장 잘 보여주는 곳이 아프가니스탄이다. 히잡과 부르카히잡이나 차도르보다 더 많이 가려지는 큰 천를 보면 그들이 얼마나 근본주의자인지 알 수 있다.

아프가니스탄에서 본 여성들은 온통 부르카 차림이었다. 눈만 보이도록 터놓는데, 이 부분마저도 망사로 가려놓았다. 아프가니스탄의 수도 카불에서는 교통사고의 희생자 중 여자들이 많다. 다 가려서 잘 보이지 않으니 차에 치이는 경우가 많다. 카불의 이슬람교도들은 우리의 눈으로는 이해하지 못할 정도로 엄격했다.

성모 성지인 프랑스 루르드의 가톨릭 신자들과 이란 테헤란 무슬림들의 예배 모습.

"연애결혼도 할 수 있습니까?"

NGO 사무실에서 만난 무슬림 여성에게 한 질문의 답은 충격이었다.

"내가 당신하고 얘기하고 있는 줄 알면 우리 아버지가 저를 죽일 거예요."

그들에게는 명예살인이라는 것이 전통이나 관습처럼 내려오고 있다. 자신의 누이가 강간을 당하면 누이도 죽이고 상대방도 죽인다. 순결을 더럽혔기 때문에 그들을 죽임으로써 명예를 찾는다는 것이다. 과연 그게 누구의 명예를 위한 것인가. 여성의 명예인가, 가족의 명예인가? 그녀는 국제 NGO에서 일하는 여성이었기에 그나마 무슬림들이 없을 때 외국인인 나와 이야기라도 나눌 수 있었다.

탈레반을 증오한다는 지식인이라고 하는 아프간 인사는 이렇게 자신의 사랑 이야기를 자랑했다. 자신이 젊었을 때 한 여인을 납치했다는 것이다. 그녀의 가족이 알면 그녀도 죽고 그도 죽을 수 있었다. 하지만 그는 그녀의 가족을 찾아가 이렇게 얘기했단다.

"어차피 따님은 내게 오지 않으면 죽은 목숨이다. 내게 달라."

결국 집안에서는 딸을 죽이거나 납치범에게 내줄 수밖에 없었다. 그는 원하던 대로 그녀를 부인으로 맞게 됐다. 그게 세상에서 둘도 없는 아름다운 로맨스라도 되는 듯 떠벌렸다. 느닷없이 납치돼 전혀 모르는 남자와 살아야 했던 한 여자의 존엄은 거기에 없었다. 이게 이슬람 근본주의자들의 정서고 상식이다.

유대 근본주의자들도 세상을 위태롭게 하기는 마찬가지다. 유대인들은 2천 년 전 팔레스타인이 자신의 땅이었다는 이유로 그들의 땅을 차지했다. 여기에는 강대국들의 이해가 얽혀 있다. 영국은 제1차 세계대전 당시 독일에 맞서기 위해 팔레스타인과 유대인들에게 독립 국가를 약속했다. 당시 이 지역은 오스만투르크의 지배하에 있었다. 영국과 프랑스는 전후 팔레스타인 지역을 나눠 갖기로 비밀리에 약속했다. 그러나 이 사실을 알아차린 미국의 반대로 두 나라는 나눠먹기에 실패했고, 팔레스타인 땅은 유대인의 것이 되었다. 팔레스타인은 서구 열강의 탐욕에 분노했고, 지금도 유대인과 치열한 갈등을 겪고 있다. 유대인과 이슬람, 기독교인은 모두 아브라함을 믿음의 조상으로 여기는데, 그 아브라함의 자손들이 지금은 분쟁의 씨앗을 만들어나가고 있는 것이다.

에드워드 윌슨, 『통섭』

에드워드 윌슨은 종교를 진화의 관점에서 바라보기도 했다. 그는 *인간의 마음은 신을 믿는 방향으로 진화했으며, 생물학을 믿는 방향으로 진화하지 않았다고 말했다. 종교에는 긍정과 부정의 힘이 함께 있다. 성지에서 만난 신자들의 표정은 진지했고, 그들의 기도는 절실했다. 그들은 종교적 신념으로 평생 봉사를 한다. 어느 종교가 옳고 그르다는 것을 말할 수는 없다. 확실한 것은 이것이다. 종교의 이름으로 칼을 빼든 자들에 대해서는 늘 반대해야 한다는 것이다.

탐험가

"스페인인들은 칼날이 잘 섰는지 시험해보려고 '인디언을 열 명, 또는 스무 명을 칼로 베었고 살점을 잘라내는 일을 아무렇지도 않게 생각했다.'
라스 카사스는 '이른바 기독교인이라는 두 사람이 어느 날 앵무새 한 마리씩을 들고 가는 인디언 소년 두 명을 만나자, 앵무새를 빼앗고 아이들의 목을 재미삼아 베어 버린' 일에 관해서도 이야기했다."

하워드 진, 『미국 민중사』

여행을 하다 보면 탐험가들의 흔적을 가끔 만난다. 칼을 차고 바다를 바라보고 있는 탐험가의 동상도 있고, 기념비나 기념 성당이 들어선 곳도 있다. 콜럼버스나 바스코 다 가마 같은 탐험가들은 대개 영웅으로 그려져 있다. 그러나 한꺼풀 벗겨놓고 보면 위인전 속의 탐험가와 실제 탐험가 사이에는 많은 차이가 있다. 원주민들을 잔학하게 살해하고 죽인 탐험가도 많다. 게다가 '세계 최초, 대륙 발견' 등 탐험의 기록들도 의혹투성이다. 탐험가들은 때로는 파렴치범에 가까웠다.

남인도에 코치 또는 코친이라고 불리는 아름다운 마을이 하나 있다. 거기는 여느 인도와는 다른 모습이었다. 흔히 인도 하면 더럽고 불결하며 시끄러운 나라를 떠올리게 마련이다. 그런데 코친은 딱 유럽의 얼굴을 하고 있었다. 조용하고 깨끗했다. 건축물들은 단정했다. 노란색과 하얀색을 칠한 집들은 화사했고, 유럽에서 왔다는 한 여인은 담배를 피우며 웃음을 건넸다. 담장에는 흔한 포스터 하나 붙어 있지 않았다. 마을 곳곳에 서 있는 승용차는 1950년대 영화에서나 볼 수 있는 클래식카를 떠올리게 했다. 실제 클래식카는 아니었고 디자인만 고전적이었다. 앰배서더Ambassador라는 차였다.

거기에 포르투갈의 탐험가 바스코 다 가마가 죽었다는 교회가 있었다. 1510년에 세워진 성 프란치스코 교회였는데 그리 크지는 않았다. 그런데 내부에는 다 가마의 시신이 놓였던 자리까지 표시돼 있다. 성당은 탐험가에게 경의를 표하고 있는 듯했다. 그가 마치 세상을 바꾼 위인이라도 되는 듯 말이다. 인근에 있는 호텔 이름은 바스코 다 가마였다. 가이드는 "여기가 바스코 다 가마가 인도에 머물 때 살던 집인데 기록은 없다"고 말했다. 사실 다 가마는 거기 머물기는 했지만 붙박이로 살지 않았던 모양이다. 그냥 주민들이 관광객들을 겨냥해 이름을 갖다 붙인 것이다. 그 옆에는 다 가마의 이름을 딴 카페와 서점도 붙어 있다. 책방에 전시된 책 중에는 때 묻은 중고 서적도 많았다. 마치 유럽의 헌책방을 연상시킬 정도로 예뻤다. 바스코 다 가마는 코치의 랜드마크처럼 보였다. 그를 모르는 사람들이라면 그가 이곳까지 찾아와 엄청난 선행을 베푼 줄 알지도 모른다.

그가 어떻게 인도에 왔을까. 다 가마는 1498년 코치 북부 캘리컷에 상륙했다. 이후 그는 1502년부터 1524년까지 세 차례 인도를 방문했다.

포르투갈 정부는 인도인들과 상관없이 자신들 마음대로 그를 인도 총독으로 임명했다. 주민 어느 누구의 동의도 없었지만, 그들은 그냥 가서 자신들이 발견한 땅을 식민지로 삼으면 된다고 생각했다. 세상의 모든 물건에 주인이 따로 없다고 생각하는 사람들, 즉 그들은 도적이었다. 그냥 지배하고 착취하는 것을 상식으로 여겼다. 다 가마는 이곳 한 해안가에 머물며 성벽을 쌓았다. 세 번째 왔을 때는 고향으로 돌아가지 못하고 숨을 거뒀다.

그는 어떤 사람이었을까. 존경받을 만한 탐험가인가? 답은 '아니다'였다. 남인도는 이슬람과 기독교, 힌두 문화가 공존하는 곳이다. 스리랑카로 넘어가면 이슬람이 굳건하게 뿌리를 내리고 있다. 그는 여행 도중 이슬람 신자들을 만났던 모양이다. 그리고 원주민들을 잔혹하게 학살했다. 빌 브라이슨은 한마디로 그를 '인간 말종'으로 평가했다. 그는 『거의 모든 사생활의 역사』에서 바스코 다 가마가 수백 명의 남녀와 어린이가 탄 무슬림 선박을 나포한 다음 물건만 뺏고 배에 불을 질러버렸다고 했다. 다 가마뿐 아니라 대부분의 탐험가들이 그랬다.

콜럼버스는 또 어떤가. 미국의 역사가 하워드 진은 콜럼버스를 가리켜 황금에 눈이 어두운 인물이라고 했다. 콜럼버스가 바하마 제도에 상륙했을 때 아라와크 인디언들이 그를 맞았다. 그들은 콜럼버스의 부하들에게 선물까지 줬다. 콜럼버스는 자신의 일기에 이 사람들은 세상에서 가장 좋고 착한 사람들이라고 썼다. 도둑질도 몰랐으며 항상 웃었다는 것이다. 그러고 나서 콜럼버스는 이 사람들을 훌륭한 노예를 만들 수 있으며, 50명만 있으면 모조리 복종시킬 수 있다고 했다. 하워드 진은 콜럼버스의 항해 일지를 분석해봤다. *일지를 적기 시작한 첫 두 주 동안에만 황금이란 단어가 75번이나 나왔다. 콜럼버스는 원주민들에게 황금을 찾아오라고 명령했고, 할당량을 채우지 못하면 팔을 잘라버렸다. 콜럼버스 역시 인간 말종이었던 것이다.

하워드 진, 『하워드 진, 역사의 힘』

알랭 드 보통의 『젊은 베르테르의 기쁨』에는 인디오들을 잔혹하게 학살한 스페인 사람들에 대한 이야기가 나온다. 스페인 사람들은 원주민들의 뺨과 코를 베어내곤 했고, 어린이를 칼로 두 동강 내어 개들에게 던져주고는 수도사에게 이 어린이가 천국에 가도록 해달라고 뻔뻔스럽게 요청했다는 기록을 예로 들기도 했다.

중국에 대해 걸핏하면 인권을 들먹이는 미국인들도 과거 인디언에게 가혹했다. 사람들은 흔히 인디언이 백인을 죽인 뒤 전리품으로 머리 가죽을 벗겨낸 것으로 알고 있다. 하지만 미국 인디언들의 멸망사를 쓴 디 브라운은 그 반대였다고 썼다. 브라운은 『나를 운디드니에 묻어주오』에서 인디언들이 미국인들의 머리 가죽을 벗기게 된 동기에 대해 자세히 썼다. 미 기병대가 샌드 크리크를 침공하자 인디언들을 성조기를 걸고 남자, 여자, 아이들 할 것 없이 한데 모여들었다. 설마 성조기 아래에 있는 인디언들을 공격하지 않을 것이라는 판단이었다. 인디언들의 생각은 틀렸다. 기병대의 칼은 남녀노소를 가리지 않았다. 기병대는 인디언들의 머리 가죽을 모조리 벗겨낸 것은 물론 남자, 여자, 아이들의 성기까지 잘라

냈다. 반지를 빼앗기 위해 손가락을 잘랐고, 여자의 성기를 잘라 말안장에 걸치기도 했다. 거기서 살아난 인디언들은 너무나 비통한 나머지 자기 몸을 마구 찔러 피가 냇물을 이룰 때까지 통곡했다는 것이다. 브라운에 따르면 인디언들이 미군의 머리 가죽을 벗겨낸 것은 이 사건 이후부터라고 한다. 자신들이 당했던 대로 복수를 한 것이다.

유럽인들이 탐험에 나선 것은 한몫 벌기 위해서였다. 별 이유가 없었다. 그들은 황금과 향신료를 눈이 벌겋게 찾아다녔다. 향신료는 같은 무게의 금값보다 비쌌다. 현지 가격과 유럽 가격은 수만 배 차이가 났다. 향신료를 찾아낸다는 것은 돈방석에 앉는다는 의미였다.

바스코 다 가마가 코치에 눈독을 들였던 것도 바로 이 일대가 향신료 무역의 중심지였기 때문이었을 것이다. 코치는 BC 3세기부터 이집트, 페니키아, 바빌로니아 등과 향신료를 사고팔았던 도시다. 코치시 남부 마타나체리란 마을은 향신료 무역이 얼마나 대단하게 이뤄졌는지 흔적을 볼 수 있는 곳이다. 마을 입구부터 가게들은 향신료를 내놓고 팔고 있었다. 마을 끝자락에는 창고가 있다. 창고에는 향신료 부대가 가득 쌓여 있었다. 창고를 지키고 있는 사람들은 아마도 도매상인 듯했다. 큰 수레에 향신료를 가득 싣고 오가는 사람들도 보였다. 관광객에게 기념품으로 향신료를 팔았다. 이름도 알 수 없는 형형색색의 향신료를 비닐봉투에 넣어 팔고 있었다. 마치 종합선물세트처럼 20개 종류의 향신료가 한꺼번에 들어간 것도 있었다. 그런데 이 마을에서 향신료 거래를 주도했던 사람들은 포르투갈인도 아니고, 바로 유대인이었다고 한다. 유대인들은 어떻게 인도의 남부까지 왔을까?

세계 최강 로마의 폼페이우스가 BC 63년 유대 땅을 정벌한 후 당시 팔레스타인 지역은 로마의 속국이 됐다. 문제는 AD 1세기 칼리굴라 황제가 자신을 신이라 칭하고 동상을 세우게 한 다음부터다. 유일신 신앙을 가진 유대인들은 분노했다. 설상가상으로 세리세금을 걷는 공무원들이 폭리를 취해 민심은 흉흉해졌다. AD 66년 유대인들은 반란을 일으켰다. AD 70년 로마군은 예루살렘을 함락시켰다. 로마군은 이집트에서건 아프리카에서건 토착민의 종교를 탄압하지 않았지만 이번에는 유대인의 성전까지 파괴했다.

결사항전을 외치던 일부 유대인들이 이스라엘 남부 요새인 마사다로 숨어들어 갔다. 이 요새는 BC 37~31년 헤롯왕이 만든 것이다. 높이가 440미터나 되는 절벽 꼭대기에 세워진 요새에서 유대인들은 격렬하게 로마군에 저항했다. 로마군은 노예를 동원해 절벽에 침투로를 만들고 공격을 준비했다. 패배를 예감한 유대인들은 가족을 모두 죽인 뒤 자살했다. 로마군이 입성했을 때는 963구의 시신과 여자 2명, 아이 5명뿐이었다.

유대인들은 나라를 잃고 뿔뿔이 흩어졌다. 이것을 '디아스포라Diaspora, 흩어짐'라고 한다. 이때 비교적 로마의 통치가 약한 스페인으로 건너간 유대인들이 많았던 모양이다. 코치의 유대인들은 여기서 다시 인도까지 흘러들어 가게 됐다. 인도의 뭄바이에 정착한 유대인을 베네 이스라엘이라 하고, 코치에 정착한 유대인을 코치 혹은 코친 유대인이라고 부른다.

조국의 멸망을 보고 스페인에서 남인도로 건너온 유대인들은 향신료 사업에 뛰어들었다. 가게에는 '다윗의 별'로 불리는 육각형의 별을 붙여 놓고 장사를 했다. 골리앗에 이긴 다윗이 자신들을 구해줄 것이라는 믿음처럼 말이다. 그래서 이 마을에 가보면 희한하게도 별이 그려진 유대인 가게가 많다. 창틀에도, 간판에도 다윗의 별들이 보였다. 중세에 그들의 상대는 아라비아 상인이었고, 아라비아 상인들은 실크로드를 건너가 인도의 향신료를 유럽에 전했다. 마을 끝에 유대인 회당이 있었는데 바닥에는 150년 가까이 된 중국식 타일이 깔려 있고, 백 년이 넘는 유리로 만든 등이 걸려 있었다. 유대인의 역사를 그려놓은 그림에는 기원전을 'BC' 대신 'BCE'로 써놓았다. 주민들에게 물어봤더니, 유대인들은 예수를 믿지 않기 때문에 'Before Christ'를 쓸 이유가 없었던 것이다. BCE는 'Before Common Era'로 '그리스도'란 단어는 쏙 빼놓은 것이다.

중국 타일이 유대교당에 깔리게 된 이야기는 이렇다. 인도인 통치자가 상인들로부터 중국 타일을 수입했다. 유대인들은 이 타일이 탐나서 타일에 소 피가 묻어 있었다고 얘기했고, 소를 신성시했던 인도인 통치자는 타일을 버렸다. 그걸 유대인들이 가져다 쓴 것이라고 한다. 유대인들의 영악함이 놀랍다.

그러나 유대인 마을은 옛날처럼 북적거리지 않았다. 향신료 시장의 영화도 옛날이야기다. 관광객은 많지만 유대인들은 많지 않다. 대부분 마을을 떠났기 때문이다. 2차 대전 후 팔레스타인 땅에 이스라엘이 건국

마타나체리 유대인 마을에서 볼 수 있는 다윗의 별 표식과(위),
포트리스 코치의 차이니스 피싱 네트(아래).

OLD INDIAN STAMPS

되자 2천 년을 살아온 이들도 팔레스타인으로 떠났다고 한다. 내가 찾았을 당시 마을에 유대인은 10명 남짓이었다.

코치에는 유대인의 디아스포라, 바스코 다 가마의 탐험 역사만 있는 게 아니라 중국 탐험의 역사도 배어 있었다. 해안가에 포트리스 코치라는 성안 마을이 있다. 여기에 차이니스 피싱 네트Chinese Fishing Net라는 이름난 명물이 있다. 바로 중국식 어망 고기잡이란 것이다. 원리는 간단하다. 어렸을 때 반두를 들고 천렵을 해본 사람들이 있을 것이다. 그물을 끼운 대나무를 양손에 들고 있다가 고기를 몰아 들어올리는 반두의 초대형 판이라고 보면 된다. 높이는 15미터 정도 되는 거대한 차이니스 피싱 네트가 10여 개 서 있었다. 그물을 물에 담가뒀다가 지렛대를 이용해 들어올리면 그물에 갇힌 고기들을 잡을 수 있다. 주민들은 푸켓과 스리랑카를 덮쳤던 쓰나미 이후 물고기가 예전처럼 많이 잡히지 않는다고 했다. 차이니스란 이름이 붙은 것은 바로 중국인들이 바스코 다 가마보다 먼저 이곳에 도착했기 때문이다. 그리고 이곳에다 이 기술을 전파한 것으로 보인다.

개빈 멘지스는 이 기술을 전파한 사람을 중국 명나라 때의 환관 정화로 본다. 멘지스의 책 『1421년 중국, 세계를 발견하다』에서는 정화의 선단에서 분리돼 나온 선단이 캘리컷에 도착했을 것으로 봤다. 이미 중국인들은 당나라 때부터 캘리컷과 교역을 해왔다. 그곳은 후추뿐 아니라 인도의 면화 집산지이기도 했다. 아시아의 무역중심지였던 것이다. 마르코 폴로, 이븐 바투타 같은 여행가들이 이미 캘리컷을 다녀갔다는 기록이 있다.

정화는 일반인들에게는 잘 알려져 있지 않지만 아마도 세계 최고의 해양탐험가일 가능성이 높다. 정화가 살던 때 명나라는 세계 최고기술을 가진 해양국가였다. 영락제가 황제에 오른 뒤 환관 출신의 정화에게 명령해 세계 각국으로부터 축하객을 받으라는 명령을 내린다. 그는 세계 최고의 함대를 거느리고 대항해를 떠났다. 길이 135미터, 폭 55미터의 대형 선박 62척 등 모두 317척의 대함대였다. 200년 뒤에 유럽 최강이라는 스페인의 무적함대가 고작 130대 정도였고, 80여 년 뒤 콜럼버스의 배도 크기로 치면 중국 선박의 절반 수준이었다.

개빈 멘지스는 고지도를 모으다가 정화의 일대기를 추적하게 된다. 멘지스는 영국 해군 함장 출신이다. 그는 엔진이 꺼진 상태에서 해류의 흐름만으로도 배가 어떻게 움직인다는 것을 알고 있었다. 그는 콜럼버스 이전에 정화가 아메리카 대륙을 찾았을 것으로 봤고 관련 자료를 수집해왔다. 멘지스에 따르면 후대의 탐험가들은 바로 이런 중국의 지도를 입수한 뒤에야 해양탐험을 할 수 있었다는 것이다. 그는 콜럼버스보다 71년 앞서 정화가 미 대륙을 발견했다고 주장했다.

실제로 이 책은 다양한 증거자료를 제시하면서 정화의 항해를 증명한다. 호주 멜버른에 가면 그레이트 오션로드라는 이름난 관광코스가 있다. 그 출발점이 바로 워넘블이다. 그곳에서 하룻밤을 묵고 여행을 한 적이 있다. 거기는 워낙 파도가 세서 쉽렉 코스트Shipwreck Coast로 불린다. 그레이트 오션로드 투어의 전초기지 같은 곳인데, 바닷가에 가보면 거센 파도에 주눅이 들 정도다. 쉽렉 코스트는 이름 그대로 수많은 사람들을 수장시킨 난파선 해안이었다. 그만큼 이 바다에서 좌초한 배가 많다는 뜻이다. 거기서 1836년 바다표범 사냥꾼이 난파선을 발견했는데, 그게 바로 중국 정화 선단의 배라고 멘지스는 주장한다. 그 배는 유럽인들이 쓰지 않던 티크로 건조됐다는 것이 밝혀졌기 때문이다.

역사는 다시 쓰여야 하는 게 분명하다. 미국을 처음 발견한 것은 아메리고 베스푸치가 아니라 중국인이며, 호주 대륙의 발견자도 중국인이다. 남극 바다를 항해했던 사람들도 중국의 정화 선단이었다. 이처럼 항해기술이 뛰어났던 중국은 황궁 대화재 이후 쇄국의 길을 걷는다. 황제는 대항해에 나선 것이 하늘의 뜻이 아니라고 생각하고 해양로를 폐쇄했다. 중국 해양탐험의 역사도 중단됐다. 황제는 백성들이 탐험에 나서지 못하게 아예 정화의 해양탐험기록까지 태워버렸다.

지금도 세계 곳곳에는 탐험가의 흔적들이 남아 있다. 대개는 화려하게 윤색돼 있는 게 많다. 호주 멜버른에는 쿡 선장이 머물렀다는 집이 있고, 세부에는 원주민들과 싸우다 숨진 마젤란의 동상이 서 있다. 침략을 당한 사람들이 침략자의 동상을 세운 것 자체가 역사의 아이러니다. 대개 식민 지배를 받으면서 그들을 침략한 서양 열강이 탐험가를 영웅으로 만들었기 때문이다. 그 배경에는 관광수입 등을 고려해 차마 침략자들의 동상을 철거하지 않고 있는 웃지 못할 사정도 있을 것이다.

근 · 현대의 탐험가들도 마찬가지다. 실크로드의 정류장이었던 둔황

마가오 굴을 찾았을 때였다. 그때는 실크로드란 말만 들어도 가슴이 뛸 때였다. 30여 년 전 일본 NHK 방송이 제작한 〈실크로드〉는 많은 사람들을 황량한 실크로드의 신비감에 빠져들게 했다. 역사, 문화, 민족, 고통, 사막……. 거기에는 뭔가 마음을 흔드는 감동이 있었다. 하지만 실크로드를 찾았을 때 둔황은 관광지로 전락해가고 있었다. 밍사산의 모래언덕은 낙타 타고 사진 찍는 관광 코스가 됐다. 모래 틈 아래 오아시스 월아천도 신비스러웠지만, 나중에는 물 부족 때문에 없어질 위기를 맞고 있다는 얘기를 들었다. 호텔들이 많이 들어서면서 수자원이 고갈되자 오아시스마저 말라붙게 됐다는 것이다.

사막으로 가는 마지막 관문쯤 되는 황량한 계곡에 마가오 굴이 있었다. 푸석푸석한 벽에 동굴을 파고 거기에 절을 세우고 부처를 안치했다. 앞모습만 절인 마가오 굴은 독특했다. 이곳은 수많은 사람들이 사막으로 떠나기 전에 부처에게 마지막 절을 올리고 무사하게 돌아오기를 빌었던 곳이다. 천축국 인도는 멀었고, 이정표는 없었다. 만약 실크로드를 거쳐 로마까지 가는 상인이라면 가는 데 5년은 걸렸을 것이다. 오가는 데 10년 길, 모래바람과 야생동물, 도적 떼, 국경을 지키는 병사들……. 모든 관문이 만만치 않았을 것이다. 이곳은 살아 돌아온다고 기약할 수 없는 문명의 경계선이었다. 그러니 이곳을 찾은 사람들은 신심을 다해 안녕을 빌었을 것이라고 짐작할 수 있다.

이 마가오 굴에서 혜초의 『왕오천축국전』이 발견됐다. 동굴은 많았다. 동굴 하나하나가 벽화와 부처로 가득 차 있었다. 『왕오천축국전』이 발견된 장경동은 사진 촬영을 금지하고 있었다. 원래 동굴벽 하나가 무너지면서 그 안에 고문서가 쏟아졌다. 이 소리를 듣고 탐험가들이 몰려왔다. 동굴을 지키던 왕원록이란 사람은 고문서 5만 여 점 중 대부분을 헐값에 탐험가들에게 넘겨버렸다. 『왕오천축국전』을 사간 사람은 프랑스인 펠리오였다.

사실 그들은 실크로드의 문화재를 찾기 위해 여기저기 유적지를 들쑤시고 다녔다. 스웨덴의 스벤 헤딘은 누란 유적을 발견한 것으로 유명하고, 영국의 오럴 스타인, 일본의 오타니 탐험대 등이 실크로드에 목을 매고 다녔다. 한국에 실크로드 문화재가 많이 남아 있는 것은 오타니가 수집한 수많은 귀중한 문서들이 서울에 있었는데 일본 패망 후 그대로 두고 도망갔기 때문이었다.

피터 홉커크는 이들을 소재로 한 책 『실크로드의 악마들』을 썼다. 당시 중국인들은 서양인들을 양귀자洋鬼子 즉 서양 악마들이라고 여겼다. 홉커크는 이들을 반은 영웅으로, 반은 문화재 약탈자로 그렸다. 탐험가들은 벽화를 통째로 뜯어갔고, 큰 불상은 조각을 내서 반출했다. 많은 서양인들이 당시 중국이 문화재를 보존할 만한 힘이 없다는 이유로 문화재 유출을 정당화했다. 하지만 그렇게 빠져나간 실크로드의 유물은 제2차 세계대전 당시 파괴되기도 했다.

비슷한 시기에 북극과 남극대륙에도 극점에 국기를 꽂으려는 탐험가들이 몰려들었다. 피어리를 비롯, 아문센 등 많은 사람들이 얼음 대륙을 찾아 떠났다. 노르웨이 오슬로에는 북극 탐험의 역사를 보여주는 프람 박물관이 있다. 난센과 아문센 등 노르웨이 탐험가들의 탐험기를 보여주는 박물관이었다. 박물관에 들어서면 검은 범선이 나타난다. '프람'이란 바로 이 배 이름이다. 이 배를 만든 사람은 탐험가 난센인데, 그가 가장 신경을 썼던 것은 배가 얼음을 뚫고 갈 수 있느냐 하는 문제였다.

탐험 자체는 인간의 한계를 시험하는 여정이었을 것이다. 눈보라와 추위, 식량공급 등 어느 것 하나 만만치 않았을 게 분명하다. 북극은 미지의 땅이었다. 아니 미지의 얼음대륙이었다. 지구상 곳곳을 대부분 정복한 열강들은 국력을 과시하기 위해 서로 극점을 향해 달려갔던 것이다. 그러나 그들의 탐험 역시 쉽지 않았다. 허허벌판 얼음판이라는 것이 길을 찾기가 만만치 않았다. 그래서 원주민들을 납치했고, 말을 듣지 않으면 죽이기도 했다. 그들은 날 음식을 먹는 원주민을 야만인으로 봤지만 원주민의 도움이 없었다면 그들 대부분은 탐험에 성공하지 못하고 죽었을지도 모른다.

제이 그리피스, 「땅, 물, 불, 바람과 얼음의 여행자」

*극북에 사는 사람들에게는 얼음과 눈을 설명하는 데에도 수많은 다른 단어가 있다. 단단해서 이글루를 지을 만한 눈도 있고, 습기가 많은 눈도 있다. 끝부분이 얼어붙어서 강한 바람이 불어도 날아가지 않는 눈도 있다. 원주민들은 눈만 보고도 가야 할지 말아야 할지 판단이 선다. 어디에 묵을지도 알게 되는 것이다. 옷을 따뜻하게 입는 방법도 그들은 알고 있다. 양털 옷을 입으면 따뜻하지만 땀이 나서 얼어 죽을 수도 있다. 텐트용 가족, 의복용 가죽, 신발용 가죽이 다 따로 있다. 북극 원주민들은 그들만의 노하우를 가지고 있었던 것이다. 허허벌판의 돌 하나도

치우지 않는다. 이유는 바로 지형지물 하나하나가 다 이정표 역할을 하기 때문이다. 건방을 떠는 유럽 탐험가들은 이러한 사실도 제대로 모른 채 덤벼들었다가 죽고 병들거나 구조됐다. 제이 그리피스는 이누이트들의 입을 통해 북극 탐험가들이 얼마나 어리석었는지를 보여준다. 그가 인터뷰한 이누이트의 말이다.

"최초의 탐험가들은 이누이트의 구조를 받았어. 얼음에 갇힌 그들을 이누이트가 가서 도와주었지. 백인들은 너무 추운 나머지 오줌을 누러 움직이지도 못할 정도여서 이누이트가 바지를 풀도록 도와줬어. 백인들은 스스로 자랑스러워하며 마치 자기 혼자 해낸 것처럼 말하지만, 사실 그들은 아주 많은 도움을 받았지. 나는 백인들이 이누이트의 도움을 받았기에 생존할 수 있었다는 내용을 책에 썼으면 바랐다네."

다행히 노르웨이의 난센은 그런 유의 악당은 아니었던 모양이다. 그는 북극점에 도달하지는 못했지만 수많은 탐험여행을 했다. 무엇보다도 제1차 세계대전 후 인도주의적 입장에서 포로의 본국송환과 난민구제를 주장했다. 인도적인 일을 많이 한 까닭에 그는 오늘날에도 노르웨이인들의 존경을 받고 있다. 1922년에는 노벨 평화상까지 받았다.

그로부터 다시 반세기가 흐른 뒤 지구에 남은 마지막 탐험지는 히말라야였다. 세계 각국은 히말라야를 놓고 탐험전쟁을 벌였다. 네팔에서 히말라야 트레킹을 하게 되면 아름다운 설봉들 때문에 숨이 멎는 듯하다. 인간을 겸손하게 하는 그 높은 봉우리에 사람들은 절로 경의를 표할 수

탐험, 그것은 자신과의 싸움일 때 아름답다.

밖에 없다. 그러나 인간은 어디에든 발자국을 찍고 싶어 하는 탐욕스러운 동물이어서 북극과 남극에 발을 디딘 탐험가들이 이번에는 히말라야 에베레스트 등정에 목을 맸다.

영국과 프랑스는 히말라야에서도 앙숙이었다. 오래 전부터 등정 경쟁을 벌였다. 1950년대 초반까지만 해도 미지의 땅이라고는 히말라야 정상밖에 없었다. 프랑스의 모리스 에르조크가 먼저 8천 미터급 고봉을 올랐다. 그 봉우리는 안나푸르나였다. 한발 늦은 영국은 에베레스트를 벼르고 있었다. 영국 정부는 1953년 5월 영국 엘리자베스 2세 여왕의 대관식에 맞춰 뭔가 큰 이벤트를 터뜨리려고 했다. 이때 영연방 뉴질랜드의 양봉업자 출신인 에드먼드 힐러리가 대원으로 따라갔다가 결국 정상에 올랐다. 그 순간이 바로 탐험의 역사가 한 매듭을 지은 순간이다. 나중에 밝혀진 사실이지만 힐러리보다 먼저 정상 앞에 가서 힐러리를 기다렸던 사람은 셰르파 텐징 노르가이였다. 그는 가장 먼저 오를 수 있었음에도 힐러리에게 '인류 최초'라는 타이틀을 양보했다. 나중에 누가 먼저 히말라야에 올랐느냐를 놓고 수많은 논쟁이 일어났다. 그 비화는 힐러리가 사실을 밝힌 뒤에야 잠잠해졌다.

힐러리는 과거 탐험가들과는 달리 존경받고 있다. 이유는 한 가지다. 그가 히말라야 등정 이후 셰르파 족을 위해 학교를 짓고 그들을 위해 헌신했기 때문이다. 힐러리의 부인은 그를 만나러 히말라야에 오다가 비행기 추락사고로 사망했다. *힐러리는 과거의 탐험가들과는 달랐다. 그는 후에 자신의 생애 중 가장 가치 있던 일은 에베레스트 정상 정복이 아니라 히말라야에 있는 네팔 원주민들을 위해 학교와 병원을 세우는 일이었다고 고백했다. 안나푸르나를 최초로 오른 모리스 에르조그 역시 히말라야에 오르고 난 뒤 자신이 변했다고 말했다. 안나푸르나에 오르기 전에는 자만했다면 이후에는 진실해졌다는 것이다.

리처드 블럼 등 엮음, 『히말라야』

탐험, 그것은 자신과의 싸움일 때 아름답다. 그러나 다른 욕심을 내는 순간, 그 빛은 순식간에 사라지고 마는 마법 같은 것이다. 나는 여행을 통해 교과서에 나온 내용들이 틀린 것도 많다는 것을 깨달았다.

우주여행

"틈만 나면 지구를 보고 있었다. 지구는 아무리 보아도 지루하지 않았다.
너무나 아름다웠다. 그것을 보고 있으면 내가 지구의 일원이라는,
지구에의 귀속의식이 아주 강렬하게 살아났다. 나는 미국 국민이라든가,
텍사스 사람이라든가, 휴스턴 시민이라든가 하는 따위의 의식은 전혀 없었다.
오로지 지구에의 귀속의식뿐이었다. - 우주비행사 폴 와츠"

다치바나 다카시,『우주로부터의 귀환』

여행 기자를 하다 보면 가장 많이 받는 질문이 "어디가 가장 좋았느냐?"는 것이다. 사람마다 취향이 다르고, 같은 지역도 계절별로 풍광이 달라서 딱히 대답하기 힘든 질문이다. 질문을 받을 때마다 질문자의 취향을 고려해서 대답하곤 한다. 산을 좋아하는 사람이라면 네팔이나 스위스 트레킹을, 스키를 좋아하는 사람이라면 일본 니가타와 홋카이도를, 바다를 좋아하는 사람이라면 타히티 보라보라나 필리핀 보라카이의 환상적인 물빛을, 와인을 좋아한다면 보르도의 메독과 생테밀리옹에 대해 말해준다.

"개인적으로 꼭 가보고 싶은 여행지는?"

이 질문에 대해서는 확실하게 답할 수 있다. 정말 가보고 싶은 여행지

는 우주다. 우주여행도 상업화되고 있다. 몇 해 전에는 한국에서 우주여행 프로그램에 대한 기자간담회도 열렸다. 얼마나 많은 사람이 우주여행을 하는지는 모르겠지만 어쨌든 금세기 말쯤이면 우주여행도 보편화되지 않을까? 물론 나는 우주여행을 해보지 못했다. 우주여행에 꽂힌 것은 책 한 권, 다치바나 다카시의 『우주로부터의 귀환』 때문이었다. 이 책은 우주비행사에 대한 인터뷰를 모은 책이다.

"신이 있더냐?"

"우주비행이 신앙에 영향을 주더냐?"

미국의 우주비행사들을 인터뷰 할 때마다 다카시는 이런 난감한 질문을 했다. 그런데 대답은 놀라웠다. 대부분의 사람들이 엄청난 충격을 받았다. 신을 믿었던 우주비행사 중에는 신을 버렸다고 한 사람도 있고, 대충 교회만 다니던 사람들 중에는 신앙이 돈독해졌다는 사람도 있었다. 우주여행이 인생과 가치관을 바꿨다는 것이다.

아폴로 7호의 우주비행사였던 돈 아이즐리는 우주에서 왜 인간은 쓸데없이 전쟁을 할까 하는 생각을 했다. 한 발자국 떨어져 지구를 보니 지구인들이 바보같이 느껴졌다는 것이다. 우주비행을 하고 난 다음 인종에 대한 생각도 달라졌다. 우주에서도 지구의 스모그가 보였는데 그 때는 화가 치밀었다고 한다. 아름다운 별 지구를 인간이 오염 시키고 있다는 분노였다.

나는 아이즐리의 고백을 읽고 깜짝 놀랐다.

"사람의 마음을 통째로 흔드는 여행이 있기는 있구나!"

"과거에는 그게 신을 찾아가는 구도여행이었을 텐데 앞으로는 우주 여행이 구도여행이자 순례여행이 되겠구나!"

다카시가 만난 우주비행사들은 보통 사람들은 아니다. 초창기 미국과 소련이 경쟁적으로 우주 경쟁을 벌였을 당시 우주비행사들은 대부분 충성심 높은 엘리트 군인 중에서 선발됐다. 사상을 충분히 검증받았을 법한 그들이 우주에 나갔을 때는 조국애보다 더 큰 시각으로 세상을 보게 된 것이다. 우주에 나가보니 국경이니 조국이니 하는 말들은 '우물 안 개구리들의 논쟁'이었다. 아이즐리만 그런 고백을 한 것이 아니다. 아폴로 15호 우주비행사 제임스 어윈도 비슷한 경험을 했다. 우주에서 인간은 약한 존재라는 것을 깨달았다. 그는 결국 돌아와 신에게 봉사하기로 결심했다. 또 채식주의자로도 변했다. 반면 러셀 슈워이카트는 신심 깊은 기독교 신자였으나 종교를 버렸다. 슈워이카트는 우주 비행의 경험이 자신의 인생을 바꿔놨다고 고백했다. 그는 "우주 체험을 한 뒤에 전과 똑같은 인간일 수는 없다"고 말했다.

이만하면 우주비행을 할 만한 충분한 동기가 생길 법도 하다. 하나같이 우주를 여행하고 나서 인생의 큰 변화를 겪었다고 하니 말이다. 그래서 여행 한 번에 수십억 원이 든다 해도, 재산을 다 팔아야 한다 해도, 한 번쯤 여행을 해봐야겠다는 생각이 들었다. 인생관이 바뀐다면 돈이 문제가 아닐 것이다. 게다가 우주비행사들은 우주에서 초능력도 경험했다고 한다. 아폴로 14호의 에드가 미첼은 다른 우주비행사와 대화 없이도 그가 생각하는 것을 알았다고 했다. 에드가 미첼은 기독교 원리주의자였지만 나중에는 신을 우주 영혼, 혹은 우주 정신이라고 해도 좋다고 말했다. 그에게 우주는 신이고, 하나의 거대한 사유였다는 것이다.

우주를 여행한 사람들이 하나같이 엄청난 충격을 받은 이유는 무엇일까. 세상의 법칙이 다르기 때문이다. 지구의 법칙은 우주에서 통하지 않는다. 본질적으로 다르다. 우주는 진공상태다. 지구에서는 상하좌우가 있지만 우주에는 없다. 낮밤도 따로 없다. 우주선이 인공적으로 밤과 낮을 만들 뿐이다. 중력도 없다. 지구인은 뉴튼의 법칙으로 살아간다. 중력의 법칙은 지구의 법칙이다. 그러나 우주에는 아인슈타인의 법칙이 적용된다. 뉴튼의 법칙은 절대적이고, 아인슈타인의 법칙은 상대적이다.

우린 각도가 정해진 눈으로 세상을 보고 살아왔다. 시각이 좁다. 그런데 한계선을 벗어나니 세상이 다시 보인다는 말이다. 이것은 종교적 체험과 비슷하다. 득도나 해탈에 가깝다. 마치 오랫동안 수행했던 스님이 깨달음을 얻는 것처럼 엄청난 육체적, 감정적 충격을 받는다. 우주여행은 알을 깨고 나오는 경험이다. 단 한 번의 경험으로 인생이 바뀌었으니 불교식으로 말하면 돈오돈수頓悟頓修, 한 번 깨달으면 더 이상 수행할 필요가 없다는 뜻다.

사람들은 신의 발자국을 좇아왔다. 그리스인들은 신탁을 받기 위해 신전으로 몰려들었고, 세상의 위인들은 여행을 했다. 오디세우스는 다른 세상을 찾아가서 거기서 뭔가를 찾아내려 했다. 중세 시대엔 깨달음을 얻기 위해 구도의 길을 떠났다. 성인의 유해가 있는 로마로, 예루살렘으로 갔다. 동양에서도 마찬가지였다. 혜초는 천축을 향해 실크로드 여행을 했다. 수십 명이 가서 단 두 명만 살아 돌아온 경우도 있다.

다음 세대의 구도 여행은 우주여행이 될 것이 분명하다. 달이건 안드로메다건, 어느 미지의 행성이건 간에 거기서 우주를 다시 보게 되는 것이다. 우주여행은 여행에 대한 개념을 바꿀 수 있다. 보고 먹고 마시고 즐기는 여행이 아니라 적막한 우주에서 지구를 오롯하게 바라보는 여행이 될 텐데, 그건 정말 과거와는 다를 것이다. 우주여행은 인도 아쉬람에서의 명상여행이나 산티아고 순례여행 같은 의미를 가질 것이다. 우주로 시야를 넓히게 되면 국가와 민족의 의미는 쇠퇴하게 된다. 국가도 민족도 지엽적이고 사소한 문제가 될지도 모른다. 우주여행이 평화운동이 될지도 모른다.

과학자 중에서도 외계의 생명체에 관심이 있었던 사람은 『코스모스』를 쓴 칼 세이건이다. 조디 포스터가 나온 영화 〈콘택트〉도 그의 소설을 바탕으로 한 것이다. 세이건 역시 우주를 연구하면서 오히려 지구에 더 큰 애정을 발견하게 됐다. 그는 지구인들끼리, 다른 인종끼리도 서로 소통하는 것이 중요하다고 했다. 우주인과의 소통에 앞서 지구인들과의 소통이 더 중요하다는 것이다. 뿐만 아니라 지구에 사는 모든 생물종과도 먼저 소통해야 한다고 했다. 우주를 본다는 것은 결국 자신을 본다는 의미이고, 같은 종으로서의 인류를 본다는 의미이며, 지구상의 생명체를 사랑한다는 의미가 된다. 결국 우주를 아는 것은 평화를 본다는 의미일 것이다.

인용 및 참고 문헌

공항
『공항에서 일주일을』, 알랭 드 보통, 정영목 역, 청미래, 2009
『동물원에 가기』, 알랭 드 보통, 정영목 역, 이레, 2006
『공항에서』, 무라카미 류, 정윤아 역, 문학수첩, 2007
『나는 건축가다』, 한노 라우테르베르크, 김현우 역, 현암사, 2010

호텔
『도시의 창, 고급 호텔』, 프랑수아즈 제드 외, 양지윤 역, 후마니타스, 2007
『목욕, 역사의 속살을 품다』, 캐서린 애센버그, 박수철 역, 예지, 2010
『혁명의 시대』, 에릭 홉스봄, 정도영 · 차명수 공역, 한길사, 1998

관찰
『예찬』, 미셸 투르니에, 김화영 역, 현대문학, 2000
『푸코의 진자』, 움베르토 에코, 이윤기 역, 열린책들, 2000
『모든 것의 나이』, 매튜 헤드만, 박병철 역, 살림, 2010
『생각의 탄생』, 로버트 루트번스타인 · 미셸 루트번스타인, 박종성 역, 에코의서재, 2007
『그늘에 대하여』, 다니자키 준이치로, 고운기 역, 눌와, 2005
『행복의 건축』, 알랭 드 보통, 정영목 역, 이레, 2007
『생활의 발견』, 린위탕, 범우사, 1985
『영국 기행』, 니코스 카잔차키스, 이종인 역, 열린책들, 2008

개
『개에 대하여』, 스티븐 부디안스키, 이상원 역, 사이언스북스, 2005
『내 이름은 빨강』, 오르한 파묵, 이난아 역, 민음사, 2009
『총 균 쇠』, 재레드 다이아몬드, 김진준 역, 문학사상사, 2005
『안나 카레니나』, 레오 톨스토이, 연진희 역, 민음사, 2009
『지상 최대의 쇼』, 리처드 도킨스, 김명남 역, 김영사, 2009

고양이
『생각의 거울』, 미셸 투르니에, 김정란 역, 북라인, 2003
『고양이에 대하여』, 스티븐 부디안스키, 이상원 역, 사이언스북스, 2005
『나는 고양이로소이다』, 나쓰메 소세키, 유유정 역, 문학사상사, 2001
『고양이 대학살』, 로버트 단턴, 문학과지성사, 1996
『우천염천』, 무라카미 하루키, 임홍빈 역, 문학사상사, 2008

미술관
『서양미술사』, 에른스트 곰브리치, 백승길 · 이종승 역, 예경, 2009
『나의 서양미술 순례』, 서경식, 창비, 2011
『문학과 예술의 사회사2』, 아르놀트 하우저, 백낙청 등역, 창작과비평사, 1999
『반 고흐, 영혼의 편지』, 빈센트 반 고흐, 신성림 역, 예담, 2005
『거의 모든 사생활의 역사』, 빌 브라이슨, 박중서 역, 까치글방, 2011
『서양화 자신 있게 보기2』, 이주헌, 학고재, 2003
『미학 오디세이3』, 진중권, 휴머니스트, 2007
『해석에 반대한다』, 수전 손택, 이민아 역, 이후, 2002

건축

『행복의 건축』, 알랭 드 보통, 정영목 역, 이레, 2007
『게으름에 대한 찬양』, 버트란트 러셀, 사회평론, 2009
『고딕, 불멸의 아름다움』, 사카이 다케시, 이경덕 역, 다른세상, 2009
『거의 모든 사생활의 역사』, 빌 브라이슨, 박중서 역, 까치글방, 2011
『20세기 건축의 모험』, 이건섭, 박우진 사진, 수류산방, 2006
『나는 건축가다』, 한노 라우테르베르크, 김현우 역, 현암사, 2010

사진

『사진에 관하여』, 수전 손택, 이재원 역, 시울, 2005
『외면일기』, 미셸 투르니에, 김화영 역, 현대문학, 2004
『밝은 방』, 롤랑 바르트, 동문선, 2006
『뒷모습』, 미셸 투르니에, 에두아르 부바 사진, 김화영 역, 현대문학, 2002
『마지막 파라오 클레오파트라』, 마르탱 콜라, 임헌 역, 해냄, 2006
『여행자 도쿄』, 김영하, 아트북스, 2008

커피

『커피의 역사』, 하인리히. 야콥, 박은영 역, 우물이 있는 집, 2005
『내 이름은 빨강1』, 오르한 파묵, 이난아 역, 민음사, 2009
『왜 이탈리아 사람들은 음식 이야기를 좋아할까』,
엘레나 코스튜코비치, 김희정 역, 랜덤하우스코리아, 2010
『세상의 바보들에게 웃으면서 화내는 방법』, 움베르토 에코, 이세욱 역, 열린책들, 2009

맥주

『맥주, 세상을 들이켜다』, 야콥 블루메, 김희상 역, 따비, 2009
『What's Beer』, '와바'의 맥주안내서, 2006
『영국인 발견』, 케이트 폭스, 권석하 역, 학고재, 2010
『여행자 도쿄』, 김영하, 아트북스, 2008
『500 beers』, 자크 애버리, 구소영 역, 세경, 2010

담배

『그리스인 조르바』, 니코스 카잔차키스, 이윤기 역, 열린책들, 2008
『이것이 인간인가』, 프리모 레비, 이현경 역, 돌베개, 2007
『나는 왜 쓰는가』, 조지 오웰, 이한중 역, 한겨레출판, 2010
『스페인 기행』, 니코스 카잔차키스, 송병선 역, 열린책들, 2008

걷기

『걷기예찬』, 다비드 르 브르통, 김화영 역, 현대문학, 2002
『걷기의 철학』, 크리스토퍼 라무르, 고아침 역, 개마고원, 2007
『느리게 산다는 것의 의미2』, 피에르 쌍소, 김주경 역, 동문선, 2001
『에밀』, 장 자크 루소, 김중현 역, 한길사, 2003
『산책』, 헨리 데이비드 소로우, 박윤정 역, 양문, 2005

열차

『세상의 바보들에게 웃으면서 화내는 방법』, 움베르토 에코, 이세욱 역, 열린책들, 2009
『느리게 산다는 것의 의미2』, 피에르 쌍소, 김주경 역, 동문선, 2002

택시와 버스

『민주주의가 어떻게 민주주의를 해치는가』, 움베르토 에코, 김운찬 역, 열린책들, 2009
『세상의 바보들에게 웃으면서 화내는 방법』, 움베르토 에코, 이세욱 역, 열린책들, 2009

밤 『밤으로의 여행』, 크리스토퍼 듀드니, 연진희 · 채세진 역, 예원미디어, 2008
『생명의 도약』, 닉 레인, 김정은 역, 글항아리, 2011
『코스모스』, 칼 세이건, 홍승수 역, 사이언스북스, 2006
『공감의 시대』, 제러미 리프킨, 이경남 역, 민음사, 2010
『밤의 문화사』, 로저 에커치, 조한욱 역, 돌베개, 2008

백야 『여행하는 나무』, 호시노 미치오, 김욱 역, 갈라파고스, 2006
『알래스카, 바람 같은 이야기』, 호시노 미치오, 이규원 역, 청어람미디어, 2005
『북극곰은 걷고 싶다』, 남종영, 한겨레출판, 2009
『기발한 자살여행』, 아르토 파실린나, 김인순 역, 솔, 2005
『북유럽의 매력』, 황스자, 성은리 역, 이스트북스, 2007
『알바 알토』, 이토 다이스케, 김인산 역, 르네상스, 2005

로맨스 『넌 동물이야, 비스코비츠!』, 알렉산드로 보파, 이승수 역, 민음사, 2010
『빌 브라이슨의 발칙한 유럽산책』, 빌 브라이슨, 권상미 역, 21세기북스, 2008
『예찬』, 미셸 투르니에, 김화영 역, 현대문학, 2000
『섹스의 진화』, 재래드 다이아몬드, 임지원 역, 사이언스북스, 2005
『섹슈얼리티의 진화』, 도널드 시몬스, 김성한 역, 한길사, 2007

에티켓 『거의 모든 사생활의 역사』, 빌 브라이슨, 박중서 역, 까치글방, 2011
『생활의 발견』, 린위탕, 범우사, 1999
『위건부두로 가는길』, 조지 오웰, 이한중 역, 한겨레출판, 2010
『중세의 가을』, 호이징가, 문학과지성사, 1997
『슬픈 열대』, 클로드 레비스트로스, 박옥줄 역, 한길사, 1998
『희망을 여행하라』, 임영신 · 이혜영 외, 소나무, 2009

패스트푸드 『잡식동물의 딜레마』, 마이클 폴란, 조윤정 역, 다른세상, 2008
『희망의 밥상』, 제인 구달 외, 김은영 역, 사이언스북스, 2008
『아메리칸 버티고』, 베르나르 앙리 레비, 김병욱 역, 황금부엉이, 2006
『행복의 정복』, 버트란트 러셀, 이순희 역, 사회평론, 2005

슬로푸드 『왜 이탈리아 사람들은 음식 이야기를 좋아할까』,
엘레나 코스튜코비치, 김희정 역, 랜덤하우스코리아, 2010
『지중해, 태양의 요리사』, 박찬일, 창비, 2009
『빵의 역사』, 하인리히 야콥, 곽명단 · 임지원 공역, 우물이 있는 집, 2005
『메밀꽃 필 무렵』, 이효석, 범우사, 2005

종교 『팡세』, 블레즈 파스칼, 최현 · 이정림 공역, 범우사, 2002
『나는 왜 기독교인이 아닌가』, 버트란트 러셀, 사회평론, 2005
『통섭』, 에드워드 윌슨, 최재천 · 장대익 공역, 사이언스 북스, 2005

탐험가

『미국 민중사』, 하워드 진, 유강은 역, 이후, 2008
『거의 모든 사생활의 역사』, 빌 브라이슨, 박중서 역, 까치글방, 2011
『하워드 진, 역사의 힘』, 하워드 진, 이재원 역, 예담, 2009
『젊은 베르테르의 기쁨』, 알랭 드 보통, 정명진 역, 생각의 나무, 2005
『나를 운디드니에 묻어주오』, 디 브라운, 최준석 역, 한겨레출판사, 2011
『1421년 중국, 세계를 발견하다』, 개빈 멘지스, 조행복 역, 사계절, 2004
『왕오천축국전』, 혜초, 정수일 역, 학고재, 2004
『실크로드의 악마들』, 피터 홉커크, 김영종 역, 사계절, 2000
『땅, 물, 불, 바람과 얼음의 여행자』, 제이 그리피스, 전소영 역, 알마, 2011
『히말라야』, 리처드 블럼 등 엮음, 김영범 역, 풀로엮은집, 2009

우주여행

『우주로부터의 귀환』, 다치바나 다카시, 전현희 역, 청어람미디어, 2002
『코스모스』, 칼 세이건, 홍승수 역, 사이언스북스, 2006